LE GRAND LIVRE
DE LA
CUISINE VÉGÉTARIENNE

LE GRAND LIVRE
DE LA
CUISINE
VÉGÉTARIENNE

MODUS VIVENDI

Version française publiée chez:

Les Publications Modus Vivendi Inc.

C.P. 213, Dépôt Ste-Dorothée

Laval (Québec)

Canada H7X 2T4

ISBN 2-921556-82-0

Imprimé à Singapour.

Designer : Melanie Williams
Éditeurs du projet : Laura Sandelson, Damian Thompson
Éditrice : Susie Ward

Dépôt légal : 4ième trimestre 1999
Bibliothèque nationale du Québec
Bibliothèque nationale du Canada
Bibliothèque nationale de Paris

TABLE DES MATIÈRES

INTRODUCTION

La cuisine végétarienne est non seulement différente, mais encore délicieuse et nourrissante. Elle permet de transformer la préparation des repas - et les repas eux-mêmes! - en un réel plaisir quotidien. Une bonne miche de pain maison et une soupe faite avec des légumes bien frais procurent souvent davantage de satisfaction que des mets plus raffinés nappés d'une riche sauce au beurre. Par ailleurs, nous sommes tous si habitués de faire figurer la viande ou même le poisson au menu qu'apprendre à cuisiner autrement n'est pas sans représenter un agréable défi.

Le végétarisme et la cuisine santé connaissent actuellement un regain de popularité dans le monde occidental. On peut interpréter ce mouvement comme une réaction contre les aliments riches en matières grasses, en sucre et en féculents qui ont envahi notre diète au cours des 30 dernières années.

Le principal plaisir de la cuisine saine réside dans le pur délice qu'elle apporte à votre table. La gamme des ingrédients naturels, non raffinés et dépourvus d'additifs, qui s'illustrent par leur saveur et leur fraîcheur, est infiniment riche et subtile. La saine alimentation ne satisfait toutefois pas que le palais; elle procure également des bienfaits à long terme pour la santé.

Notre régime alimentaire occidental contient en général beaucoup d'aliments mous, sucrés et riches en graisse animale. Les aliments ultra-raffinés et transformés contiennent moins de vitamines et de minéraux, et les additifs chimiques causent chez certains des effets secondaires désagréables. Les aliments plus près de la nature — les fruits et les légumes frais, les grains non raffinés, les noix et les légumineuses — sont riches en vitamines et en minéraux, et ils contiennent beaucoup de fibres et peu de graisses. En outre, ils sont une source de protéines bon marché, et bien qu'ils soient nourrissants, ils présentent l'avantage d'être généralement faibles en calories.

Le végétarisme est donc une option sensée sur les plans économique et écologique. Un champ consacré à la culture du soja produit 30 fois plus de protéines que s'il était consacré à l'élevage bovin. Assez étonnamment, les terres agricoles servent aujourd'hui davantage à nourrir les animaux qu'à cultiver les champs. De plus, les pressions économiques obligent les pays en voie de développement à exporter leurs céréales vers les pays industrialisés où elles servent d'aliments pour le bétail.

De nombreuses personnes ont opté pour une alimentation végétarienne en guise de protestation contre l'abattage massif des animaux pour la nourriture et contre la pratique qui consiste à garder les poules en batterie dans des cages minuscules pendant la durée de leur courte vie. De plus, bien que la viande soit moins chère que jamais grâce aux méthodes modernes de production des aliments, il est inévitable que le goût de cette viande produite en série, à partir d'animaux nourris d'aliments chimiques et injectés d'hormones, souffre d'une fadeur uniforme. À l'heure actuelle, il est pratiquement impossible dans le monde occidental d'acheter un poulet élevé en plein air : en Amérique, 98 pour cent des poulets sont élevés en batterie. Des considérations comme celles-là ont fourni à plusieurs une raison moins idéologique, mais néanmoins valide, d'opter pour un style de vie favorisant les aliments complets et le végétarisme.

D'autres aliments sains, par exemple le yogourt, complètent le régime végétarien. Le yogourt est probablement le mieux connu de tous les produits laitiers de culture. Cet aliment relativement obscur, originaire du Moyen Orient, a acquis en moins de vingt ans une popularité mondiale. On lui reconnaît des propriétés extraordinaires, notamment depuis que les scientifiques, il y a environ cent ans, commencèrent à s'émerveiller devant les processus microbiologiques se produisant dans la fermentation du lait. On rapporte même qu'autrefois, les médecins prescrivaient du lait sur aux patients souffrant de dysenterie, de tuberculose, de problèmes de foie et autres maladies. Il fut constaté que le lait acide était plus facile à digérer que le lait ordinaire, et les professionnels de la médecine moderne y ont eu recours pour combattre les effets de certains antibiotiques qui détruisent la flore intestinale bénéfique. De nos jours, les amateurs de yogourt ont le choix entre une grande sélection de produits, et les plus acharnés peuvent même découvrir des variétés très peu communes.

Comme vous pourrez le constater, il n'est pas nécessaire d'être végétarien pour tirer profit du présent livre, mais celui-ci vous permettra peut-être d'adopter une nouvelle attitude face à votre alimentation. Par exemple, vous pourriez laisser tomber le traditionnel repas à trois services et offrir plusieurs plats complémentaires en même temps, comme dans les pays orientaux, ou bien servir une grosse salade comme plat principal avec du pain maison et un assortiment de vinaigrettes. Ce qu'il y a de bien avec la cuisine végétarienne, c'est qu'elle constitue une véritable aventure et qu'elle ouvre la porte à de nouvelles possibilités pour les repas... et pour les cuisiniers.

Conversion des poids et mesures

Mesures de poids

1 c. à café	.5 g
1 c. à soupe	.15 g
1 once	.30 g
1 tasse	.230 g
1 livre	.454 g
50 g	.1,8 onces
100 g	.3,5 onces
150 g	.5,3 onces
200 g	.7,1 onces
250 g	.8,8 onces
300 g	.10,6 onces
1 kg (1000 g)	.35,3 onces ou 2,2 livres

Mesures de capacité

1 c. à café	.5 ml
1 c. à soupe	.15 ml
1 once	.30 ml
1 tasse (8 onces)	.250 ml
50 ml	.1,8 onces
100 ml	.3,5 onces
150 ml	.5,3 onces
200 ml	.7,1 onces
250 ml	.8,8 onces
300 ml	.10,6 onces
1 litre (1000 ml)	.35,3 onces

LES SOUPES

*Le bon goût de la soupe a toujours plu aux amateurs
de véritable cuisine maison. D'ailleurs, les Français
vivant à la campagne n'hésitent pas à affirmer que
c'est à la soupe qu'on juge la valeur du cuisinier!
Copieuses et saines, les soupes conservent toutes les
vitamines et tous les éléments nutritifs des divers
ingrédients qui entrent dans leur composition.
Enfin, leur teneur en calories est généralement faible.*

Soupe piquante aux lentilles

Bouillon de légumes "vide-frigo"

INGRÉDIENTS *4-6 portions*
1-2 c. à soupe / 15–30 ml d'huile
2 gros oignons hachés
1 gousse d'ail hachée
2 carottes tranchées
2 branches de céleri tranchées
le jus d'un demi-citron
1 grosse pomme de terre pelée et
 coupée en dés
1/2 tasse / 100 g de lentilles préalablement trempées
trognons de chou ou de chou-fleur
feuilles de base de chou, de laitue, etc.
tout légume qui a perdu sa
 fraîcheur, comme des tomates ou
 des champignons mous
herbes fraîches hachées
8 3/4 tasses / 2 l d'eau, incluant les
 restes d'eau de cuisson de
 légumes, le jus de tomate égoutté
 des boîtes de conserve, etc.
sel et poivre noir fraîchement moulu
2-3 c. à table / 30-45 ml de sauce
 de soja

MÉTHODE
  Chauffer l'huile dans une grande casserole et faire sauter l'oignon et l'ail
jusqu'à ce qu'ils soient transparents.
  Ajouter les carottes, le céleri et le jus
de citron. Couvrir et faire suer à feu
doux, en remuant de temps en temps,
pendant 5-10 minutes.
  Ajouter les légumes qui restent de même
que les herbes, et verser l'eau. Bien
assaisonner et couvrir. Laisser mijoter pendant environ 40 minutes, jusqu'à ce que
les légumes soient en bouillie.
  Mélanger le bouillon dans un robot
culinaire ou un mélangeur, et ajouter de
la sauce de soja au goût. Conserver au
réfrigérateur pour utiliser dans les deux
jours suivants ou congeler dans des bacs
à glaçons.

Soupe aux haricots

INGRÉDIENTS *4-6 portions*
1 tasse / 250 g de haricots secs
1-2 c. à soupe / 15-30 ml d'huile
1 oignon haché
1 gousse d'ail hachée
2 carottes hachées
2 branches de céleri tranchées
3/4 tasse / 200 g de tomates pelées
 (ou une petite boîte)
1 tranche de citron
sauce de soja
sel et poivre noir fraîchement moulu
persil

MÉTHODE
  Faire tremper les haricots toute la nuit.
Amener à ébullition dans une grande
casserole remplie d'eau (environ 5 tasses
/ 1,25 l) et laisser mijoter jusqu'à ce
qu'ils soient tendres.
  Entre-temps, faire chauffer l'huile dans
une poêle à frire et faire cuire les oignons
et l'ail jusqu'à ce qu'ils soient ramollis.
Ajouter les carottes, le céleri et les
tomates, dans cet ordre, en remuant sans
arrêt.
  Verser les légumes dans la casserole
avec les haricots cuits. Ajouter la tranche
de citron et la sauce de soja. Goûter et
rectifier l'assaisonnement. Réchauffer et
parsemer de persil pour servir. La soupe
peut être partiellement mise en purée, si
désiré.

Bortsch à la betterave et au chou

INGRÉDIENTS *6-8 portions*
beurre ou margarine
4 tasses / 450 g de betteraves
   cuites, pelées et coupées en dés
2 c. à table / 15 g de farine
2 c. à table / 30 ml de vinaigre
9 tasses / 700 g de chou rouge,
   finement râpé
1 feuille de laurier
1 gousse d'ail broyée
1 c. à table / 15 ml de sucre
8 3/4 tasses / 2 l de bouillon de
   légumes
sel et poivre noir fraîchement moulu
2/3 tasse / 150 ml de crème sure

MÉTHODE
   Faire fondre le beurre. Ajouter les betteraves et remuer pendant 1 minute. Ajouter la farine, retirer du feu et bien remuer. Remettre sur le feu et ajouter le vinaigre en le mélangeant bien.
   Ajouter le chou, la feuille de laurier, l'ail, le sucre, le bouillon, le sel et le poivre. Amener à ébullition, puis laisser mijoter, couvert, pendant 1 heure. Ajouter un peu de bouillon si nécessaire. Servir chaud avec une généreuse cuillerée de crème sure dans chaque bol.

◀ Bouillon de légumes "vide-frigo"
▶ Bortsch à la betterave et au chou

11

Soupe d'automne

INGRÉDIENTS *4-6 portions*
1-2 c. à table / 5-10 ml d'huile
1 oignon haché
2 1/4 tasses / 350 g de citrouille,
   pelée et coupée en dés
2 tasses / 250 g de carottes
   tranchées
2 pommes de terre
le jus d'un demi-citron
5 tasses / 1,1 l de bouillon
sel et poivre noir fraîchement moulu
1 courgette tranchée (facultatif)
1/3 tasse / 50 g de haricots
   d'Espagne tranchés (facultatif)
feuilles de basilic pour garnir

MÉTHODE

Chauffer l'huile dans une grande casserole et faire frire l'oignon jusqu'à ce qu'il soit transparent.

Ajouter la citrouille, les carottes, les pommes de terre et arroser du jus de citron. Couvrir et faire suer pendant 5 minutes.

Ajouter le bouillon et l'assaisonnement. Laisser mijoter jusqu'à ce que les pommes de terre soient cuites. Mélanger la soupe complètement ou partiellement.

Si désiré, ajouter des courgettes ou des haricots, et laisser mijoter pendant 4 autres minutes. Vérifier l'assaisonnement.

Garnir avec des feuilles de basilic. Cette soupe peut également être servie avec du parmesan râpé.

▶ Crème de chou-fleur
▶▼ Soupe à l'ail
▼ Soupe d'automne

Soupe d'automne

Crème de chou-fleur

INGRÉDIENTS *4 portions*
1 petit chou-fleur
sel et poivre noir fraîchement moulu
4 c. à soupe / 50 g de beurre
1/4 tasse / 25 g de farine non
   traitée
6 c. à soupe / 120 ml de crème
   fraîche liquide
1-2 jaunes d'œufs
1 c. à table / 15 ml de ciboulette
   hachée

MÉTHODE

Retirer les feuilles extérieures et faire cuire le chou-fleur entier à la vapeur dans une casserole couverte remplie d'eau bouillante salée, et ce jusqu'à ce qu'il soit tendre. Laisser ensuite refroidir le chou-fleur et réserver l'eau de cuisson.

Faire fondre le beurre dans une casserole et incorporer la farine. Ajouter graduellement 3 3/4 tasses / 900 ml de l'eau de cuisson. Compléter avec de l'eau fraîche si nécessaire.

Réserver quelques bouquets de chou-fleur pour garnir. Jeter les tiges les plus dures et réduire le reste en purée dans un mélangeur. Verser dans la casserole.

Battre ensemble la crème et les jaunes d'œufs dans un bol. Incorporer un peu de soupe, puis verser le mélange dans la casserole. Ajouter les bouquets de chou-fleur réservés. Faire chauffer, mais ne pas porter à ébullition. Assaisonner et ajouter la ciboulette hachée. Servir avec du pain grillé chaud découpé en triangle.

Soupe à l'ail

INGRÉDIENTS *4-6 portions*
5 tasses / 1,1 l de bouillon de
   légumes
4 gousses d'ail broyées
3 c. à table rases / 15 ml de paprika
3 c. à table rases / 15 ml de cumin
sel et poivre
2 morceaux de pain grillé
huile
6 œufs (facultatif)

MÉTHODE

Verser le bouillon de légumes dans une casserole, ajouter l'ail, le paprika, le cumin, et amener à ébullition. Assaisonner.

Défaire le pain en cubes et placer dans des bols à soupe. Placer une casserole légèrement huilée sur le feu, et y faire frire les œufs jusqu'à ce que le blanc se forme. Placer un œuf dans chaque bol et verser la soupe bouillante sur le tout.

Soupe à l'oignon et au fromage

INGRÉDIENTS *4-6 portions*
1-2 c. à table / 15-30 ml d'huile
2 oignons moyens tranchés
5 tasses / 1,1 l de bouillon
250 g de pommes de terre
1 1/2 tasse / 175 g de cheddar râpé
sel
sauce de soja

MÉTHODE

Chauffer l'huile dans une grande casserole et faire sauter les oignons jusqu'à ce qu'ils soient légèrement brunis. Ajouter le bouillon et amener à ébullition.

Entre-temps, peler les pommes de terre et les râper au-dessus de la casserole. Diminuer le feu et laisser mijoter jusqu'à ce que les pommes de terre soient cuites et que la soupe ait épaissi.

Ajouter le fromage râpé et brasser pour l'aider à se fondre au mélange. Assaisonner au goût avec le sel et la sauce de soja. Servir avec du pain de blé entier et une salade verte croquante.

Chaudrée aux haricots de Lima et aux champignons

INGRÉDIENTS *4-6 portions*
1 tasse / 100 g de haricots de Lima
   trempés une nuit dans l'eau froide
1 c. à thé / 5 ml d'huile d'olive
2 oignons hachés
2 branches de céleri tranchées
1 1/3 tasse / 225 g de pommes de
   terre, pelées et coupées en dés
2 tasses / 100 g de champignons de
   Paris tranchés
1/2 tasse / 50 g de maïs en grain
1 1/4 tasse / 300 ml de lait écrémé
sel et poivre noir fraîchement moulu
2 c. à table / 30 ml de persil haché

MÉTHODE

Égoutter les haricots, déposer dans une grande casserole et couvrir d'eau fraîche. Faire bouillir à gros bouillons pendant 10 minutes, puis laisser mijoter pendant 35-40 minutes ou jusqu'à ce que les haricots soient tendres.

Égoutter les haricots et réserver 2 tasses / 450 ml de l'eau de cuisson.

Chauffer l'huile dans une grande casserole et faire frire les oignons à feu doux. Ajouter le céleri et les pommes de terre, et cuire pendant 2-3 minutes en remuant de temps en temps. Ajouter l'eau de cuisson des haricots et les champignons, amener à ébullition, couvrir et laisser mijoter pendant 10 minutes.

14

Ajouter les haricots, le maïs et le lait, amener à ébullition et laisser mijoter pendant 2-3 minutes. Assaisonner au goût.

Verser dans des bols individuels et garnir de persil. Servir avec du pain de blé entier en accompagnement.

Soupe de courge au cari

INGRÉDIENTS *4 portions*
huile
1 gros oignon haché
2 c. à table / 30 ml de poudre de cari
1 petite courge (environ 700 g), pelée et hachée
4 1/4 tasses / 1 l de bouillon de légumes
2/3 tasse / 150 ml de yogourt
2 c. à table / 30 ml de chutney à la mangue

MÉTHODE
Chauffer l'huile, ajouter l'oignon et cuire jusqu'à ce qu'il soit ramolli, mais non bruni. Incorporer la poudre de cari et cuire pendant 1 minute. Ajouter la courge et bien remuer.

Verser le bouillon. Amener à ébullition, puis laisser mijoter jusqu'à ce que la courge soit tendre.

Mélanger la soupe dans un robot culinaire ou un mélangeur, puis remettre le mélange dans la casserole.

Garder la soupe au chaud, et mélanger ensemble le yogourt et le chutney. Verser ce mélange dans la soupe et servir immédiatement.

NOTE
Si vous préférez préparer cette soupe à l'avance, n'ajoutez pas le mélange au yogourt avant d'avoir fait réchauffer la soupe. Si désiré, vous pouvez servir la soupe avec un peu de noix de coco séchée et une quantité de chutney additionnelle.

◀▲ Soupe à l'oignon et au fromage
◀ Chaudrée aux haricots de Lima et aux champignons
▶ Soupe de courge au cari

Soupe aux germes de soja

INGRÉDIENTS *4 portions*
225 g de germes de soja frais
1 petit poivron rouge évidé et
  épépiné
2 c. à table / 30 ml d'huile
2 c. à thé / 10 g de sel
2 1/2 tasses / 600 ml d'eau
1 ciboule (échalote) hachée finement

MÉTHODE
Laver les germes de soja à l'eau froide;
jeter les coques et autres petits morceaux
qui flottent à la surface. Il n'est pas
nécessaire d'ébouter (couper) chaque
germe.

Couper le poivron en fines lanières.

Chauffer un wok ou une grande marmite, verser l'huile et attendre qu'elle
soit fumante. Ajouter les germes de soja
et le poivron rouge et remuer pendant
quelques minutes. Ajouter le sel et l'eau.

Quand la soupe commence à bouillir,
garnir de ciboule hachée et servir très
chaud.

Soupe aux tomates et aux œufs

INGRÉDIENTS *6 portions*
250 g de tomates pelées
1 œuf
2 ciboules (échalotes) hachées finement
1 c. à table / 15 ml d'huile
4 1/4 tasses / 1 l d'eau
2 c. à soupe / 30 ml de sauce de
  soja légère
1 c. à thé / 5 ml de fécule de maïs
  mélangée avec 2 c. à table / 10 ml
  d'eau

MÉTHODE
Tremper les tomates dans l'eau bouillante pendant environ 1 minute, puis
enlever la peau. Couper les tomates en
tranches épaisses.

Battre l'œuf. Hacher finement les
ciboules.

Chauffer un wok ou une casserole à
feu élevé. Ajouter l'huile et attendre
qu'elle soit fumante. Ajouter les ciboules
pour parfumer l'huile et incorporer
ensuite l'eau.

Ajouter les tomates et amener à ébullition. Verser la sauce de soja et ajouter
très lentement l'œuf battu. Ajouter le
mélange de fécule de maïs et d'eau.

◄ Soupe aux germes de soja
► Soupe aux tomates et aux œufs

Remuer pendant quelques minutes et
servir.

Soupe au chou chinois

INGRÉDIENTS *4-6 portions*
250 g de chou chinois
3-4 champignons chinois séchés,
  trempés dans l'eau chaude pendant 30 minutes
2 c. à soupe / 30 ml d'huile
2 c. à thé / 10 g de sel
1 c. à table / 15 ml de vin de riz ou
  de sherry sec
3 3/4 tasses / 900 ml d'eau
1 c. à thé / 5 ml d'huile de sésame

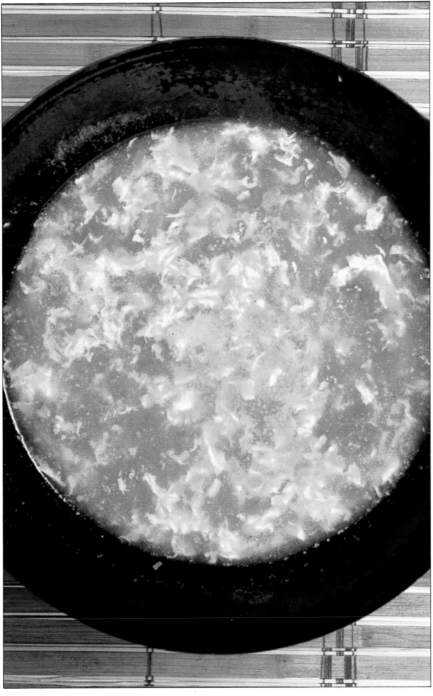

MÉTHODE
Laver le chou et le couper en tranches
minces. Exprimer l'eau des champignons
trempés. Jeter les tiges dures et couper
les champignons en petits morceaux.
(Réserver l'eau dans laquelle les
champignons ont trempé.)

Chauffer un wok ou une grande casserole, verser l'huile et attendre qu'elle soit
fumante. Ajouter le chou et les
champignons et remuer.

Ajouter le sel, le vin, l'eau et l'eau de
trempage des champignons. Porter à
ébullition.

Ajouter l'huile de sésame, remuer et
servir.

Soupe cantonaise aigre et piquante

INGRÉDIENTS *6 portions*
3 champignons chinois séchés, trempés dans l'eau chaude pendant 30 minutes
2 morceaux de tofu
1/2 tasse / 50 g de légumes chinois en conserve (en vente dans les boutiques d'alimentation orientales)
1/2 tasse / 50 g de légumes chinois marinés, comme des concombres, du chou ou des haricots d'Espagne (en vente dans les boutiques d'alimentation orientales ou voir page 136)
2 ciboules (échalotes) hachées finement
2 tranches de racine de gingembre coupées en fines lanières
3 3/4 tasses / 900 ml d'eau
1 c. à thé / 5 g de sel
2 c. à table / 30 ml de vin de riz ou de sherry
1 c. à table / 15 ml de sauce de soja
poivre fraîchement moulu au goût
1 c. à thé / 5 ml d'huile de sésame
1 c. à thé / 3 g de fécule de maïs mélangée avec 2 c. à table / 10 ml d'eau

MÉTHODE
Exprimer l'eau des champignons après le trempage. Jeter les tiges dures et couper les champignons en fines lanières. Réserver l'eau de trempage.

Couper le tofu, les légumes chinois en conserve, les légumes marinés et le gingembre en fines lanières. Hacher finement les ciboules.

Dans un wok ou une grande marmite, amener l'eau à ébullition. Ajouter tous les ingrédients et les assaisonnements, et laisser mijoter pendant 2 minutes.

Ajouter l'huile de sésame, et épaissir la soupe en incorporant le mélange de fécule de maïs et d'eau. Servir très chaud!

NOTE
Vous pouvez ajouter un peu de vinaigre si les légumes marinés ne donnent pas à la soupe un goût assez aigre pour vous.

Soupe aux champignons chinois

INGRÉDIENTS *4 portions*
6 champignons chinois séchés
2 c. à thé / 6 ml de fécule de maïs
1 c. à table / 15 ml d'eau froide
3 blancs d'œufs
2 c. à thé / 10 ml de sel
2 1/2 tasses / 600 ml d'eau
1 ciboule (échalote) hachée finement

MÉTHODE

Faire tremper les champignons séchés dans l'eau chaude pendant 25-30 minutes. Exprimer l'eau, jeter les tiges dures et couper chaque champignon en tranches minces. Réserver l'eau de trempage des champignons.

Mélanger la fécule de maïs et l'eau jusqu'à l'obtention d'une pâte molle. Séparer les blancs d'œufs des jaunes. Verser l'eau et l'eau de trempage des champignons dans une casserole et amener à ébullition. Ajouter les champignons et cuire pendant environ 1 minute. Incorporer ensuite le mélange de fécule de maïs et d'eau, remuer et saler.

Verser les blancs d'œufs très lentement dans la soupe, en remuant constamment.

Garnir avec la ciboule hachée finement et servir très chaud.

Soupe au maïs et aux asperges

INGRÉDIENTS *4 portions*
175 g d'asperges blanches
1 blanc d'œuf
1 c. à table / 8 ml de fécule de maïs
2 c. à table / 30 ml d'eau
2 1/2 tasses / 600 ml d'eau
1 c. à thé / 5 g de sel
1 tasse / 100 g de maïs
1 ciboule (échalote) hachée finement, pour garnir

MÉTHODE

Couper les asperges en petits cubes.

Battre le blanc d'œuf légèrement. Mélanger la fécule de maïs avec la petite quantité d'eau pour obtenir une pâte molle.

Faire bouillir l'eau à gros bouillons. Ajouter le sel, le maïs et les asperges. Quand l'eau recommence à bouillir, ajouter le mélange de fécule de maïs et d'eau en remuant constamment.

Ajouter le blanc d'œuf très lentement et remuer. Servir très chaud et garnir avec la ciboule finement hachée.

◄◄ Soupe cantonaise aigre et piquante
◄ Soupe aux champignons chinois

19

Soupe piquante aux lentilles

INGRÉDIENTS *6 portions*
3 c. à table / 40 g de beurre
1 gros oignon haché
1 gousse d'ail hachée
1 tranche de racine de gingembre
  non pelée
1 tranche de citron
1 1/8 tasse / 225 g de lentilles roses
7 tasses / 1,5 l d'eau
sel
une pincée de paprika
1 piment vert hongrois épépiné et
  haché

MÉTHODE
Faire fondre 2 c. à table / 25 g de beurre dans une casserole. Ajouter l'oignon, l'ail, le gingembre et le citron. Couvrir et faire suer à feu doux pendant 5 minutes.

Ajouter les lentilles et l'eau (les petites lentilles roses n'ont pas besoin d'être préalablement trempées) et assaisonner avec le sel et le paprika. Cuire pendant environ 40 minutes, jusqu'à ce que les lentilles aient fait épaissir la soupe.

Chauffer le reste du beurre dans une casserole et faire frire rapidement le piment. Servir la soupe garnie des piments.

Soupe aux champignons

INGRÉDIENTS *6 portions*
beurre ou huile
1 gros oignon tranché
6 tasses / 350 g de champignons
  tranchés
muscade râpée
1 c. à table / 15 ml de farine
2 tasses / 450 ml de bouillon de
  légumes
1 1/4 tasse / 300 ml de yogourt
2 c. à table / 30 ml de sherry (facultatif)

MÉTHODE
Faire fondre le beurre et cuire l'oignon jusqu'à ce qu'il soit ramolli, mais non bruni. Ajouter les champignons, remuer et laisser cuire pendant 2 minutes. Si nécessaire, ajouter du beurre.

Ajouter la muscade et la farine, et bien remuer. Ajouter lentement le bouillon en remuant jusqu'à l'obtention d'un mélange onctueux.

Amener la soupe à ébullition et laisser mijoter pendant 5 minutes. Incorporer le yogourt en remuant pour le réchauffer. Ajouter le sherry. Servir très chaud.

Potage crème à l'ortie

INGRÉDIENTS *6 portions*
900 g d'orties nouvelles
2 c. à table / 25 g de beurre
1 petit oignon haché
1/4 tasse / 25 g de farine
3 3/4 tasses / 900 ml de lait
sel et poivre noir fraîchement moulu
2 jaunes d'œufs
1 c. à table / 15 ml de crème fraîche
  liquide
crème et croûtons pour servir

MÉTHODE
Cueillir les feuilles d'orties nouvelles avant que les plantes fleurissent. Jeter les tiges, laver les feuilles et les presser dans une casserole seulement avec l'eau qui a collé aux feuilles. Couvrir et cuire jusqu'à ce que les feuilles soient tendres (5-8 minutes). Réduire en purée au mélangeur.

Faire fondre le beurre dans une casserole et cuire l'oignon jusqu'à ce qu'il soit tendre. Ajouter la farine en remuant. Verser un peu de lait et cuire jusqu'à épaississement. Ajouter assez du reste du lait pour obtenir une sauce très claire. Ajouter le lait et la sauce aux orties. Bien assaisonner.

Battre les jaunes d'œufs avec la crème. Incorporer un peu de soupe, puis verser le mélange dans la casserole. Faire chauffer et vérifier l'assaisonnement.

Pour servir, ajouter un nuage de crème et quelques croûtons dans chaque bol individuel.

▲▲ Soupe piquante aux lentilles
▲ Potage crème à l'ortie

20

Soupe aux épinards

INGRÉDIENTS *4-6 portions*
huile
1 gros oignon tranché
3 tasses / 750 g d'épinards, lavés et
  triés
1 gousse d'ail broyée
4 1/4 tasses / 1 l de bouillon de
  légumes
1 1/4 tasse / 300 ml de yogourt
sel et poivre noir fraîchement moulu

MÉTHODE

Chauffer l'huile, ajouter l'oignon et le faire cuire jusqu'à ce qu'il soit tendre, mais non bruni. Ajouter les épinards et l'ail, et remuer.

Ajouter le bouillon, amener à ébullition, puis couvrir et laisser mijoter pendant 15 minutes.

Passer la soupe au mélangeur et ajouter le yogourt lentement. Rectifier l'assaisonnement. Servir chaud ou froid.

NOTE

Vous pouvez aussi utiliser des 'épinards surgelés : environ 2 tasses / 450 g suffiront.

▶ Soupe aux épinards

Soupe à la citrouille

INGRÉDIENTS *4-6 portions*
1 c. à table / 15 ml d'huile de tournesol
1 oignon haché
350 g de citrouille ou de courge, pelée, épépinée et coupée en dés
1 1/3 tasse / 225 g de carottes coupées en dés
2 pommes de terre coupées en dés
2 1/2 tasses / 600 ml de bouillon de légumes
2 petites courgettes coupées en tranches minces
poivre noir fraîchement moulu
persil haché

MÉTHODE

Placer l'huile et l'oignon dans une casserole et cuire pendant 2-3 minutes.

Ajouter la citrouille ou la courge, les carottes, les pommes de terre et le bouillon. Amener à ébullition, couvrir et laisser mijoter pendant 15 minutes ou jusqu'à ce que les légumes soient presque tendres.

Ajouter les courgettes et cuire pendant 5 autres minutes.

Réduire la moitié de la soupe en purée, mélanger avec la soupe qui reste, et assaisonner de poivre au goût.

Réchauffer si nécessaire et servir dans des bols individuels. Laisser quelques tranches de courgettes flotter sur le dessus pour décorer.

Saupoudrer de persil pour servir. Avec sa couleur dorée et ses ingrédients typiques, cette soupe est un choix idéal en automne.

Soupe au cresson et aux pommes de terre

INGRÉDIENTS *4-6 portions*
beurre ou margarine
1 oignon moyen haché
3 tasses / 450 g de pommes de terre pelées et tranchées
2 bottes de cresson
2 1/2 tasses / 600 ml de bouillon de légumes
2 tasses / 450 ml de yogourt
1 œuf
sel et poivre noir fraîchement moulu

MÉTHODE

Faire fondre le beurre, ajouter l'oignon et cuire jusqu'à ce qu'il soit tendre, mais non bruni.

Ajouter les pommes de terre et le cresson, remuer, et cuire à feu doux pendant 3 minutes. Verser le bouillon et laisser mijoter pendant 20 minutes.

Mélanger le yogourt avec l'œuf. Quand les pommes de terre sont tendres, passer la soupe au mélangeur en ajoutant graduellement le mélange de yogourt alors que l'appareil fonctionne. Pour servir chaud, remettre la soupe dans la casserole et réchauffer à feu doux en remuant pour éviter qu'elle ne fige.

Pour servir la soupe froide, réfrigérer pendant environ 1 heure, puis servir avec de minces tranches de radis comme garniture.

Soupe froide aux pommes

INGRÉDIENTS *4 portions*
3 pommes à cuire moyennes, pelées et évidées
2/3 tasse / 150 ml d'eau
1/3 tasse / 75 g de sucre
jus d'un demi-citron
1 c. à table / 15 g de cannelle moulue
2 clous de girofle
sel
1 c. à table / 15 ml de vin blanc
2 tasses / 450 ml de yogourt
2/3 tasse / 150 ml de crème sure (facultatif)

MÉTHODE

Couper les pommes en dés et les faire cuire avec l'eau, le sucre, le jus de citron, la cannelle, les clous de girofle et le sel au goût jusqu'à ce qu'elles soient tendres. Enlever les clous de girofle, réduire les pommes en purée et laisser refroidir.

Ajouter le vin et le yogourt, et bien mélanger. Servir, très froid, avec de la crème sure si désiré.

VARIANTE

Cette soupe hongroise peut être faite avec des prunes, des poires, des pêches ou des cerises. Réserver un peu des fruits choisis pour garnir la soupe.

Ces "soupes" aux fruits — en réalité des purées — sont traditionnellement servies avant des repas de canard ou d'oie, qui sont les plats de résistance favoris des Hongrois.

La soupe se sert bien avant un plat principal à base de fromage ou d'œufs.

◀ Soupe à la citrouille
▶ Soupe aux pommes froide

Soupe au cresson

INGRÉDIENTS *4 portions*
1 gros oignon
1 1/3 tasse / 225 g de pommes de
    terre pelées
5 tasses / 1,1 l de bouillon de
    légumes
sel et poivre noir fraîchement moulu
3 bottes de cresson
crème

MÉTHODE

Faire fondre le beurre dans une grande casserole, ajouter l'oignon et cuire en remuant jusqu'à ce qu'il soit transparent.

Ajouter les pommes de terre, le bouillon et l'assaisonnement, amener à ébullition, puis laisser mijoter jusqu'à ce que les pommes de terre puissent être réduites en purée à la fourchette.

Laver le cresson et jeter les tiges dures ou les feuilles jaunes. Réserver quelques brins pour garnir, hacher grossièrement le reste et ajouter à la soupe. Continuer la cuisson pendant 2 minutes.

Laisser légèrement refroidir la soupe avant de la passer dans un mélangeur. Laisser ensuite refroidir complètement. Goûter et rectifier l'assaisonnement. Réfrigérer et servir avec des brins de cresson et un nuage de crème.

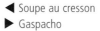

◀ Soupe au cresson
▶ Gaspacho

Soupe aux carottes et à la coriandre

INGRÉDIENTS *6-8 portions*
huile ou beurre
1 oignon moyen tranché
9 tasses / 700 g de carottes
    tranchées
1 c. à thé / 5 ml de coriandre
    moulue
3 3/4 tasses / 900 ml de bouillon de
    légumes
2/3 tasse / 150 ml de crème sure
sel et poivre noir fraîchement moulu
persil pour garnir

MÉTHODE

Chauffer l'huile, ajouter l'oignon et le
faire cuire jusqu'à ce qu'il soit tendre,
mais non bruni. Ajouter les carottes et la
coriandre et bien remuer. Laisser cuire
les carottes doucement pendant 3 minutes.

Verser le bouillon et porter le mélange
à ébullition, puis couvrir et laisser mijoter pendant 25 minutes.

Réduire la soupe en purée en ajoutant
la crème sure. Rectifier l'assaisonnement.
Servir très froid et garnir de persil.

Gaspacho

INGRÉDIENTS *4-6 portions*
450 g de grosses tomates mûres
1 gros oignon
2 gousses d'ail
1 poivron vert
1 poivron rouge
1/2 concombre
2 tranches de pain de blé entier
3 c. à table / 45 ml d'huile d'olive
3 c. à table / 45 ml de vinaigre de
    vin
1 1/4 tasse / 300 ml de jus de tomate
1 1/4 tasse / 300 ml d'eau
sel et poivre noir fraîchement moulu

MÉTHODE

Enlever la peau des tomates, jeter les
pépins et le jus, puis couper la chair.
Peler et hacher finement l'oignon et l'ail.
Enlever le cœur et les pépins des
poivrons et couper en dés. Peler et
couper les concombres en dés. Couper
les tranches de pain en dés, après avoir
enlevé les croûtes.

Mettre les légumes et le pain dans un
grand bol, y verser les autres ingrédients,
remuer et assaisonner. Réfrigérer, de
préférence toute une nuit pour obtenir
une soupe encore plus savoureuse.

Vous pouvez réduire une partie de la
soupe en purée si vous le souhaitez. Vous
pouvez même la réduire totalement en
purée, mais alors, offrez des petits bols
d'oignons, de tomates, de poivrons, de
concombres hachés et de croûtons pour
servir de garniture.

Soupe au brocoli et à l'orange

INGRÉDIENTS *6 portions*
1 oignon moyen haché
1 c. à table d'huile
450 g de brocoli haché
jus de 2 oranges
2 1/2 tasses / 600 ml de bouillon de
    légumes
1 1/4 tasse / 300 ml de yogourt
1 c. à table / 15 ml de fécule de
    maïs
2 c. à table / 30 ml d'eau
sel et poivre noir fraîchement moulu

MÉTHODE

(Réserver quelques petits morceaux de
brocoli pour servir de garniture, de même
qu'un peu de zeste d'orange râpé.)
Chauffer l'huile et cuire l'oignon jusqu'à
ce qu'il soit tendre, mais pas bruni.
Ajouter le brocoli et tourner. Couvrir et
cuire pendant quelques minutes, puis
ajouter le jus d'orange et le bouillon de
légumes. Amener à ébullition, couvrir et
laisser mijoter pendant 20 minutes environ, jusqu'à ce que le brocoli soit tendre.
Réduire la soupe en purée au mélangeur.
Mélanger la fécule de maïs avec l'eau pour
former une pâte molle, et verser dans la
soupe. Saler et poivrer au goût. Remettre
la soupe sur le feu et cuire encore 5 minutes. Servir avec le brocoli réservé et le
zeste d'orange.

Utiliser du brocoli surgelé s'il n'y a pas
de brocoli frais au marché. Cette soupe
peut être servie froide.

Soupe au concombre de Perse

INGRÉDIENTS *6 portions*
1 gros concombre, râpé finement
2 1/2 tasses / 600 ml de yogourt
2 c. à table de vinaigre d'estragon
aneth
2 c. à table / 25 g de raisins trempés dans 2 c. à table / 30 ml de
brandy pendant quelques heures
2 œufs durs, finement hachés
1 grosse gousse d'ail broyée
1 c. à thé / 5 ml de sucre
2/3 tasse / 150 ml de crème
sel et poivre noir fraîchement moulu

MÉTHODE

Combiner tous les ingrédients et
remuer énergiquement. Réfrigérer pendant au moins 3 heures et servir.

VARIANTE

John Tovey, du Miller Howe Hotel,
dans le district d'English Lake, ajoute
des touches personnelles à cette recette
classique de soupe persane. Il suggère de
remplacer ou d'enlever des ingrédients
au goût. La menthe ou l'estragon peuvent être substitués à l'aneth, et les
pommes, le céleri, le fenouil, les radis
hachés peuvent tous être incorporés avec
succès.

Soupe à l'avocat

INGRÉDIENTS *4 portions*
2 gros avocats mûrs
2 1/2 tasses / 600 ml de yogourt
1 gousse d'ail broyée
jus de 1 citron
sel et poivre noir fraîchement moulu

MÉTHODE

Couper les avocats en deux, enlever les
noyaux et la pelure. Réduire ensemble
tous les ingrédients en purée. Servir très
froid; garnir de ciboulette si désiré.

NOTE

L'épaisseur de la soupe dépend tant de la
grosseur de l'avocat que de la consistance
du yogourt utilisé. Vous pouvez l'alléger
avec un peu de lait ou de la crème si
nécessaire.

Soupe froide aux tomates

INGRÉDIENTS *6-8 portions*
2 1/2 tasses / 600 ml de jus de
tomate
2 1/2 tasses / 600 ml de yogourt
3 ciboules (échalotes) hachées
1 poivron vert haché
1 grosse tomate pelée et hachée
sel et poivre noir fraîchement moulu

MÉTHODE

Mélanger le jus et le yogourt dans un
grand bol. Ajouter les ciboules, le
poivron et la tomate et assaisonner au
goût. Servir très froid, avec quelques
cubes de glace à la surface.

VARIANTE

Vous pouvez ajouter ou soustraire des
ingrédients selon ce que vous avez sous la
main, par exemple des tranches d'avocat,
du basilic frais, des olives hachées, des
concombres coupés finement en dés, des
champignons crus tranchés, du fenouil
haché ou des croûtons grillés.

▼ Soupe au concombre de Perse

LES HORS-D'ŒUVRE ET LES AMUSE-GUEULE

La cuisine internationale offre une vaste sélection d'amuse-gueule et d'entrées de type végétarien et organique. Les purées et les pâtés de légumes revêtent des formes diverses : l'houmos grec, le pâté de grosses fèves égyptien, la guacamole mexicaine et les gâteaux de courgettes d'inspiration italienne ne sont que quelques-unes des variantes existantes. Les légumes farcis — comme les aubergines et les artichauts — et les bouchées frites, incluant les samosas indiens, les rouleaux de printemps chinois et les œufs bulgares, font venir l'eau à la bouche et ce, aux quatre coins du monde.

Samosas

Houmos

INGRÉDIENTS *4 portions*
1 1/3 tasse / 225 g de pois chiches
   séchés, trempés toute la nuit
1 bouquet garni
1 petit oignon tranché
2 gousses d'ail broyées
jus de 2 citrons
4 c. à table / 60 ml de pâte de
   tahini
3 c. à table / 45 ml d'huile d'olive
sel et poivre noir fraîchement moulu
1 tomate tranchée
1 bouquet de persil

MÉTHODE

Égoutter les pois chiches et les placer
dans une grande casserole avec beaucoup
d'eau. Ajouter le bouquet garni et
l'oignon. Amener à ébullition, puis laisser mijoter doucement pendant 1 3/4-2
heures ou jusqu'à ce que les pois soient
tendres.

Égoutter, et réserver une petite quantité du liquide de cuisson. Jeter l'oignon
et le bouquet garni.

Placer l'ail, le jus de citron, le tahini,
l'huile d'olive et les assaisonnements
dans un robot culinaire ou un
mélangeur. Ajouter les pois chiches cuits
et réduire le tout en une purée légère.

Ajouter un peu du liquide de cuisson
réservé si la purée est trop épaisse et
mélanger rapidement.

Disposer dans un plat de service et garnir de tranches de tomates coupées en
deux. Placer le bouquet de persil au centre. Servir avec du pain pita chaud.

Guacamole

INGRÉDIENTS *2-4 portions*
2 gros avocats mûrs
2 grosses tomates mûres
1 botte de ciboules (échalotes)
1-2 c. à table / 15-30 ml d'huile
   d'olive
1-2 c. à table / 15-30 ml de jus de
   citron
sel et poivre noir fraîchement moulu
2 piments verts forts

MÉTHODE

Retirer la chair des avocats et réduire
en purée. Hacher finement les ciboules,
ainsi que les tomates, après en avoir
enlevé la peau et les pépins.

Mélanger les légumes avec l'huile d'o-
live et le jus de citron, et assaisonner au
goût. Garnir de piments verts hachés et
servir froid comme trempette ou offrir
avec du pain pita chaud (voir page 151).

Crème à l'avocat israélienne

INGRÉDIENTS *4 portions*
1 gros avocat
1/3 tasse / 75 g de fromage à la crème
1/2 petit oignon finement haché
soupçon de tabasco
2 c. à table / 30 ml de jus de citron
sel et poivre noir fraîchement moulu

MÉTHODE
Réduire la chair de l'avocat en purée. Ajouter les autres ingrédients et bien mélanger. Placer le mélange dans un plat de service et couvrir. Réfrigérer jusqu'au moment de servir. Ce plat ne doit pas être préparé trop longtemps à l'avance, parce que l'avocat a tendance à se décolorer facilement.

NOTE
Servir avec des légumes crus ou des craquelins, comme trempette ou pâte à tartiner.

Trempette au yogourt et au tahini

INGRÉDIENTS *4-6 portions*
2 gousses d'ail broyées
2/3 tasse / 150 ml de pâte de tahini
2/3 tasse / 150 ml de yogourt
jus de 2 citrons
sel et poivre noir fraîchement moulu
persil haché

MÉTHODE
Mélanger tous les ingrédients, sauf le persil, jusqu'à l'obtention d'une purée légère. Goûter et ajouter du jus de citron et des assaisonnements si nécessaire. Placer dans un bol et garnir de persil haché.

NOTE
Servir comme trempette, avec du pain pita ou des craquelins, ou comme accompagnement de légumes ou de salades.

◄▲ Houmos
◄ Guacamole
► Crème à l'avocat israélienne

Pâté au fromage bleu

INGRÉDIENTS *4 portions*
1 1/4 tasse / 300 ml de yogourt
1 tasse / 100 g de fromage bleu
    émietté
2-4 c. à table / 30-60 ml de crème

MÉTHODE

Laisser égoutter le yogourt sur un coton à fromage pendant environ 5 heures. Enlever ensuite délicatement le fromage qui s'est formé.

Passer au mélangeur le yogourt égoutté avec le fromage bleu et juste assez de crème pour obtenir la consistance désirée. Réfrigérer le mélange jusqu'au moment de servir. Le mélange se solidifiera considérablement.

NOTE

Ce mélange est utile pour garnir des fruits (il est particulièrement délicieux avec des poires) ou des choux de pâtisserie, pour farcir les tomates ou le céleri. On peut également en faire une vinaigrette, en ajoutant plus de crème ou de lait crémeux. Utiliser alors 2/3 tasse / 100 g de quark ou de fromage blanc à la place du yogourt égoutté.

▶ Pâté au fromage bleu

30

Mousse de céleri

INGRÉDIENTS *4-6 portions*
1 c. à table / 15 ml de agar-agar
2 c. à table / 30 ml d'eau bouillante
1 pied de céleri moyen avec les
  feuilles, haché grossièrement
7/8 tasse / 200 ml de yogourt
jus de citron pressé
1 petit oignon
persil
3/4 tasse / 170 g de fromage blanc
sel et poivre noir fraîchement moulu

MÉTHODE

Dissoudre l'agar-agar dans l'eau bouillante. Mélanger tous les autres ingrédients, sauf le fromage blanc, en les ajoutant progressivement dans le mélangeur.

Ajouter le agar-agar dissous et le fromage blanc, et bien les incorporer au mélange. Placer le mélange dans un moule légèrement mouillé (un petit moule en couronne procure un bel effet). Réfrigérer jusqu'à ce que le mélange soit pris. Démouler et servir comme élément d'un buffet froid.

NOTE

Pour obtenir une version plus riche, remplacer le yogourt par de la mayonnaise.

Pâté de grosses fèves

INGRÉDIENTS *4 portions*
1 1/2 tasse / 350 g de grosses fèves
  décortiquées
environ 1 tasse / 230 g de fromage
  à la crème
sel et poivre noir fraîchement moulu
feuilles de menthe

MÉTHODE

Si les fèves sont vieilles, enlever les peaux avant ou après la cuisson. Faire bouillir les fèves lentement jusqu'à ce qu'elles soient tendres.

Réduire en purée ou passer dans un moulin à légumes avec suffisamment de fromage à la crème pour obtenir une pâte épaisse. Assaisonner de sel et de poivre. Presser le mélange en portions individuelles et garnir chacune de feuilles de menthe. Servir avec des tranches de pain de blé entier grillées découpées en triangle.

▲▶ Mousse de céleri
▶ Pâté de grosses fèves

Œufs farcis à la polonaise

INGRÉDIENTS *4 portions*
5 œufs, 4 durs et 1 non cuit
1 petit oignon finement haché
2 c. à table / 25 g de beurre
1/2 c. à thé / 2,5 g de marjolaine
  séchée
2 c. à table / 30 ml de crème sure
sel et poivre noir fraîchement moulu
1 tasse / 75 g de chapelure
2 c. à table / 30 ml d'huile
1 cœur de laitue en lanières
1 tomate tranchée pour garnir

MÉTHODE

Faire cuire l'oignon dans le beurre à feu doux pendant 10 minutes, jusqu'à ce qu'il soit tendre. Ajouter la marjolaine et mettre de côté. Utiliser un couteau dentelé bien aiguisé pour "scier" soigneusement les œufs dans leur coquille, en deux, dans le sens de la longueur. Enlever les morceaux de coquille brisés.

Retirer les œufs des moitiés de coquille et réduire en purée. Incorporer l'oignon, le beurre et la crème sure, et assaisonner au goût. Remettre délicatement ce mélange dans les coquilles en pressant. Égaliser la surface avec une cuillère.

Battre légèrement l'œuf qui reste et appliquer une mince couche sur le mélange déposé dans les coquilles. Saupoudrer de chapelure. Appliquer légèrement une nouvelle couche de l'œuf battu et saupoudrer du reste de chapelure. Faire chauffer l'huile dans une poêle à frire et faire cuire les œufs, côté chapelure vers le bas, jusqu'à ce qu'ils soient dorés. Soulever délicatement les œufs de la poêle, déposer sur un lit de lanières de laitue et garnir de tranches de tomates. Servir immédiatement.

Poivrons farcis

INGRÉDIENTS *4 portions*
2 gros poivrons verts (ou 1 rouge et
  1 vert)
1 1/2 tasse / 225 g de ricotta
1 petit concombre mariné, finement
  haché
1 c. à table / 15 ml de persil haché
1 c. à table / 15 ml d'aneth haché
  (ou la moitié d'aneth séché)
sel et poivre noir fraîchement moulu
laitue croquante pour servir

MÉTHODE

Enlever la partie supérieure des poivrons et jeter les pépins. Mélanger la ricotta avec les concombres marinés, le persil, l'aneth, le sel et le poivre.

Farcir les poivrons du mélange et réfrigérer pendant plusieurs heures.

Avec un couteau très bien aiguisé, couper les poivrons en tranches d'environ 1 cm d'épaisseur. Servir les tranches de poivrons sur un lit de laitue croquante.

NOTE

La ricotta peut être remplacée par du fromage blanc ou du fromage cottage, au goût, ou par un mélange de fromages lissés à faible teneur en matières grasses.

▼ Œufs farcis à la polonaise

Tomates farcies

INGRÉDIENTS *4 portions*
8 tomates anglaises (petites) ou 3
   tomates Beefsteak (grosses)
4 œufs durs, refroidis et pelés
6 c. à table / 90 ml de mayonnaise
1 c. à thé / 5 ml de pâte d'ail
sel et poivre fraîchement moulu
1 c. à table / 15 ml de persil haché
1 c. à table / 15 ml de chapelure
   pour les tomates Beefsteak (grosses)

MÉTHODE

Peler les tomates. En retirer le cœur avec un couteau bien aiguisé et faire une incision de forme "+" à l'autre extrémité. Placer ensuite les tomates dans une casserole d'eau bouillante pendant 10 secondes, les retirer et les plonger dans un bol d'eau glacée ou très froide (ceci pour empêcher que les tomates continuent à cuire et en viennent à se transformer en bouillie).

Trancher le dessus des tomates, et juste assez de leur base pour qu'elles puissent tenir droit sur l'assiette. Conserver les couvercles si vous utilisez de petites tomates, mais cela n'est pas nécessaire si vous en avez de plus grosses.

Enlever les pépins et l'intérieur, soit avec une cuillère à thé, soit avec un petit couteau bien aiguisé. Mélanger les œufs avec la mayonnaise, la pâte d'ail, le sel, le poivre et le persil.

Remplir les tomates en pressant fermement. Replacer les couvercles légèrement à angle sur les petites tomates. Pour les servir plus tard, appliquer une mince couche d'huile d'olive et de poivre pour les empêcher de sécher. Couvrir d'une pellicule plastique et conserver.

NOTE

Dans le cas des grosses tomates, le mélange doit être très ferme afin qu'elles puissent être tranchées. Si vous faites votre propre mayonnaise, épaississez-la en utilisant davantage de jaunes d'œufs. Si vous utilisez de la mayonnaise commerciale, ajoutez suffisamment de chapelure pour que le mélange atteigne la consistance de pommes de terre en purée. Assaisonner au goût. Remplir les tomates en pressant fermement jusqu'au bord. Réfrigérer pendant 1 heure, puis trancher en anneaux avec un couteau dentelé bien aiguisé. Saupoudrer de persil haché.

Babagannouch

INGRÉDIENTS *6-8 portions*
3 aubergines
4 gousses d'ail
2 c. à table / 30 ml de tahini
1/2 c. à thé / 2,5 g de graines de
   cumin
1/2 c. à thé / 2,5 g de poudre de
   chili
jus de 3 citrons
sel au goût
persil haché
olives

MÉTHODE

Faire griller les aubergines jusqu'à ce que la peau noircisse. Laisser refroidir légèrement sur un sac en papier et peler la plus grande partie de la peau carbonisée.

Réduire l'aubergine attendrie en purée avec les autres ingrédients et mélanger jusqu'à ce qu'ils soient bien incorporés. Garnir de persil et d'olives et servir avec du pain pita.

▲◀ Tomates farcies
◀ Babagannouch

Gâteaux de courgettes

INGRÉDIENTS *4 portions*
450 g de courgettes tranchées
1 oignon haché
2 c. à table / 30 ml de jus de citron
2 c. à thé / 10 ml de feuilles de
  coriandre fraîche hachées
100 g de fromage blanc
sel et poivre fraîchement moulu
1 sachet d'agar-agar
2/3 tasse / 150 ml de yogourt
  nature à faible teneur en matières
  grasses
5 c. à table / 75 ml de lait écrémé
1 jaune d'œuf
1 c. à thé / 5 ml de pâte de cari

MÉTHODE

Placer les courgettes et l'oignon dans une casserole avec 30 ml / 2 c. à table d'eau et le jus de citron. Couvrir et cuire à feu doux pendant 8-10 minutes ou jusqu'à ce que les courgettes soient tendres.

Refroidir légèrement et réduire en purée dans un robot culinaire ou un mélangeur. Ajouter les feuilles de coriandre, le fromage et l'assaisonnement. Mélanger jusqu'à l'obtention d'une purée crémeuse. Laisser tiédir.

Saupoudrer l'agar-agar sur 2 c. à table / 30 ml d'eau dans une tasse. Placer la tasse dans une casserole d'eau chaude et remuer pour dissoudre. Ajouter ce mélange à la purée et verser dans quatre ramequins de 2/3 tasse / 150 ml. Réfrigérer pendant 1-1 1/2 heure jusqu'à ce que la purée soit figée.

Entre-temps, mélanger le yogourt, le lait, le jaune d'œuf et la pâte de cari, et chauffer doucement jusqu'à ce que le mélange épaississe légèrement. Ne pas faire bouillir. Laisser refroidir.

Verser la sauce au fond d'un plat de service, démouler les gâteaux de courgettes et les placer sur la sauce. Garnir de cerfeuil et servir.

Abeilles à la mozzarella et à l'avocat

INGRÉDIENTS *2 portions*
1 avocat mûr
100 g de mozzarella
1 c. à table / 15 ml d'huile d'olive
1 c. à table / 15 ml de vinaigre d'estragon
sel et poivre noir fraîchement moulu

MÉTHODE

Couper l'avocat en deux et enlever le noyau. À l'aide d'un couteau à palette, enlever délicatement la peau de chaque moitié d'avocat. Déposer les moitiés d'avocat côté plat vers le bas et couper horizontalement en tranches de 1 cm.

Couper des tranches de mozzarella en demi-cercle et couper 4 demi-cercles supplémentaires pour former les ailes.

Déposer les tranches de fromage entre les tranches d'avocat pour former le corps de l'abeille et disposer les ailes sur les côtés.

Mélanger l'huile et le vinaigre et bien assaisonner. Verser sur les abeilles et servir.

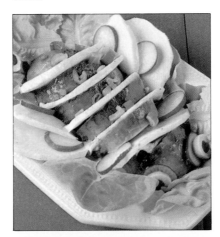

Légumes dans l'agar-agar

INGRÉDIENTS *4 portions*
2 1/2 tasses / 600 ml d'agar-agar
  dissous ou autre gélatine végétale
1 tasse / 100 g de carottes pelées et
  coupées en dés
1 tasse / 100 g de haricots verts
  éboutés et tranchés
1 c. à table / 15 ml d'huile de noix
1 tasse / 100 g de champignons
  tranchés
1 c. à table / 15 ml d'olives farcies
  tranchées
2/3 tasse / 150 ml de mayonnaise
  épaisse

MÉTHODE

Dissoudre dans l'eau une quantité suffisante d'agar-agar ou de gélatine végétale équivalente, pour en obtenir 2 1/2 tasses / 600 ml. Laisser refroidir. Réfrigérer, puis mouiller un moule. Quand l'aspic est presque pris, en tapisser le moule. Déposer au réfrigérateur pour faire prendre.

Entre-temps, faire cuire les carottes et les haricots verts dans l'eau salée, jusqu'à ce qu'ils soient tendres. Chauffer l'huile dans une casserole et faire sauter les champignons. Laisser refroidir.

Mélanger les légumes avec les olives, la mayonnaise et le reste de l'aspic et remplir le moule. Faire refroidir jusqu'à ce que le mélange soit pris. Tremper le moule dans l'eau chaude et tourner sur une assiette. Couper en morceaux et servir avec des feuilles de laitue croquantes et des tranches de pain de blé entier grillées et coupées en triangles.

▶ Légumes dans l'agar-agar
◀ Abeilles à la mozzarella et à l'avocat
▼ Gâteaux de courgettes

Bouquet estival en mousse

INGRÉDIENTS *4-6 portions*
12 g (2 enveloppes) d'agar-agar en poudre
2 c. à table / 30 ml d'eau chaude
2 œufs, séparés, plus 1 blanc d'œuf
2/3 tasse / 150 ml de crème à fouetter
1 tasse / 100 g de fromage roquefort émietté
3 c. à table / 45 ml de crème sure
sel et poivre noir fraîchement moulu
quelques gouttes de tabasco

BOUQUET
fleurs et feuilles de capucine
fleurs et feuilles de bourrache
sarriette
tiges de menthe, de fenouil et d'aneth

MÉTHODE

Mettre l'agar-agar et l'eau dans un petit bol et placer dans une casserole d'eau frémissante. Bien remuer jusqu'à dissolution complète.

Battre les jaunes d'œufs avec la moitié de la crème à fouetter, la crème sure et l'agar-agar.

Incorporer le fromage. Fouetter le reste de la crème, incorporer au mélange,

▲Cantaloup et tangelo à la sauce au citron

assaisonner et ajouter la sauce tabasco. Réfrigérer.

Battre les blancs d'œufs jusqu'à formation de pics légers. Incorporer au mélange. Huiler un moule en couronne, y verser la mousse et réfrigérer jusqu'à ce que le mélange soit pris.

Tremper le moule dans l'eau chaude, renverser une assiette et retourner pour dégager la mousse. Remplir le centre avec un bouquet de fleurs comestibles et d'herbes à feuilles délicates. Ce mets représente le plat de résistance idéal d'un déjeuner estival au jardin. Servir avec du pain brun.

Cantaloup et tangelo à la sauce au citron

INGRÉDIENTS *4 portions*
2 cantaloups
2 tangelos épépinés et en quartiers
2 c. à thé / 10 ml de sucre muscovado brun pâle
jus de 2 citrons
zeste de 1/2 citron râpé
écorces de citron

MÉTHODE

Couper les cantaloups en deux, enlever les pépins et former des boules à l'aide d'un moule à légumes.

Couper les quartiers de tangelos en deux s'ils sont gros, et mélanger avec les boules de cantaloup.

Enlever à la cuillère la chair des cantaloups qui est restée collée à l'écorce, et placer dans un robot culinaire ou un mélangeur. Ajouter le sucre, le jus et le zeste de citron, et mélanger.

Verser sur les fruits et réfrigérer jusqu'au moment de servir. Pour servir, répartir les fruits dans quatre grandes coupes individuelles en verre. Décorer les côtés des verres avec les morceaux d'écorce de citron.

Tartinade aux dattes et au fromage à la crème

INGRÉDIENTS *1 tasse / 250 ml*
1/4 tasse / 50 g de fromage à la
  crème
2 c. à table / 30 ml de lait
1 1/2 tasse / 225 g de dattes fraîches finement hachées
2 c. à table / 30 ml de lait
1 c. à table / 15 ml de zeste de
  citron râpé

MÉTHODE
  Mélanger le fromage avec le lait
jusqu'à l'obtention d'une crème
onctueuse. Ajouter les dattes et le zeste
de citron, et bien mélanger.

NOTE
Les dattes fraîches sont très différentes
de la variété séchée mieux connue, que
l'on utilise souvent durant la période des
Fêtes. Elles ne sont pas aussi sucrées que
les dattes en boîte et se prêtent à d'in-
téressantes combinaisons. La tartinade
aux dattes et au fromage à la crème peut
être servie sur du pain (de préférence du
pain complet) ou sur des craquelins en
hors-d'œuvre.

VARIANTE
  Une autre délicieuse façon d'utiliser
des dattes fraîches consiste à préparer
une pâte au fromage à la crème avec des
raisins hachés, du gingembre haché ou
des noix hachées et d'en farcir des dattes
entières préalablement dénoyautées.

Salade de tomates et de mozzarella

INGRÉDIENTS *4 portions*
2 ou 3 grosses tomates, en tranches
  minces
100 g de mozzarella, en tranches
  minces
2 c. à table / 10 ml de basilic frais
6 c. à table / 90 ml d'huile d'olive
  extra vierge
sel et poivre noir fraîchement moulu

MÉTHODE
  Disposer les tranches de tomates et de
mozzarella en alternance dans un plat de
service.
  Garnir de basilic.
  Arroser légèrement d'huile d'olive.
Saler et poivrer. Servir.

◄ Bouquet estival en mousse
► Tartinade aux dattes et au fromage à la
  crème

Hushpuppies

INGRÉDIENTS *environ 20*
1 tasse / 175 g de farine de maïs
1/2 tasse / 50 g de farine
1 c. à table / 15 ml de poudre à
   pâte
1/2 c. à thé / 2,5 ml de sel
1/2 c. à thé / 2,5 ml de poudre d'ail
1/4 c. à thé / 1,5 ml de poivre de
   Cayenne
1 œuf légèrement battu
1 tasse / 250 ml de lait
2 c. à table / 25 g de beurre
2-3 ciboules (échalotes) hachées
   finement
huile végétale à friture

MÉTHODE
   Combiner les ingrédients secs, puis incorporer l'œuf.
   Dans une casserole moyenne, amener le lait et le beurre à ébullition. Incorporer le mélange d'ingrédients secs en brassant jusqu'à l'obtention d'une pâte lisse, puis ajouter les ciboules. Retirer du feu et laisser refroidir suffisamment pour pouvoir manipuler la pâte. Former des boules de la dimension de grosses noix ou de petites prunes.
   Dans une poêle à frire profonde ou un wok, chauffer 10 cm d'huile à 350 °F / 180 °C. Plonger les boules de pâte dans l'huile, quelques-unes à la fois. S'assurer qu'elles ne collent pas ensemble, et frire jusqu'à ce qu'elles soient d'un brun doré, en ne les tournant qu'une seule fois, environ 3 minutes par côté. Retirer de l'huile et conserver au chaud dans le four pendant la cuisson des boules qui restent. Vérifier que la température de l'huile est toujours de 350 °F / 180 °C avant de recommencer la friture. Servir avec une trempette à la crème sure et à la ciboulette.

▲▶ Champignons à l'ail
▼ Hushpuppies

Champignons à l'ail

INGRÉDIENTS *4-6 portions*
6 c. à table / 75 g de beurre
750 g de champignons, chapeaux ou
    avec queues
quelques gouttes de jus de citron
sel et poivre noir fraîchement moulu
2 gousses d'ail hachées
1 c. à table / 5 g de coriandre ou de
    persil

MÉTHODE
Faire chauffer le beurre dans une
grande casserole. Ajouter les champignons, couvrir, et faire suer doucement
pendant 5 minutes, en remuant de temps
en temps.

Ajouter le jus de citron, le sel et le
poivre. Augmenter la chaleur, et bien
remuer. Ajouter l'ail, remuer et cuire
pendant 2 minutes.

Ajouter la coriandre ou le persil et
cuire pendant 1 minute. Retirer du feu
et servir.

Champignons farcis à l'ail

INGRÉDIENTS *4 portions*
16 champignons d'environ 4 cm de
diamètre
2 tranches de pain de blé entier,
émiettées
2/3 tasse / 150 ml de lait chaud
4 gousses d'ail
1 tasse / 50 g d'herbes fraîches
mélangées, hachées
huile
sel et poivre noir fraîchement moulu
quelques bouquets de cresson

MÉTHODE
Préchauffer le four à 350 °F / 180 °C.
Nettoyer les chapeaux de champignons.
Enlever les queues, hacher et réserver.
Faire tremper les miettes de pain dans le
lait jusqu'à ce qu'elles ramollissent, puis
exprimer l'excès de liquide.

Dans un mortier, écraser l'ail avec les
herbes et suffisamment d'huile pour
obtenir une pâte. Ajouter les queues des
champignons et écraser. Mélanger le tout
avec les miettes de pain. Saler et poivrer.

À l'aide d'une cuillère, farcir les chapeaux des champignons, puis disposer
ceux-ci sur un plat légèrement huilé
allant au four. Cuire pendant environ 15
minutes, jusqu'à ce que les champignons
soient tendres et juteux et que la farce
soit légèrement croustillante sur le
dessus. Servir chaud avec des bouquets
de cresson. Donne une entrée pour
4 personnes.

Rouleaux de printemps végétariens

INGRÉDIENTS *4 portions*
1 paquet de 20 feuilles de pâte à
  rouleaux de printemps surgelées
225 g de germes de soja frais
225 g de poireaux nouveaux tendres
  ou de ciboules (échalotes)
100 g de carottes
100 g de champignons blancs
huile à friture
1 1/2 c. à thé / 8 ml de sel
1 c. à thé / 5 ml de sucre
1 c. à table / 15 ml de sauce de soja

MÉTHODE

Sortir les pâtes à rouleaux de printemps de l'emballage et laisser décongeler complètement sous un linge humide.

Laver et rincer les germes de soja dans un bol d'eau froide. Jeter les coques et autres petits morceaux qui flottent à la surface. Égoutter.

Couper très finement les poireaux ou les ciboules, les carottes et les champignons.

Faire chauffer 3-4 c. à table / 45-60 ml d'huile dans un wok préchauffé ou une poêle à frire, et faire sauter les légumes pendant quelques secondes. Ajouter le sel, le sucre et la sauce de soja, et continuer la cuisson pendant 1-1 1/2 minute. Retirer et laisser refroidir un peu.

Couper chaque feuille de pâte en deux à la diagonale. Placer environ 2 c. à thé / 10 ml de la farce sur la pâte à environ un tiers du bas, la base du triangle vers vous. Soulever la partie inférieure et rouler une fois par-dessus la farce, puis plier les deux extrémités et rouler une fois de plus.

Saupoudrer un peu de farine sur l'extrémité supérieure, appliquer un peu d'eau, et bien fermer le rouleau. Répéter jusqu'à ce qu'il n'y ait plus de farce.

Faire chauffer environ 6 1/3 tasses / 1,5 l d'huile dans un wok ou une friteuse, jusqu'à ce qu'elle fume. Réduire la chaleur ou fermer le feu complètement pendant quelques minutes pour que l'huile refroidisse un peu avant d'y plonger les rouleaux de printemps. Faire frire 6-8 rouleaux à la fois pendant 3-4 minutes, ou jusqu'à ce que les rouleaux soient dorés et croustillants. Augmenter la chaleur chaque fois avant de faire frire d'autres rouleaux. Quand les rouleaux sont cuits, les retirer de l'huile et les déposer sur du papier absorbant. Servir chaud avec une sauce trempette, comme la sauce de soja, le vinaigre, la sauce chili ou la moutarde.

NOTE

Ces rouleaux de printemps sont parfaits pour un repas-buffet ou comme casse-croûte à l'heure de l'apéritif. (Ils peuvent également être congelés et ce jusqu'à 3 mois.)

Concombres à la Sichuan

INGRÉDIENTS *4 portions*
1 concombre
1 c. à thé / 5 ml de sel
2 c. à table / 30 ml de sucre
2 c. à table / 30 ml de vinaigre
1 c. à table / 15 ml d'huile de chili

MÉTHODE

Couper le concombre en deux dans le sens de la longueur, puis couper chaque partie en morceaux semblables à des pommes de terre frites. Saupoudrer de sel et laisser reposer pendant environ 10 minutes pour faire sortir le jus amer.

Prendre tous les morceaux de concombre, les placer sur une surface dure, et les attendrir en les tapotant doucement avec la lame d'un couperet ou d'un couteau.

Placer les morceaux de concombre dans une assiette. Les saupoudrer uniformément de sucre, puis ajouter le vinaigre et l'huile de chili juste avant de servir.

▶ Algues croustillantes
▼ Rouleaux de printemps végétariens

Algues croustillantes

INGRÉDIENTS *4 portions*
750 g de chou précoce
2 1/2 tasses / 600 ml d'huile à friture
1 c. à thé / 5 ml de sel
1 c. à thé / 5 ml de sucre

MÉTHODE

Laver et sécher les feuilles de chou précoce. À l'aide d'un couteau bien aiguisé, couper ces feuilles en lanières très fines. Disposer ensuite les feuilles hachées sur du papier absorbant ou dans une grande essoreuse pour bien les assécher.

Faire chauffer l'huile dans un wok ou une friteuse. Avant que l'huile soit trop chaude, fermer le feu pendant 30 secondes. Ajouter les feuilles de chou hachées peu à peu, et ramener le feu à moyen-élevé. Remuer avec des baguettes à riz de cuisson.

Quand les morceaux de chou commencent à flotter à la surface, les retirer délicatement avec une cuillère à rainures, et les déposer sur du papier absorbant pour retirer la plus grande quantité d'huile possible. Saupoudrer uniformément de sel et de sucre, et remuer doucement. Servir froid.

VARIANTE

Faire sauter 1/2 tasse / 50 g d'amandes effilées jusqu'à ce qu'elles soient croustillantes, et ajouter aux "algues" pour donner au plat une toute nouvelle dimension.

Œufs mimosa

INGRÉDIENTS *4 portions*
4 œufs durs, coupés en deux, dans
le sens de la longueur
1 c. à table / 23 g d'oignons finement hachés
2 piments verts finement hachés
1 c. à table / 5 ml de feuilles de
coriandre hachées
1/2 c. à thé / 2,5 ml de sel
2 c. à table / 30 g de pommes de
terre en purée
huile à friture
1 c. à table / 15 ml de farine tout
usage
1/4 tasse / 60 ml d'eau

MÉTHODE
Retirer les jaunes d'œufs et mélanger
avec les oignons, les piments, les feuilles
de coriandre, le sel et les pommes de
terre en purée. Replacer le mélange dans
les blancs d'œufs. Réfrigérer pendant 30
minutes.

Chauffer l'huile dans un karai à feu
élevé. Pendant que l'huile réchauffe,
faire une pâte avec la farine et l'eau.
Tremper les œufs dans la pâte et les
plonger dans l'huile très chaude. Faire
frire les œufs jusqu'à ce qu'ils soient
dorés, et les tourner une fois.

Aubergines farcies

INGRÉDIENTS *4-8 portions*
4 aubergines
huile d'olive
1 gros oignon haché
2-3 gousses d'ail broyées
4 grosses tomates pelées et hachées
2 c. à table / 10 g d'herbes fraîches
hachées
sel et poivre noir fraîchement moulu
100 g de mozzarella
4 c. à table / 60 ml de chapelure
un peu de beurre

MÉTHODE
Préchauffer le four à 400 °F / 200 °C.
Laver les aubergines. Les couper en
deux dans le sens de la longueur et inciser profondément les surfaces coupées
avec un couteau. Saupoudrer de sel, et
laisser reposer pendant 30 minutes, surfaces coupées vers le bas.

Entre-temps, faire chauffer 1-2 c. à
table / 15-30 ml d'huile dans une casserole, et faire sauter l'oignon et l'ail.
Placer dans un bol, et mélanger avec les
tomates et les herbes hachées.

Ajouter de l'huile dans la casserole.
Rincer les aubergines et les éponger. Les

▼ Aubergines farcies   ▲ Œufs mimosa

mettre dans la casserole, surface coupée
vers le bas, et laisser cuire doucement
pendant 15 minutes. Les aubergines
absorbent l'huile, de sorte qu'il faudra
constamment en ajouter.

Enlever un peu de chair de l'aubergine,
réduire en purée et mélanger avec le reste
de la farce. Assaisonner. Placer la farce
dans les aubergines et couvrir de fines
tranches de mozzarella. Saupoudrer de
chapelure et ajouter du beurre. Placer
dans un plat graissé allant au four. Cuire
pendant 20 minutes, jusqu'à ce que la
chapelure soit croustillante.

Œufs bulgares

INGRÉDIENTS *4 portions*
1 1/4 tasse / 300 ml de yogourt
1 petite gousse d'ail broyée
sel et poivre noir fraîchement moulu
2 c. à table / 25 g de beurre fondu
1/2 c. à thé / 2,5 ml de paprika

MÉTHODE
Pocher légèrement les œufs. Mélanger le yogourt avec l'ail, le sel et le poivre, et faire chauffer doucement, mais ne pas faire bouillir. Répartir à la cuillère dans quatre bols peu profonds. Placer un œuf bien égoutté dans chaque bol. Ajouter le paprika au beurre fondu et répandre quelques gouttes de ce mélange sur les œufs. Servir immédiatement, avec une baguette ou du pain pita.

▼ Artichauts à la sauce tomate

NOTE
Les quantités indiquées donnent un bon hors-d'œuvre ou un goûter très léger. Pour un repas plus substantiel, doubler les quantités.

Artichauts à la sauce tomate

INGRÉDIENTS *4 portions*
4 gros artichauts
1-2 c. à table / 15-30 ml d'huile
1 gros oignon haché
2 gousses d'ail hachées
1 1/2 tasse / 400 g de tomates en conserve réduites en purée
1 c. à table / 15 ml de purée de tomates
2 c. à thé / 10 ml d'origan frais haché
jus de citron
sel et poivre noir fraîchement moulu

MÉTHODE
Bien rincer les artichauts à l'eau froide et les placer tête vers le bas pour les faire égoutter. Amener l'eau salée à ébullition, y placer les artichauts et les faire bouillir 30-50 minutes, selon leur grosseur. Les artichauts sont prêts quand on réussit, en la tirant délicatement, à enlever une feuille extérieure sans difficultés.

Entre-temps, préparer la sauce. Faire chauffer l'huile dans une casserole, et faire sauter l'oignon et l'ail jusqu'à ce qu'ils soient transparents. Ajouter les tomates, la purée de tomates et l'origan, et faire réduire. La sauce doit avoir une consistance liquide, mais pas trop. Saler, poivrer et ajouter du jus de citron au goût.

Égoutter les artichauts. Quand ils sont refroidis, enlever les petites feuilles intérieures, de même que le feuillage non comestible. Verser un peu de sauce tomate au centre. Placer chaque artichaut sur un lit de sauce dans une assiette individuelle et servir.

Pakoras

INGRÉDIENTS *pour environ 450 g de légumes*
4 c. à table / 60 g de farine de pois chiches
2 c. à thé / 10 ml d'huile
1 c. à thé / 5 ml de poudre à pâte
1/2 c. à thé / 2,5 ml de sel
6 c. à table / 75 ml d'eau
l'un ou l'autre des légumes suivants peuvent être utilisés:
aubergines coupées en rondelles très minces
oignons coupés en rondelles de 0,25 cm
pommes de terre coupées en rondelles très minces
chou-fleur, coupé en fleurs de 2 cm
piments entiers
citrouille coupée en minces rondelles
poivrons verts coupés en minces lanières
huile à friture

MÉTHODE

Mélanger tous les ingrédients de la pâte et battre jusqu'à l'obtention d'une consistance lisse. Laver les tranches de légumes et bien assécher.

Chauffer l'huile dans un karai jusqu'à ce qu'elle soit très chaude. Tremper les tranches de légumes dans la pâte et les déposer dans l'huile. Placer autant de tranches que possible et faire frire jusqu'à ce que les pakoras soient croustil-lants et dorés. Égoutter et servir avec un chutney à la menthe ou à la coriandre (voir page 134).

Samosas

INGRÉDIENTS *4-6 portions*
3 c. à table / 45 ml d'huile
1/4 c. à thé / 1,5 ml de graines de cumin
4 tasses / 450 g de pommes de terre coupées en dés de 1,2 cm
1 piment vert finement haché
une pincée de curcuma
1/2 c. à thé / 2,5 ml de sel
1/2 tasse rase / 75 g de pois
1 c. à thé / 5 ml de cumin rôti broyé (rôti au four pendant 5 minutes)

PÂTE
2 1/4 tasses / 225 g de farine tout usage
1 c. à thé / 5 ml de sel
3 c. à table / 45 ml d'huile
1/2 tasse / 100 ml d'huile à friture

MÉTHODE

Chauffer l'huile dans un karai à feu moyen-élevé et ajouter les graines de cumin. Les laisser grésiller pendant quelques secondes.

Ajouter les pommes de terre et les piments verts, et faire sauter pendant 2-3 minutes. Ajouter le curcuma et le sel, et cuire pendant 5 minutes en remuant de temps en temps.

Incorporer les pois et le cumin rôti broyé. Bien mélanger. Couvrir, baisser le feu et cuire encore 10 minutes, jusqu'à ce que les pommes de terre soient tendres. Laisser refroidir.

Entre-temps, tamiser ensemble la farine et le sel. Ajouter l'huile, puis suffisamment d'eau pour former une pâte ferme. Pétrir pendant 10 minutes, jusqu'à ce que la pâte ramollisse.

Diviser en 12 boules d'environ 15 cm de diamètre. Couper en deux. Prendre l'une des moitiés, l'aplatir légèrement, former un cône, et coller le côté rabattu avec un peu d'eau. Remplir le cône avec 1 1/2 c. à thé de farce, et coller le dessus avec un peu d'eau. Faire la même chose avec tous les samosas.

Chauffer l'huile dans un karai à feu moyen-élevé. Placer le plus de samosas possible dans l'huile très chaude et faire frire jusqu'à ce qu'ils soient croustillants et dorés. Égoutter. Servir avec un chutney.

◀ Pakoras

44

LES SALADES

De nos jours les salades vont bien au-delà des mélanges verts d'autrefois. Toutes les variétés de légumes et de fruits courants ou exotiques peuvent maintenant revendiquer le statut de vedettes dans le répertoire moderne des salades. La Californie et les nouvelles cuisines rivalisent d'influence avec l'Orient pour vous offrir un éventail de choix diversifié et le plus intéressant possible.

Salade de poires

Salade de tomates à la Vinaigrette moderne

INGRÉDIENTS *4 portions*
3 (grosses) tomates
1/2 oignon finement haché
quelques olives noires
1 1/4 tasse / 300 ml de Vinaigrette moderne (voir page 128)

MÉTHODE

Trancher les tomates horizontalement. Les disposer dans un grand bol ou une assiette, et placer des oignons entre les couches. Décorer d'olives noires.

Arroser les tomates de vinaigrette et servir.

NOTE

Pour offrir plus tard, ajouter la vinaigrette 20 minutes avant de servir.

Salade de tomates à la suédoise

INGRÉDIENTS *6 portions*
6 grosses tomates, épépinées et coupées en deux
3/4 tasse / 175 ml d'huile de noix
6 c. à table / 90 ml de vinaigre de vin blanc
2 gousses d'ail, broyées
3/4 c. à thé / 4 ml d'aneth séché
1/4 c. à thé / 1,5 ml de sucre
1/4 c. à thé / 1,5 ml de miel
1/2 c. à thé / 2,5 ml de moutarde de Dijon
2 c. à table / 10 ml de ciboulette fraîche hachée
1/2 c. à thé / 2,5 ml de sel
1/4 c. à thé / 1,5 ml de poivre noir fraîchement moulu
6 à 8 feuilles de laitue
6 bouquets de persil frais

MÉTHODE

Placer les tomates, côté coupé vers le bas, dans un plat peu profond.

Mettre l'huile de noix, le vinaigre, l'ail, l'aneth, le sucre, le miel, la moutarde, la ciboulette, le sel et le poivre dans un bocal muni d'un couvercle hermétique. Bien fermer et agiter vigoureusement jusqu'à ce que tous les ingrédients soient mélangés.

Verser la vinaigrette sur les tomates. Réfrigérer pendant 2 1/2 heures. Arroser les tomates de vinaigrette toutes les 30 minutes.

Disposer des feuilles de laitue sur une assiette de service. Placer les tomates sur les feuilles de laitue. Verser la vinaigrette. Garnir de persil et servir.

Salade au fromage Fontina à l'italienne

INGRÉDIENTS *6 portions*
2 gros poivrons jaunes, épépinés et coupés en deux
2 gros poivrons rouges, épépinés et coupés en deux
225 g de fromage Fontina, en dés
50 g d'olives vertes dénoyautées en tranches fines
6 c. à table / 90 ml d'huile d'olive pure
1 1/2 c. à thé / 8 ml de moutarde de Dijon
3 c. à table / 45 ml de crème de table
1 c. à table / 15 ml de ciboule (échalote) hachée
3/4 c. à thé / 4 ml de sel
1 c. à thé / 5 ml de poivre noir fraîchement moulu
1 c. à table / 15 ml de persil frais haché

MÉTHODE

Préchauffer le gril. Placer les poivrons jaunes et rouges sur une plaque de four, et les faire griller jusqu'à ce que la peau lève et noircisse légèrement, soit environ 10 à 15 minutes. Retirer du four.

Quand les poivrons sont suffisamment refroidis pour être manipulés, enlever la peau. Couper les poivrons en lanières d'environ 3 mm de largeur. Mettre les poivrons, le fromage Fontina et les olives dans un bol.

Mettre l'huile d'olive, la moutarde, la crème, la ciboule, le sel et le poivre dans un bocal muni d'un couvercle hermétique. Bien fermer, et agiter jusqu'à ce que les ingrédients soient bien mélangés.

Verser la vinaigrette sur la salade, et touiller. Mettre la salade au réfrigérateur pendant 1 à 2 heures. Garnir de persil haché et touiller de nouveau légèrement avant de servir.

▲ Salade de tomates à la Vinaigrette moderne

Salade de concombres à la japonaise

INGRÉDIENTS *4 portions*
2 concombres de grosseur moyenne, en tranches fines
1 c. à thé / 5 ml de sel
4 c. à table / 60 ml de vinaigre de vin de riz
2 c. à table / 30 ml de sauce de soja
1 c. à thé / 5 ml de sucre
2 c. à thé / 10 ml de graines de sésame blanches

MÉTHODE
Mettre les tranches de concombre dans une passoire. Saupoudrer de sel. Laisser les tranches de concombre égoutter pendant 30 minutes, puis les retirer de la passoire. Les placer entre deux feuilles de papier absorbant et éponger.

Dans un bocal muni d'un couvercle hermétique, mettre le vinaigre, la sauce de soja et le sucre. Bien fermer et agiter jusqu'à ce que le sucre soit dissous.

Placer les tranches de concombre dans un bol à salade. Ajouter la vinaigrette et touiller légèrement.

Faire rôtir les graines de sésame dans une poêle à frire à feu élevé, et agiter la poêle fréquemment. Quand les graines commencent à sauter, les retirer de la poêle et les écraser avec un pilon. Saupoudrer les graines de sésame pilées sur la salade et servir.

Pignons et cresson

INGRÉDIENTS *4 portions*
2 c. à table / 30 g de pignons
2 grosses bottes de cresson
100 g de persil frais finement haché
90 ml de ciboulette fraîche finement hachée
3/4 tasse / 175 ml de Vinaigrette au citron (voir page 131)

MÉTHODE
Préchauffer le four à 350 °F / 180 °C. Mettre les pignons sur une plaque de four et les faire rôtir jusqu'à ce qu'ils soient légèrement brunis, soit environ 8 à 10 minutes.

Mettre le cresson, le persil et la ciboulette dans un bol à salade. Ajouter la vinaigrette au citron et touiller. Ajouter les pignons et touiller de nouveau.

▲ Salade de concombres à la japonaise

Salade à l'orange et aux noix

INGRÉDIENTS *4 portions*
3 endives dodues
2 grosses oranges pelées, épépinées et en quartiers
75 g de noix hachées

VINAIGRETTE À LA MOUTARDE
2 c. à table / 30 ml d'huile de noix
une pincée de moutarde en poudre
1 c. à table / 15 ml de jus d'orange
1 c. à table / 15 ml de jus de citron

MÉTHODE

Mélanger les tranches d'endives, les oranges et la moitié des noix, et placer dans un plat de service.

À l'aide d'un fouet, battre l'huile de noix et la moutarde en poudre, puis incorporer graduellement en battant continuellement le jus d'orange et le jus de citron.

Verser la vinaigrette sur la salade et servir immédiatement.

Mesclun et champignons avec vinaigrette à la framboise

INGRÉDIENTS *4 portions*
4 c. à table / 60 g de pignons
2 laitues pommées ou autre laitue tendre
2 endives
1 petit radicchio (laitue rouge italienne)
225 g de petits champignons équeutés

VINAIGRETTE À LA FRAMBOISE
4 c. à table / 60 ml d'huile d'olive
2 c. à table / 30 ml de vinaigre de framboise
1 échalote finement hachée
1 c. à thé / 5 ml de moutarde de Dijon
2 c. à thé / 10 ml de crème de table
sel et poivre noir fraîchement moulu

MÉTHODE

Préchauffer le four à 350 °F / 180 °C. Placer les pignons sur une plaque de cuisson peu profonde et faire rôtir au four, jusqu'à ce qu'ils soient légèrement brunis, soit environ 5 minutes. Retirer les pignons du four et réserver.

Laver et sécher délicatement la laitue pommée, les endives et le radicchio. Déchirer les feuilles de laitue et de radicchio en bouchées. Couper les endives en tranches minces. Mettre les feuilles de laitue, de radicchio et d'endives dans un grand bol à salade. Ajouter les champignons et les pignons rôtis.

Dans un bol à mélanger, combiner l'huile d'olive, le vinaigre, l'échalote, la moutarde, la crème, le sel et le poivre. Fouetter jusqu'à ce que la vinaigrette soit onctueuse et bien homogène.

Verser la vinaigrette sur les feuilles de laitues et touiller. Servir immédiatement.

▲◀ Salade à l'orange et aux noix
◀ Mesclun et champignons avec vinaigrette à la framboise

Salade d'orange et mesclun

INGRÉDIENTS *4 portions*
1/2 laitue pommée ou chicorée
  sauvage
2 grosses oranges doubles
225 g de carottes coupées en
  bâtonnets
1/3 tasse / 50 g de raisins de
  Smyrne ou de raisins de Corinthe
3/4 tasse / 175 ml de Vinaigrette au
  fromage et aux fines herbes (voir
  page 130)

MÉTHODE
  Déchirer la laitue en bouchées. La disposer dans un bol à salade. Peler les
oranges et les diviser en quartiers.
Couper chaque quartier en deux ou en
trois. Mettre les morceaux dans le bol à
salade. Ajouter les carottes et les raisins,
puis touiller. Verser la Vinaigrette au fromage et aux fines herbes, et touiller.

Salade de laitues du jardin

INGRÉDIENTS *6-8 portions*
1 laitue pommée ou laitue des
  jardins
1 laitue romaine moyenne
3 endives
1 branche de céleri hachée
3 œufs durs tranchés
100 g de cresson, tiges enlevées,
  grossièrement haché
1/2 oignon moyen, tranché en rondelles
2 grosses tomates, pelées et
  coupées en morceaux
100 g de betteraves marinées,
  coupées en languettes
2 c. à table / 30 ml de persil frais
1 1/4 tasse / 300 ml de Vinaigrette
  française crémeuse (voir page
  129)

MÉTHODE
  Tapisser un bol à salade de quelques
feuilles de laitue pommée ou de laitue
des jardins.
  Déchirer le reste des feuilles de laitue
pommée et les feuilles de laitue romaine
en bouchées. Les mettre dans le bol à
salade.
  Ajouter le céleri, les œufs, le cresson,
les rondelles d'oignon et les tomates dans
le bol. Touiller délicatement. Réfrigérer
jusqu'au moment de servir.
  Avant de servir, ajouter les betteraves,
le persil et la Vinaigrette française
crémeuse. Touiller et servir.

▼ Salade d'orange et mesclun

49

Salade de chicorée frisée et de luzerne

INGRÉDIENTS *4-6 portions*
1/2 chicorée frisée, déchirée en
   morceaux
100 g de germes de luzerne
50 g de jeunes champignons de
   couche, finement tranchés
1/2 poivron rouge tranché

VINAIGRETTE
jus de 1 citron
2 c. à thé / 10 ml d'huile d'olive
1 petit oignon râpé
1/4 c. à thé / 1,5 g de poudre de
   cinq épices chinoises

MÉTHODE
Disposer la chicorée frisée sur une
grande assiette de service ou quatre
assiettes individuelles.

Mélanger la luzerne, les champignons
et le poivron dans un bol.

Mélanger les ingrédients de la vinaigrette et verser sur les légumes. Touiller
et disposer sur la chicorée.

Salade Waldorf californienne

INGRÉDIENTS *6 portions*
90 g de germes de haricots mungos
   ou de germes de luzerne
3 pommes sures, évidées et coupées
   en dés, mais non pelées
450 g de céleri haché
1/2 tasse / 100 g d'amandes effilées
3 gros champignons, grossièrement
   hachés
1 tasse / 250 ml de Mayonnaise au
   yogourt (voir page 131)
10 feuilles de laitue
90 g de raisins sans pépins, coupés
   en deux

MÉTHODE
Blanchir les germes de haricots dans
une casserole d'eau bouillante pendant
45 secondes. Égoutter et rincer à l'eau
froide. Bien égoutter à nouveau. Hacher
grossièrement les germes de haricots.

Mettre les pommes, le céleri, les amandes et les champignons dans un grand
bol. Bien mélanger à l'aide d'une cuillère
de bois.

Ajouter la Mayonnaise au yogourt et
bien mélanger.

Tapisser un plat de service de feuilles
de laitue. Placer les germes de haricots au
centre. Disposer les ingrédients mélangés
sur le dessus et garnir de moitiés de
raisins.

Salade Waldorf classique

INGRÉDIENTS *2-4 portions*
8 branches de céleri croquant
2 pommes de table roses
jus de citron
1/2 tasse / 50 g de noix
6 c. à table / 90 ml de mayonnaise
sel et poivre noir fraîchement moulu

MÉTHODE
Si le céleri n'est pas croquant, le
plonger dans l'eau glacée. Il retrouvera
vite sa fraîcheur. Éponger et trancher.

Évider les pommes, mais ne pas les
pele : le rose de la pelure donne un contraste de couleur à la salade. Trancher les
pommes et les arroser de jus de citron
pour éviter qu'elles se décolorent.
Touiller tous les ingrédients avec la
mayonnaise et bien assaisonner.

VARIANTE
Cette salade a également très bon goût
avec une vinaigrette au fromage bleu.
Mélanger la mayonnaise avec 1 c. à table
de fromage bleu avant de l'ajouter à la
salade.

▲▲ Salade de chicorée frisée et de luzerne
▲ Salade Waldorf californienne
▶ Salade Waldorf

Salade grecque

INGRÉDIENTS *4 portions*
1 laitue pommée croquante, coupée
  en lanières
2 tomates méditerranéennes en
  tranches
1/2 concombre finement tranché
1 oignon grossièrement haché
une poignée d'olives noires
1 1/2 tasse / 175 g de féta en cubes
huile d'olive
sel et poivre noir fraîchement moulu

MÉTHODE
  Placer les légumes et le féta dans un
grand bol. Verser suffisamment d'huile
d'olive pour enrober la salade. Bien
assaisonner et touiller.
  Réfrigérer pendant une heure. Touiller
à nouveau, vérifier l'assaisonnement et
servir.

Salade de fraises et d'avocats

INGRÉDIENTS *2 portions*
1 avocat mûr
175 g de fraises
1 c. à table / 15 ml de vinaigre de
  fraise
1 c. à table / 15 ml d'huile d'olive
poivre noir fraîchement moulu

MÉTHODE
  Couper l'avocat en deux dans le sens
de la longueur et dénoyauter. Enlever
délicatement la chair en un morceau, à
l'aide d'une cuillère ou d'un couteau à
palette. Couper chaque moitié en
tranches et disposer celles-ci en
couronne dans l'assiette de service.
  Équeuter et trancher les fraises.
Empiler les fraises au centre de l'assiette.
  Mélanger le vinaigre de fraise et l'huile
d'olive. Verser sur la salade et assaisonner
de beaucoup de poivre noir.

▶ Salade grecque

Salade d'avocats et de pamplemousses

INGRÉDIENTS *6 portions*

1 avocat mûr
2 c. à table / 30 ml de jus de citron frais
1 laitue romaine
3 1/2 tasses / 700 g de quartiers de pamplemousses dénoyautés
1 oignon rouge en tranches minces
1 tasse / 250 ml de Vinaigrette française crémeuse (voir page 128)

MÉTHODE

Peler l'avocat et le couper en tranches. Mettre les tranches dans un bol et arroser de jus de citron.

Défaire la laitue en bouchées. Placer les morceaux dans un bol à salade.

Ajouter le pamplemousse, l'avocat et l'oignon. Verser la Vinaigrette française. Réfrigérer 30 minutes avant de servir.

Zakouski aux radis et aux concombres à la russe

INGRÉDIENTS *4-6 portions*

2 œufs durs
1 tasse / 250 ml de crème sure
3/4 c. à thé / 4 g de sel
1 c. à thé / 5 g de poivre noir fraîchement moulu
3 c. à table / 15 g d'aneth frais haché
225 g de radis finement tranchés
1 gros concombre pelé, épépiné et tranché mince

MÉTHODE

Enlever les jaunes des œufs. Les placer dans un petit bol à mélanger et bien les écraser à l'aide d'une fourchette. Hacher les blancs et réserver.

Ajouter la crème sure, le sel, le poivre et 2 c. à table d'aneth dans le bol à mélanger. Remuer jusqu'à l'obtention d'un mélange homogène.

Disposer les tranches de radis et de concombre sur une assiette de service. Ajouter le mélange de jaunes d'œufs et de crème sure. Garnir avec le reste d'aneth et les blancs d'œufs, et servir à la manière russe, avec du pain noir et de petits verres de vodka.

▼ Salade d'avocats et de pamplemousses

Salade de chou-fleur, fromage bleu et yogourt

INGRÉDIENTS *4 portions*
1 chou-fleur
4 c. à table / 60 ml de yogourt
2 c. à table / 30 ml de fromage
   bleu, ramolli
4 c. à table / 25 g de persil haché
sel et poivre noir fraîchement moulu

MÉTHODE

Couper le chou-fleur en petits bouquets. Réduire en crème le yogourt et le fromage bleu. Retourner le chou-fleur et le persil dans la vinaigrette et bien assaisonner.

Salade de macaroni estivale

INGRÉDIENTS *6-8 portions*
3/4 tasse / 75 ml de mayonnaise
2 c. à thé / 10 ml de moutarde de
   Dijon
1 c. à table / 15 ml de vinaigre de
   vin blanc
1/4 c. à thé / 1,5 ml de graines de céleri
450 g de macaroni cuits
90 g de céleri haché
75 g de carottes crues hachées
50 g de radis tranchés
3 c. à table / 45 g d'olives vertes
   farcies
3 c. à table / 45 g de poivrons
   rouges hachés
5 c. à table / 75 g de ciboule
   (échalote) hachée
2 c. à table / 10 g de persil frais
   haché
3/4 c. à thé / 4 g de sel
1/4 c. à thé / 1,5 g de poivre noir
   fraîchement moulu

MÉTHODE

Mettre la mayonnaise, la moutarde, le vinaigre et les graines de céleri dans un petit bol. Battre à l'aide d'une fourchette ou d'un batteur électrique jusqu'à l'obtention d'un mélange homogène.

Mettre les macaroni dans un grand bol de service et ajouter le mélange à base de mayonnaise. Remuer jusqu'à ce que les macaroni soit bien enrobés. Ajouter le céleri, les carottes, les radis, les olives, les poivrons rouges, la ciboule et le persil. Bien remuer. Ajouter le sel et le poivre. Remuer légèrement.

Couvrir et réfrigérer pendant 1 1/2 heure avant de servir.

▲◀ Salade de chou-fleur, fromage
   bleu et yogourt
◀ Salade de macaroni estivale

54

Salade de Double Gloucester

INGRÉDIENTS *2 portions*
100 g de fromage Double
  Gloucester
1 botte de cresson
2 poignées de feuilles d'épinards
2 grosses tomates méditerranéennes
50 g de champignons
6-8 ciboules (échalotes)
2 c. à table / 30 ml d'huile d'olive
1 c. à table / 15 ml de vinaigre de
  vin
1-2 c. à thé / 5-10 ml de moutarde
  en poudre
sel et poivre noir fraîchement moulu

MÉTHODE
  Couper le fromage en cubes. Laver les épinards et le cresson, jeter les tiges et les feuilles raides ou jaunes, s'il en est. Plonger les tomates dans l'eau bouillante jusqu'à ce que la peau se fende, puis les passer sous l'eau froide, les peler et les couper grossièrement. Trancher les champignons. Couper les ciboules; faire plusieurs entailles dans le sens de la longueur dans chacune, et évaser les extrémités d'une manière décorative.
  Faire la vinaigrette en mélangeant l'huile, le vinaigre, la moutarde, le sel et le poivre.
  Mêler le cresson, les épinards, les tomates et les champignons dans un bol à salade, ajouter la vinaigrette et touiller. Garnir avec le fromage et les ciboules.

Salade de chou

INGRÉDIENTS *6 portions*
1 petit chou blanc croquant
1 tasse / 225 g de carottes
2 c. à table / 30 ml de ciboulette
  hachée
1/3 tasse / 50 g de raisins de
  Smyrne
1 c. à table / 15 g de graines de
  sésame
1/2 tasse / 125 ml Mayonnaise
  (voir page 128)

MÉTHODE
  Hacher finement le chou, en écartant les tiges. Râper les carottes.
  Touiller les ingrédients dans la mayonnaise et bien mélanger. Goûter et corriger l'assaisonnement. Réfrigérer toute la nuit. Bien mélanger encore avant de servir.

 ▶▲ Salade de Double Gloucester

Salade de chou du Moyen-Orient

INGRÉDIENTS *4-6 portions*
700 g de chou, grossièrement haché
2-3 c. à table / 30-45 ml de sel
1 tasse / 250 ml de jus d'orange frais
3 c. à table / 45 ml de jus de citron
1/4 c. à thé / 1,5 ml de sucre
1/2 c. à thé / 2,5 ml de miel
1 c. à thé / 5 ml de flocons de
  piments rouges forts
2 c. à thé / 10 ml de vinaigre de vin
  blanc
1/2 c. à thé / 2,5 ml de sel

MÉTHODE
  Mettre le chou haché dans une passoire. Saupoudrer les 2-3 c. à thé de sel sur le chou, et laisser reposer pendant une heure.
  Rincer le chou pour enlever le sel. Égoutter. Envelopper le chou dans un linge de cuisine et exprimer le plus de liquide possible.
  Mettre le jus d'orange, le jus de citron, le sucre, le miel, les flocons de piments rouges forts, le vinaigre et le sel dans un bol à salade. Bien mélanger. Ajouter le chou dans le bol à salade et touiller.

Salade de pommes de terre au raifort

INGRÉDIENTS *4 portions*
700 g de pommes de terre nouvelles
2/3 tasse / 150 ml de crème sure
3 c. à table / 45 ml de raifort finement râpé
1 pincée de paprika
1/2 c. à thé / 2,5 ml de miel
sel et poivre noir fraîchement moulu
1 botte de ciboule ou de ciboulette
1 poignée de persil haché

MÉTHODE
Laver les pommes de terre, mais ne pas les peler. Les faire bouillir dans l'eau salée jusqu'à ce qu'elles soient tendres.

Entre-temps, préparer la vinaigrette. Mélanger la crème sure avec le raifort, le paprika et le miel. Assaisonner de sel et de poivre.

Couper les ciboules et faire des entailles dans les tiges de manière à ce qu'elles frisent vers l'extérieur. Couper la ciboulette.

Quand les pommes de terre sont cuites, les trancher alors qu'elles sont encore chaudes et les mélanger avec la vinaigrette et le persil. Ajouter les ciboules et la ciboulette sur le dessus. Servir immédiatement, ou réfrigérer et servir froid.

Salade de pommes de terre traditionnelle

INGRÉDIENTS *4-6 portions*
7 pommes de terre moyennes,
   pelées, cuites et coupées en dés
1 oignon moyen finement haché
2 c. à table / 30 ml d'olives farcies,
   finement hachées
225 g de céleri tranché
2 œufs durs, hachés
3/4 tasse / 175 ml de mayonnaise
2 c. à table / 30 ml de vinaigre
1/2 c. à thé / 2,5 ml de sel
1 c. à thé / 5 g de poivre noir
   fraîchement moulu
2 c. à table / 30 ml de persil frais
   haché

MÉTHODE
Mettre les pommes de terre, l'oignon, les olives, le céleri et les œufs dans un bol à salade. Mélanger légèrement.

Ajouter la mayonnaise, le vinaigre, le sel et le poivre. Touiller pour enrober tous les ingrédients. Garnir de persil et servir.

Salade de courgettes italienne

INGRÉDIENTS *4 portions*
2 courgettes moyennes
8 c. à table / 120 ml d'huile d'olive
3 c. à table / 45 ml de vinaigre de
   vin rouge
1 ciboule (échalote), partie blanche
   seulement, finement hachée
1/2 c. à thé / 2,5 ml de basilic séché
1 grosse pincée d'origan séché
1 grosse pincée de marjolaine séchée
1 gousse d'ail hachée
1/4 c. à thé / 15 g de sel
2 c. à table / 30 ml de persil haché
1/2 c. à thé / 2,5 ml de poivre noir

MÉTHODE
Faire cuire les courgettes dans l'eau bouillante salée environ 7 à 8 minutes. Bien égoutter et rincer dans l'eau très froide pendant 5 minutes. Égoutter à nouveau. Couper les courgettes en tranches minces.

Mettre l'huile d'olive, le vinaigre, la ciboule, le basilic, l'origan, la marjolaine, l'ail et le sel dans un bocal muni d'un couvercle et fermer. Mettre les courgettes et la vinaigrette dans un bol à salade. Touiller délicatement. Laisser reposer pendant 15 à 20 minutes. Saupoudrer de persil et de poivre avant de servir.

Salade de pommes de terre allemande

INGRÉDIENTS *6 portions*

6 grosses pommes de terre ou 900 g de petites

4 grosses ciboules (échalotes) finement hachées

1 c. à thé / 5 ml de câpres égouttées

2 c. à table / 30 ml d'aneth frais haché

2 c. à table / 30 ml de persil frais haché

1 c. à thé / 5 ml de sel

1 c. à thé / 5 ml de poivre noir fraîchement moulu

4 c. à table / 60 ml d'huile d'olive pure

3 c. à table / 45 ml de vinaigre de vin

1 c. à table / 15 ml de bouillon de légumes (facultatif)

1/2 c. à thé / 2,5 ml de sucre

MÉTHODE

Faire cuire les pommes de terre, avec la pelure, dans une grande casserole d'eau bouillante légèrement salée. Bien les égoutter, et, tandis qu'elles sont encore chaudes, les peler et les couper en dés. (Les petites pommes de terre peuvent rester entières et non pelées, au goût.)

Mettre les pommes de terre dans un bol à salade, puis ajouter les ciboules, l'ail, les câpres, l'aneth et le persil. Touiller légèrement.

Mettre le sel, le poivre, l'huile d'olive, le vinaigre, le bouillon de légumes et le sucre dans un bocal muni d'un couvercle. Remuer jusqu'à l'obtention d'un mélange homogène.

Verser la vinaigrette sur la salade de pommes de terre, et touiller légèrement. Laisser reposer à la température de la pièce pendant 1 1/2 heure avant de servir.

▲◄ Salade de pommes de terre au raifort

► Salade de pommes de terre allemande

Salade de lentilles et de féta

INGRÉDIENTS *6 portions*
2 tasses / 350 g de lentilles brunes
1 feuille de laurier
1/2 c. à thé / 2,5 ml de basilic séché
2 gousses d'ail écrasées
1 branche de céleri finement hachée
1 petit oignon haché
3 c. à table / 45 ml de ciboulette
  fraîche hachée
1 1/2 tasse / 175 g de féta en
  morceaux
6 c. à table / 90 ml d'huile d'olive
  vierge
3 c. à table / 45 ml de vinaigre
  blanc
1 grosse pincée d'origan séché
sel et poivre noir fraîchement moulu

MÉTHODE
Mettre les lentilles dans un bol.
Ajouter 3 tasses / 750 ml d'eau froide et
laisser tremper les lentilles pendant 2
heures. Égoutter.

Mettre les lentilles dans une casserole
et ajouter suffisamment d'eau pour les
couvrir complètement. Incorporer la
feuille de laurier, le basilic et une gousse
d'ail. Amener à ébullition, et laisser
mijoter, couvert, pendant 20 minutes.

Ajouter le céleri et l'oignon. Ajouter
suffisamment d'eau pour couvrir les
lentilles. Couvrir la casserole et laisser
mijoter pendant 10 minutes de plus.

Égoutter les lentilles, le céleri et
l'oignon; jeter la feuille de laurier et la
gousse d'ail. Mettre les lentilles, le céleri
et l'oignon dans un bol de service.
Ajouter la ciboulette et le féta. Touiller.

Mettre l'huile d'olive, le vinaigre, l'origan, la deuxième gousse d'ail, le sel et le
poivre dans un bocal muni d'un couvercle. Fermer hermétiquement et remuer
jusqu'à l'obtention d'un mélange
homogène.

Verser la vinaigrette sur la salade de
lentilles, et touiller. Laisser reposer pendant 2 heures, en touillant occasionnellement, et servir.

Salade de pâtes aux œufs

INGRÉDIENTS *4 portions*
1 tasse / 225 g de pâtes aux
  épinards ou de pâtes de blé dur
2 c. à thé / 10 ml d'huile
4 œufs
1 tasse / 500 g de haricots verts
2 branches de céleri
1 pomme à dessert
1/2 tasse / 50 g de noix
Mayonnaise (voir page 128)
sel et poivre noir fraîchement moulu
1-2 c. à table / 15-30 ml d'aneth

MÉTHODE
Faire cuire les pâtes dans une grande
quantité d'eau bouillante salée, avec
l'huile, jusqu'à ce qu'elles soient *al dente*.
Égoutter et laisser refroidir.

Faire cuire les œufs durs, les peler sous
l'eau froide, et les laisser refroidir. Les
couper en quartiers.

Enlever les pédoncules des haricots et
couper ces derniers en morceaux. Les
faire mijoter dans l'eau salée jusqu'à ce
qu'ils soient cuits, mais non ramollis.
Égoutter et laisser refroidir.

Couper le céleri. Peler la pomme,
enlever le cœur et la couper en dés.
Mélanger tous les ingrédients, sauf les
œufs, dans la Mayonnaise. Assaisonner
et garnir avec les œufs et l'aneth.

Salade de haricots

INGRÉDIENTS *4 portions*
1 tasse / 175 g de haricots secs
  ayant trempé toute la nuit
2 gousses d'ail broyées
2 c. à table / 30 ml de vinaigre
  blanc
2 c. à table / 30 ml d'huile d'olive
1 c. à thé / 5 ml de moutarde
  française
sel et poivre noir fraîchement moulu
1 poivron rouge, épépiné et tranché
  mince
1 poireau tranché mince
2 ciboules (échalotes), parties verte
  et blanche hachées séparément

MÉTHODE
Placer les haricots dans une grande
casserole et couvrir d'eau fraîche.
Amener à ébullition et cuire à gros bouillons pendant 10 minutes, puis couvrir et
laisser mijoter pendant 40-50 minutes,
ou jusqu'à ce que les haricots soient tendres. Égoutter.

Mettre l'ail, le vinaigre, l'huile d'olive,
la moutarde et les assaisonnements dans
un pot muni d'un couvercle; fermer hermétiquement et bien brasser.

Verser sur les haricots chauds et laisser
refroidir. Ajouter le poivron, le poireau
et la partie blanche des ciboules;
mélanger et placer dans un plat de service.

Saupoudrer de la partie verte des
ciboules et servir.

▲ Salade de haricots
▶ Salade de pâtes aux œufs

Salade d'Ossum

INGRÉDIENTS *6 portions*
1 tasse / 225 g de haricots rouges
ayant trempé toute la nuit
3 c. à table / 45 ml de Vinaigrette
moderne (voir page 128)
1 petit oignon finement haché
3 œufs durs hachés
1 petit pied de céleri haché ou 1
petit chou-fleur haché
3 c. à table / 45 ml de cornichons à
la moutarde
2/3 tasse / 150 ml de crème sure
sel et poivre

MÉTHODE

Mettre les haricots trempés dans de
l'eau fraîche et amener à ébullition. Faire
bouillir rapidement pendant 10 minutes,
puis laisser cuire pendant 1 heure à 1 1/2
heure, jusqu'à ce que les haricots soient
tendres, mais pas mous. Égoutter et
arroser de Vinaigrette moderne. Ajouter
l'oignon pendant que les haricots sont
encore chauds.

Laisser refroidir, puis ajouter les autres
ingrédients et bien mélanger. La crème
sure peut être remplacée par du yogourt.
Réfrigérer et servir froid.

◀ Salade d'Ossum

Salade de barbecue

INGRÉDIENTS *4 portions*
3 grosses tomates en quartiers
2 gros poivrons verts épépinés et en
quartiers
1 poivron rouge épépiné et en
quartiers
1 grosse aubergine pelée et en
quartiers
2 gros oignons coupés en deux
250 ml de Vinaigrette aux herbes ou
de Vinaigrette orientale

MÉTHODE

À l'aide de 6 longues brochettes (ou
plus), enfiler les quartiers de tomates, de
poivrons verts, de poivrons rouges,
d'aubergine et d'oignons.

Étendre les brochettes sur la grille du
barbecue, au-dessus des charbons blan-
chis ou les placer sous le gril du four à
feu élevé. Cuire pendant 12-15 minutes;
retourner fréquemment.

Retirer les brochettes du feu. Enlever
les légumes des brochettes. Mettre les
morceaux d'aubergine et de tomates dans
un bol.

Enlever la peau des morceaux de
poivrons tandis qu'ils sont encore
chauds. Ajouter les morceaux dans le bol
à salade. Hacher grossièrement l'oignon
et l'ajouter dans le bol. Verser la vinaigrette et touiller. Réfrigérer pendant 30
minutes avant de servir.

Salade de haricots, de pois chiches et de maïs

INGRÉDIENTS *4 portions*
1 tasse / 225 g de haricots
1 tasse / 225 g de pois chiches
1 tasse / 225 g de maïs en grains
    cuit
6 ciboules (échalotes)
2 très grosses tomates
Vinaigrette au tofu (voir page 128)

MÉTHODE

Faire tremper les haricots et les pois
chiches séparément toute une nuit. Puis,
les faire mijoter dans l'eau jusqu'à ce
qu'ils soient cuits. Égoutter et laisser
refroidir.

Couper les ciboules et trancher les
tomates.

Mélanger tous les ingrédients dans la
Vinaigrette au tofu et servir à la température de la pièce avec du pain pita
chaud.

▲ Salade de haricots, de pois chiches
et de maïs

Salade de haricots à filet et de poivrons

INGRÉDIENTS *4 portions*
225 g de haricots à filet
1 poivron rouge moyen évidé et épépiné, ou 2 petits
2 tranches de racine de gingembre fraîche en fines lamelles
1 1/2 c. à thé / 8 ml de sel
1 c. à thé / 5 ml de sucre
1 c. à table / 15 ml d'huile de sésame

MÉTHODE
Laver les haricots à filet, enlever les extrémités, et couper en longueurs de 5 cm. Couper les poivrons rouges en minces filaments. Blanchir les haricots et les poivrons dans l'eau bouillante et égoutter.

Mettre les haricots à filet, les poivrons rouges et le gingembre dans un bol. Ajouter le sel, le sucre et l'huile de sésame. Bien touiller et servir.

Salade de tomates et de ciboules à l'huile

INGRÉDIENTS *4 portions*
275 g de tomates fermes
1 c. à thé / 5 ml de sel
1 c. à thé / 5 ml de sucre
3-4 ciboules (échallotes) finement hachées
3 c. à table / 45 ml d'huile à salade

MÉTHODE
Laver et éponger les tomates. Les couper en tranches épaisses. Saupoudrer de sel et de sucre. Laisser mariner pendant 10-15 minutes.

Placer les ciboules finement hachées dans un plat résistant à la chaleur. Faire chauffer l'huile dans un poêlon jusqu'à ce qu'elle soit assez chaude, puis la verser sur les ciboules. Ajouter les tomates, bien touiller et servir.

NOTE
D'autres légumes, tels que les concombres, le céleri et les poivrons verts, peuvent être servis de la même façon.

Salade de chou chinois

INGRÉDIENTS *4 portions*
1 petit chou chinois
2 c. à table / 30 ml de sauce de soja légère
1 c. à thé / 5 ml de sel
1 c. à thé / 5 ml de sucre
1 c. à table / 15 ml d'huile de sésame

MÉTHODE
Laver le chou soigneusement, le couper en tranches minces et le placer dans un bol.

Ajouter la sauce de soja, le sel, le sucre et l'huile de sésame. Bien touiller et servir.

NOTE
On peut ajouter des poivrons rouges ou verts (ou les deux) au chou.

▶ Salade de chou chinois
◀▲ Salade de haricots à filet et de poivrons
▲ Salade de tomates et de ciboules à l'huile

Salade de germes de soja

INGRÉDIENTS *4 portions*
450 g de germes de soja
1 c. à thé / 5 ml de sel
10 tasses / 2,3 l d'eau
2 c. à table / 30 ml de sauce de soja légère
1 c. à table / 15 ml de vinaigre
2 ciboules (échalotes) en fines lanières

MÉTHODE

Laver et rincer les germes de soja à l'eau froide; jeter les coques et autres petits morceaux qui flottent à la surface. Égoutter. Il n'est pas nécessaire de tailler chaque germe.

Blanchir les germes de soja dans une casserole d'eau bouillante salée, puis les mettre dans une passoire et les rincer à l'eau froide jusqu'à ce qu'ils soient refroidis. Égoutter.

Placer les germes de soja dans un bol ou un plat profond et ajouter la sauce de soja, le vinaigre et l'huile de sésame. Bien touiller et garnir de ciboules coupées en fines lanières juste avant de servir.

Salade de concombres aigre-douce

INGRÉDIENTS *4 portion*s
1 concombre
2 c. à thé / 10 ml de racine de gingembre fraîche finement hachée
1 c. à thé / 5 ml d'huile de sésame
2 c. à table / 30 ml de sucre
2 c. à table / 30 ml de vinaigre de riz

MÉTHODE

Choisir un concombre vert foncé et mince; les concombres gras et vert pâle contiennent moins d'eau et ont beaucoup moins de saveur. Couper le concombre en deux sur le sens de la longueur, puis couper chaque morceau en tranches. Faire mariner avec le gingembre et l'huile de sésame pendant environ 10-15 minutes.

Mettre le sucre et le vinaigre dans un bol pour faire la vinaigrette, et bien remuer pour dissoudre le sucre.

Placer les tranches de concombre sur une assiette. Juste avant de servir, verser la vinaigrette uniformément sur les concombres, et bien touiller.

▲▲ Salade de germes de soja
▲ Salade de céleri

Salade de céleri

INGRÉDIENTS *4 portions*
1 céleri
1 c. à thé / 5 ml de sel
7 1/2 tasses / 1,7 l d'eau
2 c. à table / 30 ml de sauce de soja légère
1 c. à table / 15 ml de vinaigre
1 c. à table / 15 ml d'huile de sésame
2 tranches de racine de gingembre fraîche en fines lamelles

MÉTHODE

Enlever les feuilles et les extrémités dures du céleri. Trancher finement les parties tendres en diagonale. Blanchir le céleri dans une casserole d'eau bouillante salée. Le mettre dans une passoire et le rincer à l'eau froide jusqu'à ce qu'il soit refroidi. Égoutter.

Mélanger la sauce de soja, le vinaigre et l'huile de sésame. Ajouter le mélange au céleri et bien touiller.

Garnir la salade de fines lamelles de racine de gingembre.

▶ Salade de fruits des Caraïbes

Salade de fruits des Caraïbes

INGRÉDIENTS *6-8 portions*
1 1/2 tasse / 225 g de myrtilles (bleuets) ou de cassis
2 pêches, noyaux enlevés et tranchées mince
3/4 tasse / 175 g de raisins verts et noirs sans pépins, coupés en deux
1 tasse / 225 g de morceaux d'ananas frais
1 tasse / 225 g de melon miel en dés
5 tangerines pelées, membrane blanche enlevée, en quartiers et épépinées
1 tasse / 225 g de melon brodé en dés
1 tasse / 225 g de fromage gruyère en cubes
225 g de dattes fraîches
250 ml de Mayonnaise au yogourt (voir page 131)
1 c. à table / 15 ml de miel
2 c. à table / 30 ml de rhum
2 grosses bananes coupées en deux
3/4 tasse / 90 g d'amandes hachées

MÉTHODE

Disposer les myrtilles (bleuets), les pêches, les raisins, l'ananas, le melon miel, les tangerines, le melon brodé, le fromage et les dattes dans une assiette.

Dans un petit bol, mélanger le miel, le rhum à la Mayonnaise et le yogourt, en remuant jusqu'à l'obtention d'un mélange homogène. Placer la vinaigrette dans un bol séparé au centre de l'assiette.

Rouler délicatement les morceaux de bananes dans les amandes hachées, et placer ceux-ci dans l'assiette avec les autres fruits. Laisser les invités choisir leurs fruits, prendre la quantité désirée de vinaigrette et touiller eux-mêmes la salade dans leur assiette.

Salade de fruits des Mers du sud

INGRÉDIENTS *6-8 portions*
2 papayes mûres pelées, épépinées et coupées en cubes
2 grosses bananes pelées et coupées en dés
1/2 tasse / 90 ml de raisins verts sans pépins, coupés en deux
1 tasse / 225 g d'ananas en cubes
3 tangerines pelées, membrane blanche enlevée, en quartiers et épépinées
5 c. à table / 75 ml d'huile d'arachide
1 c. à table / 15 ml d'huile de sésame
4 c. à table / 60 ml de jus de lime frais
1/4 c. à thé / 1,5 ml de sel
2 c. à thé / 10 ml de sucre

MÉTHODE

Disposer les papayes, les bananes, les raisins, l'ananas et les quartiers de tangerine dans des bols de service.

Mettre l'huile d'arachide, l'huile de sésame, le jus de lime, le sel et le sucre dans un mélangeur ou un robot culinaire. Remuer jusqu'à l'obtention d'un mélange homogène.

Verser la vinaigrette sur la salade. Couvrir les bols et réfrigérer pendant 1 à 2 heures avant de servir.

Salade de melon à la sauce au gingembre

INGRÉDIENTS *6-8 portions*

3/4 tasse / 175 ml de crème à
  fouetter
1 c. à thé / 5 ml de jus de citron
  frais
1 c. à table / 15 ml de sucre à
  glacer
1/8 c. à thé / 1 grosse pincée de
  poivre de Cayenne
3 gros morceaux de gingembre
  confit finement hachés
50 g d'amandes hachées
2 gros melons au choix, pelés,
  épépinés et coupés en cubes

MÉTHODE

Mettre la crème, le jus de citron, le
sucre et le poivre de Cayenne dans un
bol à mélanger. Battre ou fouetter la
crème jusqu'à ce qu'elle épaississe, mais
pas jusqu'à devenir ferme. Réserver 1 c. à
table / 15 ml des amandes et ajouter le
reste, ainsi que le gingembre, au
mélange. Continuer de fouetter la crème
de manière à ce qu'elle devienne ferme.
Couvrir le bol et réfrigérer jusqu'au
moment de servir.

Mettre le melon dans un plat de service et réfrigérer jusqu'au moment de
servir. Avant de servir, ajouter la crème
au gingembre sur les cubes de melon.
Saupoudrer sur le tout les amandes
préalablement réservées.

Salade de kakis

INGRÉDIENTS *4 portions*

4 kakis très mûrs
4 feuilles de laitue grasse croquantes
4 c. à table / 60 ml de yogourt
  nature ou de crème sure
1 c. à thé / 5 ml de jus de citron
3/4 tasse / 100 g de noix de cajou
  hachées

MÉTHODE

Placer les kakis sur une surface plane,
côté queue vers le bas. Découper
soigneusement un X dans la surface
supérieure de la peau. Séparer délicatement la pelure de la chair, un peu à la
fois, jusqu'au milieu du côté des fruits.
Isoler le reste de la chair de la pelure à
l'aide d'une cuillère, en conservant la
pelure intacte. Placer chaque kaki sur
une feuille de laitue.

Combiner dans un petit bol le yogourt
et le jus de citron. Répartir des cuillerées
égales de ce mélange sur les kakis et
saupoudrer de noix hachées. Servir
immédiatement ou réfrigérer briève-
ment.

Salade de poires

INGRÉDIENTS *4 portions*

4 poires à dessert
1 gousse d'ail broyée
1 c. à thé / 5 ml de sel
1 1/2 c. à thé / 8 ml de sucre
1/2 c. à thé / 2,5 ml d'estragon
  séché émietté
1/2 c. à thé / 2,5 ml de basilic séché
  émietté
2 1/2 c. à table / 40 ml de vinaigre
  de vin rouge
2 1/2 c. à table / 40 ml d'huile
  d'olive
2 1/2 c. à table / 40 ml d'eau
1 c. à table / 15 ml de sherry
100 g de céleri grossièrement haché
100 g de poivron vert grossièrement
  haché
3 ciboules (échalotes) tranchées
2 grosses tomates mûres finement
  hachées
4 feuilles de laitue romaine
  réfrigérées

MÉTHODE

Laver les poires et les réfrigérer. Dans
un bol, mélanger l'ail, le sel et le sucre.
Ajouter l'estragon, le basilic, le vinaigre,
l'huile, l'eau et le sherry. Fouetter jusqu'à
l'obtention d'un mélange homogène.
Transférer le mélange dans un pot de 0,5
l, couvrir et laisser reposer pendant 1 à
1 1/2 heure.

Mettre le céleri, le poivron vert, les
ciboules et les tomates dans un bol.
Réfrigérer pendant une heure.

Retirer les légumes et les poires du
réfrigérateur. Brasser la vinaigrette de
façon à bien la mélanger. En verser la
moitié sur les légumes et touiller.

Placer 1 feuille de laitue sur chacune
des quatre assiettes de service. Couper les
poires en deux et enlever le cœur.
Disposer 2 moitiés de poire, côté coupé
vers le bas, sur chacune des feuilles de
laitue. Couvrir avec les légumes. Ajouter
à la cuillère le reste de la vinaigrette sur
les poires et servir.

◀ Salade de melon à la sauce au gingembre

LES PÂTES ET LES CRÊPES

Savoureuses et nourrissantes, les pâtes font le régal de tous, des plus jeunes aux plus difficiles. Disponibles en une myriade de formes et de tailles, elles sont exceptionnellement versatiles et peuvent être servies en entrée, en plat principal, comme goûter spécial ou comme élément d'un buffet. Les crêpes sont peut-être un peu moins populaires, mais elles sont tout aussi délicieuses.

Pâtes à la bolonaise végétarienne

Crêpes aux asperges

INGRÉDIENTS *2 portions*
1 petite gousse d'ail, broyée
2 c. à table / 15 g de basilic frais
  haché
1 c. à table / 25 g de pignons
3 c. à table / 45 ml de fromage
  parmesan râpé
2 c. à table / 30 ml d'huile d'olive
sel et poivre noir fraîchement moulu
6 c. à table / 40 g de farine de blé
  entier
2 c. à table / 15 g de farine de sarrasin
1 œuf légèrement battu
2/3 tasse / 150 ml de lait écrémé
200 g de pointes d'asperges
  surgelées
3 tomates, pelées, épépinées et
  hachées

MÉTHODE

Placer l'ail, le basilic, les pignons et 2 c. à table / 30 ml de fromage parmesan dans un mélangeur ou un robot culinaire, et réduire en purée. Tandis que le moteur tourne, ajouter l'huile graduellement, et mélanger jusqu'à l'obtention d'une sauce veloutée. Assaisonner au goût.

Placer les farines dans un bol, ajouter graduellement l'œuf et le lait, et battre jusqu'à l'obtention d'une pâte lisse.

Faire chauffer une poêle à frire de 18 cm à fond épais, légèrement huilée. Verser suffisamment de pâte dans la poêle pour couvrir le fond d'une mince couche.

Faire cuire pendant 1-2 minutes, détacher le bord, tourner et faire cuire l'autre côté. Transférer la crêpe dans une assiette et conserver au chaud. Recommencer avec la pâte qui reste pour faire quatre crêpes. Empiler les crêpes et placer du papier sulfurisé entre elles. Conserver au chaud.

Placer les asperges dans une casserole, verser juste assez d'eau bouillante pour les couvrir, et laisser mijoter pendant 6 minutes.

Répartir les asperges entre les crêpes, napper de sauce et rouler. Placer dans un plat peu profond allant au four, garnir de tomates et de ce qui reste de fromage.

Mettre sous le gril et faire brunir.

Crêpes

INGRÉDIENTS *donne 5 tasses / 1,1 l*
2 1/2 tasses / 600 ml de lait
2 1/4 tasses / 225 g de farine
une pincée de sel
2 œufs
beurre ou huile à friture

MÉTHODE

Mélanger le lait et la farine jusqu'à consistance lisse. Ajouter le sel et les œufs, et battre le mélange.

Faire chauffer le beurre ou l'huile dans un poêlon épais (de préférence un poêlon utilisé uniquement pour les crêpes). Enlever l'excès de beurre.

Verser juste assez de pâte pour couvrir le fond du poêlon. Cuire d'un côté seulement si les crêpes doivent être farcies.

Crêpes aux champignons

INGRÉDIENTS *4 portions*
1 recette de crêpes (page 68)
2 c. à table / 25 g de beurre
1 gros oignon finement haché
4 tasses / 450 g de champignons
  hachés
2 c. à table / 25 g de poivrons
  rouges en conserve finement
  hachés
2/3 tasse / 150 g de crème sure
sel et poivre noir fraîchement moulu
beurre fondu

MÉTHODE

Préparer les crêpes et conserver au chaud.

Faire fondre le beurre, ajouter l'oignon et cuire jusqu'à ce qu'il soit ramolli, mais non bruni. Ajouter les champignons et cuire jusqu'à ce qu'ils soient tendres. Enlever l'excès de liquide. Ajouter les poivrons, la crème sure, le sel et le poivre, et bien mélanger.

Mettre une bonne cuillerée de mélange sur chaque crêpe, du côté cuit. Rouler les crêpes et plier les extrémités.

Placer les crêpes roulées dans un plat beurré allant au four, ajouter quelques gouttes de beurre fondu sur le dessus. Cuire au four à 350 °F / 180 °C pendant 25 minutes.

Servir avec un supplément de crème sure si désiré.

▲ Crêpes aux asperges
▶ Crêpes aux champignons

68

Crêpes fourrées au fromage

INGRÉDIENTS *3-4 portions*
3/8 tasse / 40 g de farine naturelle
   non traitée
3/8 tasse / 40 g de farine de blé
   entier
1 pincée de sel
1 œuf
2/3 tasse / 150 ml de lait
1 c. à thé / 15 ml de beurre fondu

GARNITURE AU FROMAGE ET AUX
HERBES
2 tasses / 450 g de fromage blanc
   ou de fromage cottage
2 c. à table / 30 ml de crème
1 grosse gousse d'ail broyée
2 c. à table / 30 ml d'herbes fraîches finement hachées
1 c. à table / 15 ml de ciboules
   (échalotes) hachées

MÉTHODE
   Pour faire la pâte à crêpes, tamiser la
farine et le sel dans un bol. Faire un puits
au centre et ajouter l'œuf. Ajouter graduellement le lait en fouettant. Quand la
moitié du lait a été incorporée, ajouter le
beurre fondu. Continuer d'ajouter le lait
en fouettant jusqu'à l'obtention d'une
pâte à frire légère. Laisser reposer la pâte
pendant une demi-heure.
   Entre-temps, préparer la garniture.
Combiner le fromage blanc avec le reste
des ingrédients et bien mélanger.
   Pour faire les crêpes, huiler une poêle
en fonte de 18 cm de diamètre. Placer
sur le feu, et quand l'huile est très
chaude, ajouter 2 c. à table / 30 ml de
pâte à frire. Incliner la poêle de sorte que
la pâte en couvre le fond. Cuire jusqu'à
ce que la crêpe soit dorée en dessous,
puis retourner et cuire l'autre côté. Il est
possible que vous deviez jeter la première
crêpe parce qu'elle aura absorbé l'excès
d'huile dans la poêle.
   Continuer à faire des crêpes, et à les
garder chaudes, jusqu'à ce qu'il n'y ait
plus de pâte. Répartir la garniture entre
les crêpes, puis les rouler en forme de ci-
gare. Disposer les crêpes fourrées dans un
plat allant au four et réchauffer à température modérée pendant 1 1/2 minute.

Pâtes génoises au pesto

INGRÉDIENTS *4-6 portions*
2 c. à table / 25 g de feuilles de
   basilic frais
2 gousses d'ail
1 pincée de sel
1/2 tasse / 50 g de pignons
1/2 tasse / 50 g de parmesan
1/2 tasse / 100 ml d'huile d'olive
450 g de spaghetti ou tagliatelles,
   cuits et égouttés
2 c. à table / 25 g de beurre

MÉTHODE
   Réduire les feuilles de basilic en purée
dans un mélangeur. Ajouter les gousses
d'ail broyées et l'huile d'olive. Mélanger
pendant quelques secondes.
   Ajouter graduellement les pignons, le
parmesan et le sel, sans oublier que le
parmesan a déjà un goût salé. La consistance doit être épaisse et crémeuse.
   Faire fondre le beurre dans une casserole et réchauffer les pâtes cuites. Retirer
du feu, et mélanger 2 c. à table / 25 g de
pesto avec les pâtes. Servir dans des assiettes individuelles et incorporer une
cuillerée de pesto à chaque portion. On
peut encore ajouter du parmesan.

NOTE
Le pesto n'est jamais réchauffé. On peut
le servir à la table, mais les pâtes doivent
être très chaudes.

Fettucini Romana

INGRÉDIENTS *4 portions*
450 g de fettucini
1/4 tasse / 50 g de beurre
1/2 c. à thé / 2,5 ml de muscade
   moulue
2/3 tasse / 150 ml de crème
sel et poivre noir fraîchement moulu
1 tasse / 100 g de parmesan

MÉTHODE
   Amener une pleine casserole d'eau
salée à ébullition, ajouter quelques
gouttes d'huile et du sel. Mettre les fettucini dans l'eau et cuire jusqu'à ce qu'ils
soient *al dente* — les pâtes fraîches ne
prennent que 2 minutes à cuire. Égoutter à l'aide d'une passoire.
   Faire fondre le beurre dans une casserole, ajouter la muscade moulue. Verser
la moitié de la crème, et remuer jusqu'à
ce que le mélange reluise et que des
bulles commencent à apparaître.
   Ajouter les fettucini et remuer. Verser
le reste de la crème et le fromage en
alternance, et remuer les pâtes à la
fourchette pour favoriser le mélange.
Servir immédiatement.

NOTE
Ce plat est très populaire auprès des véri-
tables amateurs de pâtes. Pour obtenir de
meilleurs résultats, utilisez du parmesan
frais plutôt qu'une variété commerciale
de parmesan râpé.

◀ Crêpes fourrées au fromage
▶ Pâtes génoises au pesto

71

Pâtes à l'aubergine et aux pommes

INGRÉDIENTS *2-3 portions*
1 grosse aubergine
1 grosse pomme à cuire
1 œuf battu
farine blanche non traitée assaison-
    née
4 c. à table / 60 ml d'huile de noix
2 gousses d'ail hachées
1 tasse / 225 g de pâtes au blé
    entier ou aux épinards
sel et poivre noir fraîchement moulu

MÉTHODE

Trancher l'aubergine, la saupoudrer généreusement de sel, et la laisser dans une passoire pendant 30 minutes. Rincer et sécher sur des essuie-tout, puis couper en lanières. Peler la pomme, l'évider et la couper en dés.

Jeter l'aubergine et la pomme dans l'œuf battu, et les passer dans la farine assaisonnée de manière à les enrober légèrement. Faire chauffer un peu d'huile dans une casserole et faire frire l'aubergine, les morceaux de pomme et l'ail, en remuant, jusqu'à ce qu'ils soient croustillants.

Entre-temps, faire cuire les pâtes à gros bouillons dans une grande quantité d'eau salée, jusqu'à ce qu'elles soient *al dente*. Ajouter quelques gouttes d'huile dans l'eau pour empêcher les pâtes de coller. Bien égoutter. Assaisonner de poivre noir et verser un peu d'huile de noix. Ajouter le mélange d'aubergine, mélanger et servir avec du parmesan.

Tagliatelles aux épinards avec asperges

INGRÉDIENTS *2 portions*
6-7 pointes / 225 g d'asperges
2 c. à table / 15 g de beurre
4 c. à table / 60 ml de crème de
    table
sel et poivre noir fraîchement moulu
1 tasse / 225 g de tagliatelles aux
    épinards
2 c. à thé / 10 ml d'huile
parmesan râpé

MÉTHODE

Si les asperges sont fraîches, les laver à l'eau froide, les attacher en botte et les placer debout dans une casserole haute contenant 7 cm d'eau bouillante salée. Couvrir de papier d'aluminium pour que les pointes d'asperge cuisent à la vapeur. Ou encore utiliser un bain-marie et retourner le récipient intérieur sur le

récipient inférieur. Les asperges cuiront en 10-20 minutes, selon leur épaisseur. (Vérifier la cuisson en perçant le milieu de la tige à l'aide d'un couteau; si le couteau pénètre facilement, les asperges sont cuites.) Égoutter. Couper et jeter les parties inférieures ligneuses. Couper les asperges en morceaux de la taille de bouchées.

Faire fondre le beurre dans une casse-role et y jeter les asperges. Ajouter la moitié de la crème, assaisonner et laisser épaissir à feu très doux pendant quelques minutes.

Entre-temps, faire cuire les pâtes jusqu'à ce qu'elles soient *al dente* dans une grande quantité d'eau bouillante salée avec 2 c. à thé / 10 ml d'huile.

Égoutter les pâtes, les verser dans le reste de la crème, et napper de la sauce aux asperges. Servir accompagné d'une généreuse quantité de parmesan.

Pâtes aux épinards et à la ricotta

INGRÉDIENTS *6-8 portions*
1 1/4 tasse / 300 ml de Sauce
   béchamel (voir page 126)
1/2 tasse / 225 g (après cuisson)
   d'épinards frais ou surgelés
2/3 tasse / 100 g de ricotta
1/2 c. à thé / 2,5 ml de muscade
sel et poivre noir fraîchement moulu
3-4 tasses / 500-750 g de pâtes
   cuites

MÉTHODE
Préparer la Sauce béchamel.

Cuire les épinards pendant quelques minutes, puis les égoutter soigneusement. Presser les épinards contre la passoire pour enlever le liquide.

Il faudra faire cuire environ 750 g d'épinards frais pour obtenir la quantité requise par la recette. Hacher ou réduire en purée.

Mélanger la ricotta avec les épinards et bien assaisonner; ajouter la muscade. Incorporer graduellement dans la Sauce béchamel et réchauffer doucement à feu très bas.

Servir à la cuillère sur les portions de pâtes cuites.

VARIANTE
Cette sauce est également délicieuse lorsqu'elle est incorporée dans une lasagne aux légumes.

◄▲ Pâtes à l'aubergine et aux pommes
▶ Pâtes aux épinards et à la ricotta

Tagliatelles à la sauce aux poivrons

INGRÉDIENTS *4 portions*
350 g de tagliatelles aux épinards
2 c. à thé / 10 ml d'huile
1/2 c. à thé / 2,5 ml de sel

SAUCE
1 petit poivron rouge ferme
1 petit poivron vert
1 petit poivron jaune
1-2 c. à table / 15-30 ml d'huile
  d'olive
1 oignon haché
2 gousses d'ail hachées
1 1/2 tasse / 400 g de tomates en
  conserve
1 c. à table / 15 ml de purée de
  tomates
feuilles de basilic frais coupées
sel et poivre noir fraîchement moulu

MÉTHODE
Équeuter et épépiner les poivrons, puis les couper en fines lanières. Vous pouvez préparer la sauce avec des poivrons verts seulement, si vous le désirez, mais les variétés rouge et jaune sont plus sucrées et donnent plus de couleur au plat. Blanchir les poivrons une minute à l'eau bouillante salée, les refroidir à l'eau froide. Égoutter.

Faire chauffer l'huile d'olive dans une casserole, ajouter l'ail et l'oignon, et cuire doucement, en remuant, jusqu'à ce qu'ils soient tendres. Ajouter les tomates, la purée de tomates et le basilic. Briser les tomates à l'aide d'une cuillère de bois et laisser mijoter pendant 5 minutes environ. Assaisonner au goût et réduire la sauce en purée dans un mélangeur. Remettre la sauce dans la casserole à feu doux et ajouter les poivrons.

Faire cuire les pâtes dans une grande casserole contenant beaucoup d'eau avec un peu d'huile et du sel. L'eau doit bouillir à gros bouillons. Les pâtes seront cuites en 9 minutes environ. Égoutter et répartir en portions individuelles dans des bols chauds.

Déposer la sauce à la cuillère sur chaque portion de pâtes et servir immédiatement avec du parmesan.

Spaghetti végétarien à la Putanesca

INGRÉDIENTS *4-6 portions*
1 oignon pelé et coupé en dés
2 c. à table / 30 ml d'huile
2 gousses d'ail broyées
1 carotte pelée et hachée
1 1/2 tasse / 425 g de tomates en
  conserve
2 tomates pelées et hachées
4 c. à table / 60 ml de vin blanc
1 feuille de laurier
3-4 feuilles de basilic ou 1 c. à table
  / 15 ml de basilic séché
sel et poivre noir fraîchement moulu
1 c. à table / 15 ml de câpres
  hachées
1/2 tasse / 50 g d'olives noires
  dénoyautées
3 gouttes de sauce tabasco
1 c. à table / 15 ml de persil frais
  haché
450 g de spaghetti cuit
parmesan râpé pour servir

MÉTHODE
Chauffer l'huile dans une poêle à frire à feu doux et y cuire doucement l'oignon pendant 4 minutes. Ajouter l'ail et les carottes. Remuer.

Ajouter les tomates, le vin blanc, la feuille de laurier, le basilic et un peu d'assaisonnement. Amener à ébullition et laisser mijoter pendant 30 minutes. Passer ou réduire en purée au mélangeur, puis remettre la sauce dans la casserole. Ajouter les câpres hachées, les olives tranchées et la sauce tabasco. Réchauffer et servir sur les pâtes avec du parmesan.

Spaghetti au Mascarpone

INGRÉDIENTS *4 portions*
350 g de spaghetti au blé entier
un peu d'huile
100 g de Mascarpone ou de fromage à la crème
2 jaunes d'œufs
sel et poivre noir fraîchement moulu
parmesan râpé pour servir

MÉTHODE
Cuire les pâtes à l'eau bouillante salée, avec un peu d'huile, jusqu'à ce qu'elles soient *al dente*.

Tandis que vous égouttez les spaghetti, mélanger les jaunes d'œufs et le Mascarpone dans une grande casserole à feu doux.

Quand la sauce commence à prendre, y jeter les spaghetti. Servir immédiatement avec beaucoup de poivre noir et de parmesan. Ce plat devrait être accompagné d'une salade croquante.

Pâtes à la sauce aux champignons

INGRÉDIENTS *1-2 portions*
2-4 poignées de pâtes vertes en
  forme de spirales
1 c. à table / 15 ml d'huile
1 tasse / 50 g de champignons
lait
sel et poivre noir fraîchement moulu
1 jaune d'œuf
1 c. à table / 15 ml de crème
persil haché
parmesan râpé

MÉTHODE
Faire cuire les pâtes dans une grande quantité d'eau bouillante salée avec 1 c. à thé / 5 ml d'huile, jusqu'à ce qu'elles soient *al dente*.

Entre-temps, essuyer et trancher les champignons. Les mettre dans une casserole avec un peu de lait, bien assaisonner et pocher doucement, en remuant, jusqu'à ce qu'ils soient tendres et très noirs et que le liquide soit presque complètement évaporé.

Battre le jaune d'œuf avec la crème et ajouter les champignons en remuant.

Égoutter les pâtes et les verser dans le mélange aux champignons avec beaucoup de persil. Servir immédiatement avec du parmesan et une salade de laitue tendre.

▲ Spaghetti au Mascarpone
◀ Tagliatelles à la sauce aux poivrons

Sauce bolognaise végétarienne

INGRÉDIENTS *4-6 portions*
1 1/4 tasse / 225 g de lentilles
  brunes
sel et poivre noir fraîchement moulu
1 feuille de laurier
1-2 c. à table / 15-30 ml d'huile
  d'olive
2 gousses d'ail hachées
1 oignon haché
1 carotte hachée
1 branche de céleri hachée
1 1/2 tasse / 400 g de tomates en
  conserve écrasées
1 c. à table / 15 ml de purée de
  tomates
1/2 c. à thé / 2,5 ml d'herbes
  italiennes mélangées
2 c. à table / 30 ml de vin rouge
350 g de pâtes au blé entier ou aux
  épinards

MÉTHODE
  Faire tremper les lentilles toute la nuit
et les faire mijoter dans l'eau salée avec
une feuille de laurier jusqu'à ce qu'elles
puissent être écrasées à la fourchette.
Égoutter et jeter la feuille de laurier.
  Chauffer l'huile dans une casserole et
faire frire l'oignon et l'ail jusqu'à ce
qu'ils deviennent translucides. Ajouter la
carotte et le céleri, et cuire deux minutes
de plus.
  Ajouter les tomates et un peu de jus.
Ajouter les autres ingrédients et les
lentilles. Laisser mijoter jusqu'à ce que la
sauce soit assez épaisse. Réduire en

purée, totalement ou partiellement, dans
un mélangeur.
  Servir une généreuse portion de sauce
sur les pâtes encore chaudes.

Salade de pâtes chaude

INGRÉDIENTS *4 portions*
2 gousses d'ail
3 c. à table / 45 ml d'huile d'olive
une poignée de feuilles de basilic
  fraîches
1 c. à table / 15 ml de parmesan
  râpé

SALADE
100 g de mozzarella
450 g de tomates méditerranéennes
1 tasse / 75 g d'olives noires
sel et poivre noir fraîchement moulu

PÂTES
350 g de pâtes spirales aux épinards
1 c. à thé / 5 ml d'huile d'olive

MÉTHODE
  Hacher l'ail et le mettre dans un mortier. Verser un peu d'huile d'olive et
broyer jusqu'à l'obtention d'une pâte.
Ajouter graduellement les feuilles de
basilic et le fromage avec le reste de
l'huile en continuant de broyer. Vous
devriez obtenir une pâte épaisse.
  Couper la mozzarella en dés. Plonger
les tomates dans l'eau bouillante jusqu'à
ce que la peau éclate, puis les peler et les
couper grossièrement. Mélanger le fromage, les tomates et les olives, et
assaisonner.
  Faire cuire les pâtes dans l'eau bouil-

lante salée avec un peu d'huile d'olive,
jusqu'à ce qu'elles soient *al dente*. Égoutter. Remuer les pâtes dans la vinaigrette.
Répartir en quatre bols de service chaud,
et garnir avec la salade.

Spaghetti à la sauce aux tomates fraîches et au basilic

INGRÉDIENTS *4 portions*
2 c. à thé / 15 ml d'huile d'olive
1 oignon haché
4 branches de céleri hachées
1 piment vert épépiné et finement
  haché
2 gousses d'ail broyées
2 1/4 tasses / 700 g de tomates
  coupées grossièrement, peau
  enlevée
3 c. à table / 45 ml de purée de
  tomates
1 c. à table / 15 ml de feuilles de
  basilic hachées
1 c. à table / 15 ml de marjolaine
  hachée
350 g de spaghetti au blé entier ou
  175 g de spaghetti au blé entier
  et 175 g de spaghetti aux
  épinards
2/3 tasse / 50 g d'olives noires
  dénoyautées
3 c. à table / 25 g de parmesan râpé
3 c. à table / 25 g de pignons
bouquets de basilic

MÉTHODE
  Chauffer l'huile dans une casserole.
Ajouter l'oignon, le céleri, le piment et
l'ail, et faire frire jusqu'à ce qu'ils soient
tendres. Ajouter les tomates et la purée
de tomates, 4 c. à table / 60 ml d'eau, la
marjolaine et la moitié du basilic.
Amener à ébullition et laisser mijoter
pendant 10 minutes.
  Mettre les spaghetti au blé entier dans
une grande casserole d'eau bouillante
légèrement salée. Cuire pendant 12 minutes ou jusqu'à ce qu'ils soient tendres.
Si des spaghetti aux épinards sont utilisés, les plonger dans l'eau 2 minutes
après les spaghetti au blé entier.
  Égoutter les pâtes et les répartir dans
4 assiettes individuelles chaudes. Ajouter
les olives et le reste du basilic et arroser
les pâtes de sauce.
  Saupoudrer de fromage et de pignons,
garnir de bouquets de basilic et servir.

▲◄ Spaghetti à la sauce aux tomates
fraîches et au basilic

76

LES PLATS DE RÉSISTANCE

Nos plats de résistance devraient plaire aussi bien aux person-nes habituées à consommer de la viande tous les jours qu'aux gourmets végétariens. Grâce à des combinaisons cosmopolites de légumes, de fromages, d'herbes et d'épices, les plats proposés se caractériseront par des saveurs aussi riches et des textures aussi variées que n'importe quel plat à base de viande, de volaille ou de poisson.

Tarte aux légumes et aux pommes de terre

Soufflé à la chicorée

INGRÉDIENTS *4-6 portions*
3 pommes de chicorée
sel
jus de 1 citron
3 c. à table / 40 g de beurre
3/8 tasse / 40 g de farine
1 1/4 tasse / 300 ml de lait
1/2 tasse / 50 g de fromage râpé
4 œufs séparés
1 c. à table / 15 ml de croûtons
   bruns

MÉTHODE

Chauffer le four à 440 °F / 200 °C. Couper la chicorée et la faire cuire dans l'eau salée avec un peu de jus de citron, pour l'empêcher de se décolorer.

Quand la chicorée est tendre, égoutter, laisser refroidir, puis exprimer l'eau entre les feuilles en les pressant avec les doigts. Hacher la chicorée très finement.

Entre-temps, faire fondre le beurre dans une poêle à fond épais. Ajouter la farine en remuant. Retirer du feu et ajouter le lait en remuant. Replacer sur le feu et remuer jusqu'à ce que la sauce ait épaissi. Ajouter le fromage et cuire encore une minute. Laisser refroidir.

Quand la sauce a refroidi, incorporer la chicorée, puis les jaunes d'œufs.

Battre les blancs d'œufs jusqu'à la formation de pics mous et incorporer au mélange à la chicorée. Verser dans un moule à soufflé et couvrir le dessus de croûtons.

Faire cuire au four pendant 20-25 minutes, jusqu'à ce que le soufflé soit pris, qu'il ait bien levé et que le dessus soit doré. Servir avec une salade dont la saveur est très relevée, comme du cresson garni de petits morceaux d'orange.

Tartelette savoureuse à la citrouille

INGRÉDIENTS *4-6 portions*
1 recette de pâte à tarte au blé
 entier (page 158)
450 g de chair de citrouille
4 œufs
2/3 tasse / 150 ml de crème à
 fouetter
2/3 tasse / 150 ml de lait
2 grosses tomates pelées et hachées
1 c. à table / 15 ml de feuilles de
 basilic frais
poivre noir fraîchement moulu

MÉTHODE
 Faire la pâte selon les instructions don-
nées à la page 158. La rouler et en foncer
un moule à quiche de 22 cm préalablement graissé.
 Préchauffer le four à 375 °F / 190 °C.
 Enlever la pelure et les graines de la
citrouille et la couper en lamelles.
Entasser les morceaux de citrouille dans
une casserole avec très peu d'eau, couvrir
et cuire à feu doux. Vérifier occasionnellement que la citrouille ne sèche pas.
Après environ 20 minutes la citrouille
devrait être prête à réduire en
purée.

 Battre les œufs avec la crème et le lait.
Ajouter, en remuant, la citrouille, les
tomates et le basilic, et verser dans la
croûte. Cuire pendant 45 minutes,
jusqu'à ce que le mélange à la citrouille
soit pris et qu'il soit doré.

Soufflé aux épinards et au fromage

INGRÉDIENTS *4 portions*
2 tasses / 450 g d'épinards, lavés et
 triés
4 c. à table / 50 g de beurre ou de
 margarine
1/2 tasse / 50 g de farine
2 tasses / 450 ml de lait
6 œufs
1 1/3 tasse / 225 g de fromage
 cottage
muscade râpée
sel et poivre noir fraîchement moulu
parmesan râpé (facultatif)

MÉTHODE
 Cuire les épinards dans un peu d'eau.
Égoutter soigneusement (la façon la plus

efficace de le faire consiste à les placer
entre deux assiettes).
 Pendant que les épinards cuisent, faire
fondre le beurre, retirer du feu et ajouter
la farine en remuant. Ajouter lentement
le lait et remettre la casserole sur le feu.
Remuer pour faire épaissir la sauce.
Retirer la casserole du feu.
 Séparer les œufs et ajouter les jaunes,
un à la fois, en remuant bien après chacun. Ajouter les épinards cuits et égouttés, le fromage cottage, la muscade, le sel
et le poivre au goût. Bien mélanger.
 Battre les blancs jusqu'à ce qu'ils soient
très fermes. En prendre une cuillerée et
l'incorporer délicatement au mélange
aux épinards pour le rendre plus léger,
puis incorporer le reste en remuant
doucement. Verser le mélange à soufflé
dans un moule graissé mesurant environ
21 x 9 cm. Cuire à 375 °F / 190 °C pendant 30 minutes. Vérifier si le soufflé est
prêt à l'aide d'un couteau propre. Si le
mélange est encore baveux, remettre le
plat au four pendant 5 minutes environ.
Vous pouvez, si vous le désirez,
saupoudrer un peu de parmesan 10 minutes avant la fin de la cuisson.

◀▲ Soufflé à la chicorée
▶ Tartelette savoureuse à la citrouille

Quiche aux flageolets et au Derby à la sauge

INGRÉDIENTS *4-6 portions*
175 g de pâte brisée (suffisamment pour une croûte simple)
4 grosses tomates
100 g de fromage Derby à la sauge
3 œufs
2/3 tasse / 150 ml de lait
sel et poivre noir fraîchement moulu
1 tasse / 175 g de flageolets, préalablement trempés et cuits

MÉTHODE

Chauffer le four à 400 °F / 200 °C. Verser de l'eau bouillante sur les tomates. Après une minute, les peaux vont com-mencer à fendre. Rafraîchir les tomates à l'eau froide, les peler et les couper en tranches épaisses.

Foncer un moule à quiche de 22 cm avec la pâte et émietter le fromage sur celle-ci. Couvrir le fromage de tomates.

Casser les œufs dans un bol et battre légèrement avec le lait et les assaison-nements. Verser le mélange aux œufs dans la croûte à tarte et presser délicate-ment les tomates vers le fond à l'aide d'une fourchette.

Faire cuire au centre du four pendant 15-20 minutes, jusqu'à ce que le mélange soit pris et doré.

Tarte à l'oignon

INGRÉDIENTS *4-6 portions*
175 g de pâte (suffisamment pour une croûte simple) (voir page 158)
1 c. à table / 15 g de beurre
1 c. à table / 15 ml d'huile
2 1/2 tasses / 550 g d'oignons fine-ment hachés
2 œufs plus un jaune
2 tasses / 450 ml de crème de table
1-2 cuillerées à table combles / 15-30 ml de cheddar râpé
1-2 cuillerées à table combles / 15-30 ml de persil haché
sel et poivre noir fraîchement moulu
1 pincée de poivre de Cayenne

MÉTHODE

Chauffer le four à 375 °F / 190 °C et foncer un moule à quiche de 22 cm avec la pâte.

Faire chauffer le beurre et l'huile d'olive dans une casserole. Ajouter les oignons. Couvrir, baisser le feu et faire suer pendant environ 5 minutes, en remuant à l'occasion, jusqu'à ce que les oignons soient tendres et transparents.

Battre ensemble les œufs, la crème et le fromage. Ajouter les oignons et le persil. Assaisonner de sel, de poivre et de poivre de Cayenne au goût, verser le mélange dans la croûte à tarte et faire cuire au centre du four pendant 30-40 minutes, jusqu'à ce que le mélange soit pris et doré.

VARIANTE

Pour faire une tartelette à l'oignon et au fromage bleu, combiner 1-2 c. à table de fromage bleu émietté avec la crème, puis battre avec les œufs. Omettre le cheddar, le persil et le poivre de Cayenne.

◄◄ Quiche aux flageolets et au Derby à la sauge
◄ Tarte à l'oignon

Quiche aux poireaux

INGRÉDIENTS *4-6 portions*
assiette à tarte de 20 cm tapissée
  de pâte brisée
beurre
3 tasses / 450 g de poireaux
  épluchés et hachés
1 gros oignon haché
1 1/3 tasse / 225 g de fromage
  cottage
3 œufs
sel et poivre noir fraîchement moulu
1 pincée de piment de la Jamaïque
  moulu

MÉTHODE
Faire cuire la pâte brisée pendant 10
minutes à 350 °F / 180 °C.

Faire chauffer le beurre et y laisser
attendrir les poireaux et l'oignon pendant 5 minutes. Mélanger le fromage
cottage avec le reste des ingrédients.

Couvrir le fond du moule contenant la
pâte brisée avec les poireaux et les
oignons cuits. Verser dessus le mélange
au fromage cottage. Cuire à 350 °F /
180 °C pendant 35 minutes. Servir
chaud ou à la température de la pièce.

Tartelettes aux pois verts avec œufs pochés

INGRÉDIENTS *pour 8 tartelettes*
250 g de pâte brisée (suffisamment
  pour une croûte simple)
900 g de pois cassés séchés, préalablement trempés et cuits
4 c. à table / 50 g de beurre
sel et poivre noir fraîchement moulu
8 œufs

SAUCE TOMATE
1-2 c. à table / 15-30 ml d'huile
  d'olive
1 oignon haché
2 gousses d'ail hachées
1 3/4 tasse / 425 g de tomates en
  conserve
1 c. à table / 15 ml de purée de
  tomates
2 c. à thé / 10 ml d'origan séché
sel et poivre noir fraîchement moulu

MÉTHODE
Préchauffer le four à 400 °F / 200 °C.
Rouler la pâte et foncer huit moules à
tartelettes à cannelures graissés. Piquer la
pâte avec une fourchette et la faire cuire
pendant 20 minutes, jusqu'à ce qu'elle
soit dorée. Retirer les croûtes du four et
baisser le feu à 350 °F / 180 °C.

Entre-temps, préparer la sauce tomate.
Faire chauffer l'huile dans une casserole
et ajouter l'oignon et l'ail. Cuire jusqu'à
ce qu'ils soient tendres. Ajouter les
tomates, la purée de tomate, l'origan et
les assaisonnements. Faire mijoter pendant 5 minutes, puis réduire en purée
dans un mélangeur et garder chaud.

Faire cuire les pois jusqu'à ce qu'ils
soient très mous, puis les égoutter et les
réduire en purée dans un mélangeur.
Faire chauffer le beurre dans une casserole et y verser la purée de pois. Bien
assaisonner de sel et de poivre. Répartir
la purée de pois entre les croûtes.

Faire pocher les œufs jusqu'à ce qu'ils
soient à peine figés. Les disposer délicatement sur les croûtes des tartelettes,
et remettre celles-ci au four pendant 2-3
minutes. Ne pas laisser durcir les œufs.
Servir chaque tartelette avec une bonne
cuillerée de sauce tomate.

◀ Tartelettes aux pois verts avec œufs pochés
▶ Roulade aux épinards

Pain de noix

INGRÉDIENTS *4 portions*
1 tasse / 175 g de noix mélangées
   hachées
1 petite aubergine
huile d'olive
1 gros oignon finement haché
2 gousses d'ail hachées
3/4 tasse / 175 g de riz brun cuit
3/4 tasse / 200 g de tomates en
   conserve, égouttées et écrasées
sel et poivre noir fraîchement moulu
2 œufs battus

MÉTHODE

Préchauffer le four à 375 °F / 190 °C.
Mettre les noix sur une plaque à pâtisserie et les faire rôtir dans la partie supérieure du four pendant 10 minutes.

Trancher l'aubergine, la saupoudrer de sel et la laisser reposer pendant 20 minutes. Rincer le sel, éponger et couper en dés.

Faire chauffer l'huile dans une casserole. Ajouter l'oignon et l'ail, et les faire frire jusqu'à ce qu'ils soient translucides. Ajouter l'aubergine et cuire, en remuant de temps à autre, pendant 10 minutes environ. Ajouter de l'huile si nécessaire.

Verser le mélange à l'aubergine dans un grand bol et incorporer les noix, le riz brun et les tomates. Bien mélanger et assaisonner au goût. Incorporer les œufs battus.

Verser dans un petit moule à pain graissé et lisser le dessus. Faire cuire au centre du four pendant 35 minutes, jusqu'à ce que le mélange soit ferme. Démouler et couper en tranches pour servir.

Roulade aux épinards

INGRÉDIENTS *6-8 portions*
3 tasses / 700 g d'épinards lavés
1 c. à table / 15 g de beurre
4 œufs séparés
muscade râpé
sel et poivre noir fraîchement moulu
3/4 tasse / 100 g de fromage blanc
2/3 tasse / 150 ml de crème sure
4 ciboules (échalotes) finement
   hachées

MÉTHODE

Cuire les épinards avec un peu d'eau. Égoutter (les placer entre deux assiettes est la façon la plus efficace de le faire); quand tout le liquide a été retiré, hacher les épinards finement ou les mettre dans un mélangeur juste assez pour les hacher.

Ajouter le beurre, les jaunes d'œuf, la muscade râpée, et le sel et le poivre au goût. Bien mélanger le tout.

Battre les blancs d'œuf jusqu'à ce qu'ils soient fermes. Incorporer une cuillerée de blancs battus dans le mélange aux épinards afin de l'alléger, puis incorporer le reste des blancs. Mélanger soigneusement.

Étendre le mélange sur une plaque à roulés de 38 x 25 cm préalablement tapissée de papier absorbant ou de papier d'aluminium. Faire cuire au four à 400 °F / 200 °C pendant 10 minutes seulement.

Pendant que les épinards cuisent, mélanger le fromage blanc avec la crème sure et les ciboules. Assaisonner au goût. Étendre un linge propre sur une planche et quand le mélange aux épinards est prêt, le renverser sur le linge. Enlever délicatement le papier. Étendre le mélange au fromage et à la crème sure sur la base d'épinards, en faisant attention de ne pas briser la surface. À l'aide du linge, rouler les épinards, et placer la roulade sur une assiette de service. Servir immédiatement.

NOTE
Bien que ce plat soit habituellement servi chaud, il est aussi délicieux froid.

Pain de noix aux champignons et au brocoli

INGRÉDIENTS *6 portions*

3/4 tasse / 50 g de champignons
  tranchés
2 c. à table / 25 g de margarine
  polyinsaturée
2 branches de céleri hachées
1 gousse d'ail broyée
1 oignon râpé
1 c. à table / 15 ml de farine de blé
  entier
1 1/2 tasse / 400 g de tomates
  hachées
2 tasses / 100 g de croûtons de blé
  entier
1 tasse / 100 g de noix hachées
1 œuf
1 c. à thé / 5 ml de basilic frais
  haché
1 c. à thé / 5 ml d'origan frais
  haché
1 c. à table / 15 ml de persil haché
sel et poivre noir fraîchement moulu
100 g de tiges de brocoli cuites

SAUCE

1 tasse / 50 g de champignons
  hachés
3 c. à table / 20 g de farine de blé
  entier
1/2 tasse / 120 ml de bouillon de
  légumes
1/2 tasse / 120 ml de lait écrémé
feuilles de céleri

MÉTHODE

Faire sauter les champignons tranchés dans une poêle à frire avec 1 c. à table / 15 g de margarine. Égoutter et disposer sur une ligne au centre d'un moule à pain de 1,1 l légèrement graissé.

Faire sauter le céleri, l'ail et l'oignon, jusqu'à ce qu'ils soient tendres. Ajouter la farine et les tomates; remuer jusqu'à épaississement. Ajouter les croûtons, les noix, l'œuf, les herbes et les assaisonnements. Placer la moitié du mélange dans le moule. Ajouter les tiges de brocoli et couvrir du reste du mélange.

Couvrir d'un papier d'aluminium, placer dans une rôtissoire remplie d'eau bouillante et cuire à 350 °F / 180 °C pendant 1 1/4-1 1/2 heure.

Faire fondre le reste de la margarine, ajouter les champignons hachés et cuire pendant 2-3 minutes. Ajouter la farine et cuire encore 1 minute.

Ajouter le bouillon, le lait et les assaisonnements, et remuer jusqu'à ébullition.

Démouler le pain et garnir de feuilles de céleri. Servir la sauce séparément.

Petits pâtés aux légumes d'été

INGRÉDIENTS *4 portions*

1 recette de pâte à tarte au blé
  entier (page 158)
1 œuf battu pour glacer

GARNITURE

1 tasse / 100 g de pommes de terre
  coupées en dés
4 carottes miniatures tranchées
1/4 tasse / 50 g de pois
2 courgettes miniatures tranchées
2 branches de céleri tranchées
1/2 poivron coupé en dés

SAUCE AU FROMAGE

2 c. à table / 25 g de beurre
2 c. à table / 25 g de farine blanche
  non traitée
1 1/4 tasse / 300 ml de lait
1/2 tasse / 50 g de cheddar râpé
sel et poivre noir fraîchement moulu

MÉTHODE

Préparer la pâte à tarte. Préchauffer le four à 350 °F / 180°C.

Faire bouillir les pommes de terre et les carottes dans l'eau salée jusqu'à ce qu'elles soient tendres. Dans une autre casserole, faire bouillir les autres légumes pendant environ 2 minutes. Égoutter.

Pour faire la sauce au fromage, faire fondre le beurre dans une casserole à fond épais, incorporer la farine et la moitié du lait graduellement, en remuant. Ajouter le fromage. Remuer jusqu'à ce que le fromage soit fondu. Ajouter encore un peu de lait et assaisonner au goût. Ne pas faire une sauce trop épaisse, car elle déborderait des coquilles de pâte. Mélanger la sauce avec les légumes de manière à les enrober généreusement.

Diviser la pâte en quatre boules et rouler. Répartir le mélange entre les cercles de pâte. Plier et pincer les pâtes de manière à former de petits pâtés et badigeonner avec l'œuf battu. Mettre les petits pâtés sur une plaque allant au four et cuire pendant 30 minutes ou jusqu'à ce que la pâte soit cuite.

Boulettes de lentilles et de légumes

INGRÉDIENTS *4 portions*
1 tasse / 225 g de lentilles
2 1/2-4 tasses / 600-900 ml de
   bouillon
1-1 1/2 c. à table / 15-25 ml d'huile
1 petit oignon haché
1 gousse d'ail hachée
1/2 tasse / 50 g de pommes de terre
1 1/4 tasse / 50 g de pois
1/2 c. à table / 7,5 ml de feuilles de
   thym frais
sel et poivre noir fraîchement moulu
1 œuf battu pour lier
farine de blé entier pour enrober
persil pour garnir

MÉTHODE

Laisser tremper les lentilles pendant 4 heures. Puis, faire mijoter dans du bouillon de légumes ou de viande au choix, jusqu'à ce qu'elles puissent être écrasées à la fourchette. Si vous utilisez un bouillon léger, ajouter un peu d'extrait de levure pour donner un goût plus relevé. Égoutter les lentilles.

Chauffer l'huile et faire frire l'oignon et l'ail jusqu'à ce qu'ils deviennent transparents. Faire bouillir les pommes de terre dans l'eau salée jusqu'à ce qu'elles soient cuites; ajouter les pois un peu avant la fin de la cuisson. Égoutter.

Passer tous les légumes dans un moulin ou un hachoir. Ajouter le thym et assaisonner au goût. Incorporer suffisamment d'œuf pour obtenir une pâte collante. Façonner la pâte en boulettes de 3 cm de diamètre.

Rouler les boulettes dans la farine de blé entier et les faire frire dans une mince couche d'huile très chaude jusqu'à ce qu'elles soient croustillantes de tous les côtés. Garnir de persil et servir avec la Sauce tomate piquante (voir page 127) et des épinards ou des courges en purée dans une sauce au fromage.

◄▲ Pain de noix aux champignons et au brocoli
◄ Petits pâtés aux légumes d'été
► Boulettes de lentilles et de légumes

85

Croquettes de légumes Sabzi

INGRÉDIENTS *4-6 portions*
1 tasse / 100 g de betteraves coupées en dés
1 tasse / 100 g de carotte, en dés
2 tasses / 225 g de pommes de terre coupées en dés
1 1/2 tasse / 100 g de chou coupé en lamelles
1/2 c. à thé / 2,5 ml de poudre de chili
1/2 c. à thé / 2,5 ml de cumin moulu
sel et poivre noir fraîchement moulu
1 grosse pincée de sucre
1 c. à table / 15 ml de raisins (facultatif)
1/2 tasse / 50 g de farine
1/2 tasse / 120 ml de lait
chapelure
huile à grande friture

MÉTHODE
Faire bouillir les betteraves, les carottes, les pommes de terre et le chou, jusqu'à ce qu'ils soient tendres. Égoutter, réduire en purée et mélanger avec le chili, le cumin, le poivre, le sel, le sucre et les raisins. Diviser en 12 boules et aplatir. Réfrigérer 1 heure.

Faire une pâte avec la farine et le lait; y plonger les croquettes, une à la fois, puis les rouler dans la chapelure de manière à bien les enrober.

Chauffer l'huile dans une grande poêle et faire frire les croquettes pendant 2-3 minutes jusqu'à ce qu'elles soient croquantes et dorées; les tourner une fois. Servir avec un Chutney à la coriandre (voir page 134).

Galettes aux haricots adzuki

INGRÉDIENTS *4 portions*
1 tasse / 450 g de haricots adzuki
feuille de laurier
2 oignons hachés
3 gousses d'ail hachées
1-2 c. à table / 15-30 ml d'huile
4 carottes pelées et râpées
jus de 1 citron
4 c. à table / 60 ml de persil haché
sel et poivre noir fraîchement moulu
sauce de soja au goût
œuf battu pour lier
farine de blé entier pour enrober

MÉTHODE
Faire tremper les haricots pendant toute une nuit. Les égoutter, puis les faire cuire dans de l'eau fraîche, avec une feuille de laurier, jusqu'à ce qu'ils soient tendres. Égoutter et réserver le liquide.

Faire frire les oignons et l'ail dans l'huile jusqu'à ce qu'ils deviennent transparents. Ajouter les carottes et le jus de citron, faire suer, à couvert, jusqu'à ce que les carottes soient tendres.

Ajouter les haricots, bien mélanger, et réduire en purée dans un mélangeur; si nécessaire, ajouter un peu de liquide de cuisson des haricots pour obtenir une consistance malléable. Incorporer le persil, assaisonner et ajouter la sauce de soja. Verser assez de l'œuf battu pour lier la préparation.

Façonner ou des galettes, les enrober de farine et les faire frire, jusqu'à ce que l'extérieur soit brun et croquant. Servir avec de la Sauce Marinara (page 127).

▶ Galettes aux haricots adzuki
▼ Croquettes de légumes Sabzi

Couronne d'épinards

INGRÉDIENTS *4 portions*
900 g d'épinards
6 c. à table / 45 g de beurre
1/2 tasse / 50 g de farine sans
   levure non traitée
1 1/4 tasse / 300 ml de lait
1/3 tasse / 50 g de parmesan
sel et poivre noir fraîchement moulu
3 œufs

SAUCE TOMATE
1-2 c. à table / 15-30 ml d'huile
1 oignon finement haché
2 gousses d'ail broyées
1 3/4 tasse / 425 g de tomates en
   conserve écrasées
1 c. à table / 15 ml de purée de
   tomates
sel et poivre noir fraîchement moulu

MÉTHODE
Préchauffer le four à 375 °F / 190 °C.
Graisser un moule en couronne de 7 1/2
tasses / 1,7 l.

Laver les épinards et jeter les tiges
dures. Entasser les épinards dans une
grande casserole avec 2 c. à table / 15 ml
de beurre, assaisonner, et couvrir hermétiquement. Cuire à feu doux pendant
environ 5 minutes, en remuant occasionnellement, jusqu'à ce que les épinards
soient tendres. Égoutter et réduire en
purée dans un mélangeur.

Préparer ensuite la sauce au fromage.
Faire fondre le reste du beurre dans une
casserole à fond épais et ajouter la farine
en remuant. Ajouter graduellement le
lait, en remuant sans arrêt. Incorporer le
fromage et assaisonner. Remuer jusqu'à
ce que la sauce forme des bulles et épaississe, puis baisser le feu et cuire encore
une minute. Mélanger avec les épinards.

Séparer les œufs. Battre les jaunes dans
le mélange aux épinards. Fouetter les
blancs jusqu'à la formation de pics mous,
et incorporer dans le mélange. Verser
dans le moule en couronne. Cuire pendant 30-40 minutes, jusqu'à ce qu'il ait
monté et qu'il soit légèrement pris.

Entre-temps, préparer la sauce tomate.
Faire chauffer l'huile dans une poêle à
frire, ajouter l'oignon et l'ail, et les faire
frire, en remuant, jusqu'à ce qu'ils soient
transparents. Ajouter les tomates en
réservant le jus. Ajouter la purée de
tomate et assaisonner. Laisser mijoter
pendant 5 minutes, ajouter un peu de jus
et rectifier l'assaisonnement si nécessaire.

Pour démouler la couronne, tremper le
moule dans de l'eau glacée pendant
quelques secondes. Passer la lame d'un
couteau le long des bords, puis renverser
le moule sur une assiette chaude. Verser
de la sauce tomate sur la couronne et
servir avec du pain de blé entier.

Huit trésors chinois

INGRÉDIENTS *4 portions*
15 g de fromage de soja séché en
   bâtonnets
1/3 tasse / 15 g de boutons de lys
   tigré séchés
3-4 c. à table / 15 g d'agarics séchés
10 g de barbe de vieillard séchée
50 g de pousse de bambou
50 g de racine de lotus
50 g de volvaire comestible
50 g de noix de cajou ou d'amandes
4 c. à table / 60 ml d'huile
1 1/2 c. à thé / 7,5 ml de sel
1 c. à thé / 5 ml de sucre
1 c. à table / 15 ml de sauce de soja
1 c. à thé / 5 ml de fécule de maïs
   avec 1 c. à table / 15 ml d'eau
2 c. à thé / 10 ml d'huile de sésame

MÉTHODE
Faire tremper les légumes séchés
séparément dans l'eau froide toute la
nuit ou dans l'eau chaude pendant au
moins 1 heure. Couper les bâtonnets de
tofu en petites longueurs.

Couper les pousses de bambou et la
racine de lotus en petites tranches. Les
volvaires comestibles et les noix blanches
peuvent rester entières.

Chauffer un wok ou une grande poêle
à frire. Y mettre environ la moitié de
l'huile et attendre qu'elle fume. Faire
sauter ensemble tous les légumes séchés
avec un peu de sel pendant environ
1 minute. Retirer et réserver.

Ajouter et chauffer le reste de l'huile et
faire sauter les autres légumes avec le
reste du sel pendant environ 1 minute.
Ajouter les légumes séchés partiellement
cuits, le sucre et la sauce de soja en
remuant. Si le contenu commence à
sécher, verser un peu d'eau. Quand les
légumes sont cuits, ajouter la fécule de
maïs et l'eau pour épaissir la sauce.
Garnir d'huile de sésame juste avant de
servir. Ce plat peut être servi chaud ou
froid.

▶ Huit trésors chinois

▼ Couronne d'épinards

Légumes mélangés sautés

INGRÉDIENTS *4 portions*
100 g de chou chinois
100 g de carottes
100 g de pois mange-tout
5-6 champignons chinois séchés
3 c. à table / 45 ml d'huile
1 c. à thé / 5 ml de sel
1 c. à thé / 5 ml de sucre
1 c. à thé / 5 ml d'eau

MÉTHODE

Faire tremper les champignons séchés dans l'eau chaude pendant 25-30 minutes. Exprimer l'eau, jeter les tiges dures et trancher mince. Enlever les extrémités des pois mange-tout et couper le chou chinois et les carottes en tranches.

Chauffer l'huile dans un wok préchauffé. Ajouter le chou chinois, les carottes, les pois mange-tout et les champignons séchés et faire sauter pendant environ 1 minute. Ajouter le sel et le sucre et remuer pendant encore une minute environ; ajouter un peu d'eau si nécessaire. Ne pas faire cuire trop longtemps : les légumes doivent rester croquants. Servir très chaud.

Casserole de légumes chinois

INGRÉDIENTS *4-6 portions*
2 c. à table / 10 g d'agarics séchés
1 bloc de tofu
100 g de haricots à filet ou de pois mange-tout
100 g de chou ou de brocoli
100 g de maïs miniature ou de pousses de bambou
100 g de carottes
3-4 c. à table / 45-60 ml d'huile
1 c. à thé / 5 ml de sel
1 c. à thé / 5 ml de sucre
1 c. à table / 15 ml de sauce de soja légère
1 c. à thé / 5 ml de fécule de maïs délayée dans 1 c. à table / 15 ml d'eau froide

MÉTHODE

Faire tremper les agarics dans l'eau pendant 20-25 minutes, rincer et jeter les racines coriaces.

Couper le tofu en 12 petits morceaux environ et faire durcir ceux-ci dans un plat d'eau bouillante légèrement salée pendant 2-3 minutes. Égoutter.

Enlever les extrémités des haricots ou des pois. Couper les légumes en minces tranches ou en morceaux.

Chauffer environ la moitié de l'huile dans une casserole ou un poêlon à l'épreuve du feu. Quand l'huile est très chaude, faire brunir légèrement le tofu de chaque côté. Retirer et réserver.

Chauffer le reste de l'huile et faire sauter les légumes environ 1 1/2 minute. Ajouter les morceaux de tofu, le sel, le sucre et la sauce de soja et continuer de remuer. Couvrir, baisser le feu, et laisser mijoter 2-3 minutes.

Délayer la fécule de maïs dans l'eau de façon à obtenir une pâte légère, verser sur les légumes et remuer. Faire cuire à feu élevé juste assez longtemps pour que la sauce épaississe. Servir chaud.

Chop suey végétarien

INGRÉDIENTS *4-6 portions*
2 blocs de tofu
2 c. à table / 10 g d'agarics séchés
175 g de brocoli ou de pois mange-tout
175 g de pousses de bambou
100 g de champignons
4-5 c. à table / 60-75 ml d'huile
1 1/2 c. à thé / 7,5 ml de sel
1 c. à thé / 5 ml de sucre
1-2 ciboules (échalotes) finement hachées
1 c. à table / 15 ml de sauce de soja légère
2 c. à table / 30 ml de vin de riz ou de sherry sec
1 c. à thé / 5 ml de fécule de maïs délayée dans 1 c. à table / 15 ml d'eau froide

MÉTHODE

Couper le tofu en 24 petits morceaux environ. Faire tremper les agarics dans l'eau pendant 20-25 minutes, les rincer, et jeter les tiges coriaces s'il en est.

Couper le brocoli et les pousses de bambou en petits morceaux de même taille.

Chauffer un wok à feu élevé, ajouter environ la moitié de l'huile et attendre que celle-ci fume. Tourner le wok pour que toute la surface soit bien graissée. Ajouter les morceaux de tofu et les faire sauter des deux côtés jusqu'à ce qu'ils soient dorés, puis les retirer. Réserver.

Faire chauffer le reste de l'huile et ajouter le brocoli. Remuer pendant 30 secondes, et ajouter les agarics, les pousses de bambou et le tofu partiellement cuit. Remuer pendant 1 minute, puis saler, ajouter le sucre, les ciboules, la sauce de soja et le vin. Bien mélanger. Quand la sauce commence à bouillir, ajouter la fécule de maïs délayée dans l'eau. Servir très chaud.

◀▲ Légumes mélangés sautés
◀ Casserole de légumes chinois

▲ Chop suey végétarien

91

Trois précieux joyaux chinois

INGRÉDIENTS *4 portions*
2 blocs de tofu
225 g de brocoli ou de pois mange-tout
225 g de carottes
4 c. à table / 60 ml d'huile
1 c. à thé / 5 ml de sel
1 c. à thé / 5 ml de sucre
1 c. à table / 15 ml de sauce de soja légère
1 c. à table / 15 ml de vin de riz ou de sherry sec

MÉTHODE
Couper le tofu en petits morceaux et le brocoli en petits bouquets. Peler les carottes et les couper diagonalement en petits morceaux.

Chauffer environ la moitié de l'huile dans un wok très chaud ou une poêle à frire. Ajouter les morceaux de tofu et faire frire des deux côtés jusqu'à ce qu'ils soient dorés. Retirer et réserver.

Chauffer le reste de l'huile. Quand elle est très chaude, faire sauter le brocoli et les carottes pendant environ 1-1 1/2 minute. Ajouter le tofu, le sel, le sucre, le vin et la sauce de soja, en remuant cons-tamment. Ajouter un peu d'eau si néces-saire. Cuire 2-3 minutes si vous aimez les légumes croquants. Sinon, cuire encore une minute ou deux. Servir très chaud.

Tofu en casserole à la Sichuan

INGRÉDIENTS *4 portions*
2 c. à table / 10 g d'agarics ou de champignons chinois séchés
3 blocs de tofu
1-2 poireaux ou 2-3 ciboules (échalotes)
3 c. à table / 45 ml d'huile
1 c. à thé / 5 ml de haricots noirs salés
1 c. à table / 15 ml de pâte de hari-cots au chili
2 c. à table / 30 ml de vin de riz ou de sherry sec
1 c. à table / 15 ml de sauce de soja légère
1 c. à thé / 5 ml de fécule de maïs délayée dans 1 c. à table / 15 ml d'eau froide
poivre de Sichuan fraîchement moulu

MÉTHODE
Faire tremper les agarics dans l'eau pendant 20-25 minutes, les rincer, jeter les tiges dures, et égoutter. Si vous utilisez des champignons séchés, les faire tremper dans l'eau chaude pendant au moins 30-35 minutes. Presser les champignons pour en faire sortir l'eau et jeter les tiges dures. Couper les champignons en petits morceaux et réserver l'eau.

Couper le tofu en cubes d'environ 1 cm. Les blanchir dans une casserole d'eau bouillante pendant 2-3 minutes, les retirer et les égoutter. Couper les poireaux ou les ciboules en petites longueurs.

Dans un wok très chaud, chauffer l'huile jusqu'à ce qu'elle fume. Faire sauter les poireaux ou les ciboules, ainsi que les agarics ou les champignons pen-dant 1 minute. Ajouter les haricots noirs, les broyer et bien mélanger.

Ajouter ensuite le tofu, la pâte de hari-cots au chili, le vin de riz ou le sherry et la sauce de soja; remuer constamment pour bien mélanger. Ajouter un peu d'eau, et cuire pendant 3-4 minutes de plus. Finalement, ajouter le mélange de fécule de maïs et d'eau pour faire épaissir la sauce. Servir très chaud avec du poivre de Sichuan.

▲ Tofu en casserole à la Sichuan
▶ Trois précieux joyaux chinois

93

Haricots, artichauts et champignons en cocotte

INGRÉDIENTS *4 portions*

1 tasse / 225 g de haricots
1-2 c. à table / 15-30 ml d'huile
1 gros oignon haché
1-2 gousses d'ail hachées
3 tasses / 175 g de champignons tranchés
1 tasse / 100 g de haricots à filet, parés, coupés en trois et précuits
1 3/4 tasse / 425 g de cœurs d'artichaut en conserve, égouttés
1 3/4 tasse / 425 g de tomates en conserve, écrasées
sel et poivre noir fraîchement moulu
persil

MÉTHODE

Faire tremper les haricots toute la nuit, puis les faire cuire jusqu'à ce qu'ils deviennent tendres.

Préchauffer le four à 350 °F / 180 °C. Chauffer l'huile et faire frire l'oignon et l'ail jusqu'à ce qu'ils soient translucides. Ajouter les champignons et remuer pendant 1-2 minutes, jusqu'à ce qu'ils soient tendres.

Transférer tous les ingrédients dans une cocotte. Assaisonner. Couvrir et cuire au four pendant 30-40 minutes. Saupoudrer de persil et servir.

Moussaka aux haricots

INGRÉDIENTS *4 portions*

1 tasse / 225 g de fèves de cacao roses
1 grosse aubergine tranchée mince
huile
1 gros oignon haché
2 gousses d'ail hachées
1 3/4 tasse / 425 g de tomates en conserve, écrasées
1 c. à table / 15 ml de purée de tomates
2 c. à thé / 10 ml de thym frais haché
sel et poivre noir fraîchement moulu

SAUCE AU FROMAGE

2 c. à table / 25 g de beurre
2 c. à table / 25 g de farine
1 1/4 tasse / 300 ml de lait
1/2 tasse / 50 g de cheddar râpé
muscade râpée au goût
sel et poivre noir fraîchement moulu

MÉTHODE

Faire tremper les haricots toute la nuit et les faire cuire jusqu'à ce qu'il soit possible de les écraser à la fourchette. Égoutter.

Chauffer le four à 350 °F / 180 °C. Saupoudrer de sel les tranches d'aubergines et les laisser reposer dans une passoire pendant 30 minutes. Les rincer et les éponger avec des essuie-tout. Faire chauffer un peu d'huile dans une poêle et faire sauter les aubergines doucement jusqu'à ce qu'elles soient cuites. Réserver.

Ajouter encore un peu d'huile dans la poêle, et faire frire l'oignon et l'ail jusqu'à ce qu'ils soient translucides. Ajouter les tomates, la purée de tomates, le thym et les assaisonnements, et faire chauffer en remuant. Réserver.

Pour faire la sauce au fromage, faire fondre le beurre dans un poêlon à fond épais. Ajouter la farine en remuant, puis ajouter graduellement le lait, en remuant constamment, jusqu'à ce que des bulles se forment et que la sauce épaississe. Baisser le feu, ajouter le fromage, et remuer jusqu'à ce qu'il soit fondu. Assaisonner de muscade et ajouter du sel et du poivre au goût.

Pour préparer le plat, étendre une couche du mélange aux haricots dans le fond d'une cocotte et couvrir de tranches d'aubergines. Recouvrir d'une mince couche de sauce au fromage. Continuer d'étendre les ingrédients par couche en finissant par une épaisse couche de sauce au fromage. Cuire au four pendant 30-40 minutes et servir avec une salade verte croquante.

▶ Couscous aux légumes
▼ Haricots, artichauts et champignons en cocotte

Couscous aux légumes

INGRÉDIENTS *4-6 portions*
3/4-1 tasse / 100-175 g de couscous
1 c. à thé de sel
1 1/4 tasse / 300 ml d'eau bouillante
3 c. à table / 40 g de beurre

GARNITURE AUX LÉGUMES
1 c. à table / 15 ml d'huile
2 gros oignons hachés
2 poireaux tranchés
4 carottes tranchées
5 tasses / 1 l de bouillon
sel et poivre noir fraîchement moulu
4 courgettes tranchées
6 tomates tranchées
1/2 tasse / 100 g de pois
3/4 tasse / 100 g de haricots, préalablement trempés et cuits
3/4 tasse / 100 g de pois chiches,
   préalablement trempés et cuits
quelques filaments de safran

SAUCE TOMATE PIQUANTE
   Préparer la sauce à l'avance (voir page
127).

MÉTHODE
   Mettre le couscous dans un bol,
ajouter le sel et verser l'eau bouillante.
Laisser tremper pendant 20 minutes,
jusqu'à ce que l'eau ait été absorbée.
Séparer les grains qui collent ensemble.
   Entre-temps, préparer la garniture aux
légumes. Chauffer l'huile dans une
grande casserole et faire sauter les
oignons et les poireaux. Ajouter les
carottes et le bouillon, et bien assaisonner. Amener à ébullition.
   Mettre le couscous dans une étuveuse à
légumes (ou une passoire) tapissée de
mousseline, et placer celle-ci dans la
casserole. Couvrir et laisser mijoter pendant 30 minutes.
   Enlever l'étuveuse et ajouter les autres
légumes et le safran au bouillon. Remuer
le couscous à l'aide d'une fourchette
pour séparer les grains. Replacer l'étuveuse, couvrir et continuer la cuisson
pendant 10 minutes.
   Verser le couscous dans un bol, ajouter
du beurre et remuer. Servir les légumes
séparément dans une soupière. Placer sur
la table des bols à soupe, des couteaux,
des fourchettes et des cuillères, et servir
avec de la Sauce tomate piquante et du
pain pita (voir page 151).

Cari de légumes

INGRÉDIENTS *4 portions*
225 g d'aubergines coupées en
   morceaux
2 c. à table / 30 ml d'huile
1/4 tasse / 50 g de noix de cajou
1 oignon moyen
1 gousse d'ail broyée
2 c. à thé / 10 ml de poudre de cari
1 grosse pomme de terre pelée et
   cuite à moitié
100 g de haricots verts écossés
2/3 tasse / 150 ml d'eau
100 g de tomates coupées en quatre
1 c. à table / 15 ml de garam
   masala
2/3 tasse / 150 ml de yogourt
2 c. à thé de fécule de maïs
1 c. à table d'eau
sel

MÉTHODE
   Saler l'aubergine et la laisser reposer
pendant 30 minutes. Rincer et éponger.

   Chauffer l'huile et y faire sauter les
noix de cajou jusqu'à ce qu'elles prennent une couleur brun doré. Retirer du
poêlon et réserver.
   Mettre les oignons et l'ail dans le
poêlon et les faire cuire jusqu'à ce qu'ils
commencent à ramollir. Ajouter la
poudre de cari et remuer. Ajouter
l'aubergine et cuire à feu doux pendant
environ 5 minutes, en remuant de temps
en temps. Ajouter un peu d'huile si
nécessaire.
   Ajouter la pomme de terre à moitié
cuite, coupée en gros morceaux, avec les
pois verts. Verser l'eau, couvrir et laisser
mijoter jusqu'à ce que les pommes de
terre soient prêtes. Ajouter les tomates et
le garam masala, remuer soigneusement
et continuer la cuisson pendant encore
quelques minutes.
   Délayer la fécule de maïs dans l'eau de
façon à obtenir une pâte légère, verser le
contenu dans le poêlon et réchauffer
pendant 3 minutes.
   Servir très chaud et garnir de noix de
cajou brunies.

Champignons au paprika

INGRÉDIENTS *4 portions*
beurre ou margarine
1 oignon moyen finement haché
1/2 poivron vert finement haché
1 c. à table / 15 ml de paprika
6 tasses / 350 g de champignons
   tranchés
2/3 tasse / 150 ml de crème sure
sel et poivre noir fraîchement moulu
persil haché

MÉTHODE
   Chauffer le beurre, ajouter l'oignon et cuire jusqu'à ce qu'il devienne tendre, mais avant qu'il brunisse.
   Ajouter le poivron vert et le paprika; cuire à feu doux pendant 3 minutes. Ajouter les champignons, remuer et cuire pendant 5 autres minutes, jusqu'à ce que les champignons soient tendres.
   Ajouter la crème sure en remuant, assaisonner et réchauffer doucement.
   Servir garni de persil en hors-d'œuvre sur une baguette ou comme garniture pour vols-au-vent. Peut également être servi sur du pain frit à la poêle ou avec une salade croquante.

▲▶ Feuilles de vigne farcies
▶ Poivrons farcis au bulgur
◀ Champignons au paprika

Poivrons farcis au bulgur

INGRÉDIENTS *4 portions*
150 g de bulgur
2 poivrons rouges, coupés en deux sur le sens de la longueur et épépinés
2 poivrons jaunes, coupés en deux sur le sens de la longueur et épépinés
1 c. à table / 15 ml d'huile de tournesol
1 oignon haché
1/2 tasse / 50 g de noisettes hachées
2/3 tasse / 75 g d'abricots séchés hachés
1/2 c. à thé / 2,5 ml de poudre de gingembre
1 c. à thé / 5 ml de graines de cardamome moulues

2 c. à table / 30 ml de feuilles de coriandre finement hachées
3 c. à table / 45 ml de yogourt nature
feuilles de coriandre fraîches

MÉTHODE
Mettre le bulgur dans un bol, y verser 1 1/4 tasse / 300 ml d'eau bouillante et laisser reposer pendant 15 minutes.

Placer les poivrons dans un plat allant au four, peu profond et légèrement huilé.

Verser le reste de l'huile dans un poêlon, ajouter l'oignon et faire frire doucement jusqu'à ce qu'il soit tendre.

Ajouter le bulgur, les noisettes, les abricots, le gingembre et la cardamome. Cuire 1 minute en remuant continuellement.

Ajouter la coriandre et le yogourt, bien mélanger et utiliser le mélange pour farcir les poivrons. Couvrir le plat hermé-

tiquement avec du papier d'aluminium, et cuire dans un four préchauffé à 375 °F / 190 °C pendant 30-35 minutes.

Garnir de feuilles de coriandre et servir immédiatement.

Feuilles de vigne farcies

INGRÉDIENTS *4 portions*
1 tasse / 225 g de riz brun
huile d'olive
1 petit oignon haché
2 gousses d'ail hachées
sel et poivre noir fraîchement moulu
225 g de châtaignes pelées en bouteille ou en conserve
1-2 c. à table / 15-30 ml de beurre
100 g de champignons
2 tomates pelées et hachées
1 c. à thé / 5 ml d'herbes mélangées séchées
20 feuilles de vigne

MÉTHODE
Laver le riz à l'eau froide en changeant l'eau à plusieurs reprises. Chauffer 1 c. à table / 15 ml d'huile dans une casserole à fond épais et faire frire l'oignon et l'ail jusqu'à ce qu'ils soient translucides. Ajouter le riz et cuire quelques minutes avant de le couvrir d'eau bouillante. (Utiliser environ 2/3 d'eau pour 1/3 de volume de riz.) Ramener à ébullition, puis couvrir la casserole et baisser le feu très bas. Le riz devrait être cuit en 40 minutes environ.

Entre-temps, égoutter les châtaignes et les hacher finement. Chauffer le beurre dans un poêlon et ajouter les champignons. Quand ceux-ci sont tendres, ajouter les tomates, les châtaignes et les herbes. Remuer une fois ou deux, et retirer du feu.

Quand le riz est cuit, le mélanger soigneusement avec la farce et rectifier l'assaisonnement. Farcir les feuilles de vigne de cuillerées du mélange. Placer les feuilles de vigne farcies dans un plat allant au four, les badigeonner d'huile d'olive et couvrir le plat de papier d'aluminium. Mettre au four et faire réchauffer. Les feuilles de vigne farcies sont meilleures très chaudes, mais elles sont également succulentes froides, s'il y a des restes.

Omelette soufflée à l'avocat

INGRÉDIENTS *2 portions*
1 poivron vert
3 c. à table / 40 g de beurre
1 avocat mûr
un peu de jus de citron
4 œufs séparés
sel et poivre noir fraîchement moulu

MÉTHODE

Épépiner et trancher le poivron vert. Chauffer un peu de beurre dans un poêlon et faire frire le poivron jusqu'à ce qu'il soit tendre. Réserver.

Couper l'avocat en deux. Enlever le noyau et séparer délicatement la chair de la pelure, d'un coup, à l'aide d'un couteau à palette. Trancher l'avocat et l'arroser de jus de citron.

Battre les jaunes d'œufs. Assaisonner de sel et de poivre. Battre les blancs au fouet et les incorporer aux jaunes.

Faire chauffer la moitié de ce qui reste de beurre dans un poêlon et verser la moitié du mélange à omelette. Disposer la moitié de l'avocat et du poivron vert sur un côté de l'omelette. Quand celle-ci est légèrement prise, plier l'omelette en deux, la glisser hors du poêlon et la garder très chaude jusqu'à ce que la deuxième omelette soit cuite de la même façon.

Tarte aux légumes et aux pommes de terre

INGRÉDIENTS *4-6 portions*
1/2 tasse / 75 g de lentilles vertes
1/4 tasse / 50 g d'orge mondé
1 oignon haché
1 3/4 tasse / 425 ml de tomates en conserve hachées
175 g de bouquets de chou-fleur
2 branches de céleri tranchées
1 poireau coupé en tranches épaisses
1 navet tranché
2 carottes en dés
2 c. à table / 30 ml d'herbes fraîches mélangées hachées
750 g de pommes de terre brossées
3 c. à table / 45 ml de lait partiellement écrémé
sel et poivre noir fraîchement moulu
2 c. à table / 25 g de fromage mi-ferme à faible teneur en gras, râpé

MÉTHODE

Placer les lentilles, l'orge, l'oignon, les tomates, le chou-fleur, le céleri, le poireau, le navet, les carottes et les herbes dans une grande casserole avec 1 1/4 tasse / 300 ml d'eau.

Amener à ébullition, couvrir et laisser mijoter pendant 40-45 minutes, jusqu'à ce que les légumes soient tendres.

Couvrir les pommes de terre d'eau bouillante et cuire pendant 15 minutes environ.

Les égoutter, les peler et les réduire en purée avec le lait. Assaisonner au goût.

Mettre le mélange aux lentilles dans une assiette à tarte, puis étendre les pommes de terre dessus à l'aide d'une douille ou d'une fourchette.

Saupoudrer de fromage, puis mettre dans un four préchauffé à 400 °F / 200 °C pendant 30-35 minutes.

"Crêpes" Wicklow

INGRÉDIENTS *4 portions*
2 oignons moyens tranchés
675 g de pommes de terre tranchées
6 c. à table / 90 ml d'huile d'olive
sel et poivre noir
6 œufs
persil

MÉTHODE

Blanchir les pommes de terre, puis les faire frire avec les oignons dans l'huile d'olive jusqu'à ce que tout soit très bien cuit — en essayant de ne faire brunir ni les oignons ni les pommes de terre. Enlever l'excès d'huile, assaisonner.

Battre les œufs dans un bol, puis ajouter le mélange de pommes de terre et d'oignons, avec un peu de persil haché. Mettre un peu d'huile dans un poêlon, et verser une partie du mélange, jusqu'à une épaisseur de 2,5 cm.

Cuire à feu modéré jusqu'à ce que le mélange soit raisonnablement ferme, puis retourner à l'aide d'une assiette à dîner. Cuire quelques minutes, puis retirer du poêlon.

Couper en portions et manger chaud ou froid.

◄▲ "Crêpes" Wicklow
▲ Omelette soufflée à l'avocat
► Omelette surprise aux champignons

Omelette surprise aux champignons

INGRÉDIENTS *2 portions*
2 tasses / 100 g de champignons
environ 2/3 tasse / 150 ml de lait
1 c. à table / 15 ml de beurre
1 c. à table / 15 ml de farine
1 c. à table / 15 ml de parmesan
  râpé
sel et poivre noir fraîchement moulu
4 œufs séparés

MÉTHODE

Peler ou essuyer les champignons et les trancher. Les mettre dans un petit poêlon à fond épais avec un peu de lait et les faire pocher doucement jusqu'à ce qu'ils soient noirs et juteux. Retirer les champignons avec une cuillère à rainures et les disposer au fond d'un plat peu profond allant au four, préalablement graissé, d'environ 18 cm de diamètre.

Préparer une sauce au fromage. Faire fondre le beurre dans une casserole, ajouter la farine. Bien incorporer et reti-

rer du feu. Ajouter le lait dans lequel les champignons ont cuit, et encore suffisamment de lait pour obtenir une sauce épaisse (vous aurez peut-être besoin d'un peu plus de 2/3 tasse / 150 ml). Incorporer le fromage et bien assaisonner.

Battre les jaunes d'œufs dans la sauce au fromage. Fouetter les blancs jusqu'à la formation de pics mous, puis les incorporer à la sauce.

Verser le mélange sur les champignons et cuire sous le gril préchauffé jusqu'à ce que l'omelette soit presque prise et qu'elle soit dorée sur le dessus.

Œufs frits en poche

INGRÉDIENTS *4 portions*
4 œufs
2-3 c. à table / 30-45 ml d'huile
1 c. à table / 15 ml de sauce de soja légère
1 ciboule (échalote) finement hachée

MÉTHODE

Faire chauffer l'huile dans un wok très chaud ou une poêle à frire, et faire frire les œufs des deux côtés. Ajouter la sauce de soja et un peu d'eau et faire braiser pendant 1-2 minutes. Garnir de ciboule et servir très chaud.

Mordre dans un œuf et découvrir le jaune à l'intérieur du blanc, c'est un peu comme trouver quelque chose au fond d'une poche, d'où le nom de ce plat!

Œufs brouillés chinois aux tomates

INGRÉDIENTS *4 portions*
250 g de tomates fermes
5 œufs
1 1/2 c. à thé / 7,5 ml de sel
2 ciboules (échalotes) finement hachées
1 c. à thé / 5 g de racine de gingembre finement hachée (facultatif)
4 c. à table / 60 ml d'huile

MÉTHODE

Plonger les tomates dans un bol d'eau bouillante, puis enlever les peaux. Couper chaque tomate en deux dans le sens de la longueur, puis couper chaque moitié en pointes.

Battre les œufs avec une pincée de sel et environ un tiers des ciboules finement hachées.

Chauffer environ la moitié de l'huile dans un wok très chaud ou une poêle à frire, et brouiller légèrement les œufs à feu modéré, jusqu'à ce qu'ils soient pris. Retirer les œufs du wok.

Chauffer de nouveau le wok à feu élevé et ajouter le reste de l'huile. Quand l'huile est très chaude, ajouter le reste des ciboules hachées, la racine de gingembre (le cas échéant) et les tomates. Remuer à quelques reprises, puis ajouter les œufs avec le reste du sel. Remuer pendant encore une minute, et servir très chaud.

NOTE

D'autres légumes peuvent remplacer les tomates, par exemple les concombres, les poivrons verts ou les pois verts.

Tofu Fu-Yung

INGRÉDIENTS *4 portions*
1 bloc de tofu
4 blancs d'œufs
1 cœur de laitue romaine
1/3 tasse / 50 g de pois verts
1 ciboule (échalote) finement hachée
1/2 c. à thé / 2,5 ml de racine de gingembre râpée
1 c. à thé / 5 ml de sel
1 c. à table / 15 g de fécule de maïs délayée dans 2 c. à table / 30 ml d'eau
1/3 tasse / 60 ml de lait
huile à grande friture
1 c. à thé / 5 ml d'huile de sésame

MÉTHODE

Couper le tofu en languettes et le blanchir dans une casserole d'eau bouillante salée pour qu'il durcisse. Retirer et égoutter.

Battre légèrement les blancs d'œufs et y incorporer le mélange à la fécule et le lait. Laver et éplucher le cœur de laitue. Si les pois sont surgelés, les faire dégeler complètement.

Quand le tofu est cuit, l'enrober du mélange de blancs d'œufs, de fécule de maïs et de lait.

Chauffer l'huile dans un wok ou une friteuse jusqu'à ce qu'elle soit très chaude. Baisser le feu et laisser l'huile refroidir un peu avant d'ajouter le tofu enrobé du mélange de blancs d'œufs et de fécule de maïs. Cuire pendant environ 1-1 1/2 minute, puis retirer à l'aide d'une cuillère à rainure et égoutter.

Enlever l'excès d'huile pour n'en conserver qu'environ 1 c. à table dans le wok. Augmenter le feu et faire sauter le cœur de laitue avec une pincée de sel. Retirer et déposer dans un plat de service.

Faire chauffer une autre cuillerée à table d'huile dans le wok et ajouter la ciboule finement hachée et la racine de gingembre, suivies des pois, du sel et d'un peu d'eau. Quand le mélange commence à bouillir, ajouter les languettes de tofu. Bien mélanger. Ajouter l'huile de sésame et servir sur le cœur de laitue.

▲ Tofu Fu-yung

▶ Œufs brouillés chinois aux tomates

Poireaux et Stilton au four

INGRÉDIENTS *4 portions*

450 g de petits poireaux
6 œufs
1 tranche de pain de blé entier émiettée
2 c. à table / 30 ml de vinaigre de cidre
100 g de Stilton (fromage bleu)

MÉTHODE

Préchauffer le four à 400 °F / 200 °C. Éplucher et laver les poireaux. Les faire cuire à la vapeur pendant 10-15 minutes, puis les déposer dans un plat allant au four préalablement graissé.

Battre les œufs avec le vinaigre et la chapelure; ajouter le Stilton émietté. Verser sur les poireaux et cuire environ 30 minutes, jusqu'à ce que le mélange ait levé et soit bien doré.

Œufs au chou frisé

INGRÉDIENTS *2-4 portions*

450 g de chou frisé
4 œufs
2 c. à table / 25 g de beurre
1/4 tasse / 25 g de farine ordinaire non traitée
1 1/4 tasse / 300 ml de lait
1/2 tasse / 50 g de cheddar râpé
sel et poivre noir fraîchement moulu

MÉTHODE

Laver le chou et jeter les tiges. Le mettre dans une casserole avec très peu d'eau, couvrir et faire cuire lentement pendant environ 20 minutes, jusqu'à ce qu'il soit tendre. Égoutter et couper grossièrement à l'aide d'un couteau et d'une fourchette. Mettre le chou au fond d'un plat de service allant au four et garder chaud.

Faire cuire les œufs à la coque.

Entre-temps, préparer la sauce au fromage. Faire fondre le beurre dans une casserole et incorporer la farine. Cuire en remuant pendant quelques minutes. Ajouter graduellement le lait. Continuer de remuer jusqu'à ce que la sauce épaississe. Ajouter le fromage. Quand le fromage est fondu, assaisonner.

Plonger les œufs dans l'eau froide et enlever les coquilles. Les disposer sur le lit de chou, puis couvrir le tout de sauce. Réchauffer le plat au four ou sous le gril.

Strudel au fromage

INGRÉDIENTS *4 portions*

1 paquet de 350 g de pâte feuilletée
1 1/2 tasse / 175 g de cheddar râpé
2/3 tasse / 100 g de fromage à la crème
2/3 tasse / 100 g de fromage blanc
1 œuf
persil ou menthe haché
sel et poivre noir fraîchement moulu
blanc d'œuf pour glacer

MÉTHODE

Rouler la pâte le plus mince possible.

Bien mélanger le reste des ingrédients, sauf le blanc d'œuf. Étendre le mélange sur la pâte.

Plier de manière à former une bande plate et bien fermer les extrémités. Badigeonner du blanc d'œuf. Placer sur une plaque à pâtisserie et cuire au four à 400 °F / 200 °C pendant 20 minutes.

Servir très chaud, avec de la crème sure au goût.

Gâteau au fromage, au brocoli et aux tomates

INGRÉDIENTS *4-6 portions*

1 tasse / 10 g de miettes de biscuits (craquelins) de blé entier
4 c. à table / 50 g de beurre ramolli

GARNITURE

250 g de bouquets de brocoli
1 grosse tomate
1 1/2 tasse / 350 g de fromage blanc
sel et poivre noir fraîchement moulu
1 pincée de muscade
2 œufs séparés

DÉCORATION
bouquets de brocoli

MÉTHODE

Préchauffer le four à 350 °F / 180 °C. Combiner les miettes de biscuits et le beurre, et presser le mélange dans un moule à quiche graissé de 22 cm avec fond amovible.

Cuire le brocoli à la vapeur d'eau bouillante salée, jusqu'à ce qu'il soit tendre. Trancher soigneusement quelques bouquets pour la décoration et réserver le reste. Plonger les tomates dans l'eau bouillante pendant 1 minute, puis les rafraîchir à l'eau froide; peler et épépiner.

Faire une purée avec le fromage blanc, le brocoli et les tomates, et bien assaisonner de sel, de poivre et d'une bonne pincée de muscade. Incorporer les jaunes d'œufs.

Fouetter les blancs jusqu'à la formation de pics mous, et incorporer au mélange. Verser la garniture sur la base de miettes de biscuits et cuire au four pendant environ 20-25 minutes, jusqu'à ce que le mélange soit légèrement levé et tout juste pris.

Laisser refroidir, enlever les côtés du moule et décorer le dessus avec le reste des bouquets de brocoli. Réfrigérer avant de servir.

◀▲ Poireaux et Stilton au four
▶ Strudel au fromage

102

Gâteau salé au fromage

INGRÉDIENTS *4-6 portions*
fond de chapelure ou abaisse de
   pâte brisée (20 cm)
beurre
1 gros oignon tranché
4 œufs
1 1/3 tasse / 225 g de fromage
   blanc
1 1/3 tasse / 225 g de fromage à la
   crème
ciboulette hachée
sel et poivre noir fraîchement moulu

MÉTHODE
   Mettre la pâte dans le moule à
charnière. Chauffer le beurre, ajouter
l'oignon et le faire cuire jusqu'à ce qu'il
soit ramolli, mais non bruni.
   Battre les œufs jusqu'à la formation
d'une mousse légère. Mélanger les fromages avec l'oignon cuit, la ciboulette, le
sel et le poivre. Incorporer délicatement
ce mélange dans les œufs battus, et verser le tout dans la pâte à tarte.
   Cuire au four à 350 °F / 180 °C pendant 40 minutes.

Servir froid (de préférence le jour sui-
vant) avec une salade croquante. Le plat
se congèle aussi très bien. On peut
ajouter des poireaux à l'oignon, en les
faisant revenir dans un peu de beurre.

Ragoût de légumes et de riz

INGRÉDIENTS *6 portions*
huile
3 tasses / 350 g / 12 oignons
   tranchés
1 tasse / 225 g de riz
1 gros poivron vert ou rouge haché
sel et poivre noir fraîchement moulu
1 c. à thé / 5 ml de paprika
1 3/4 tasse / 425 g de tomates en
   conserve
2/3 tasse / 150 ml d'eau
2 1/2 tasses / 600 ml de yogourt
4 œufs

MÉTHODE
   Chauffer l'huile, ajouter les oignons et
cuire jusqu'à ce qu'ils soient ramollis,
mais non brunis. Ajouter le riz et les
poivrons, et remuer de façon à les colo-

rer légèrement. Assaisonner de sel, de
poivre et de paprika.
   Étendre le mélange au riz et les
tomates dans un plat allant au four.
Arroser de 4 c. à table / 60 ml d'huile
mélangée avec l'eau.
   Couvrir et cuire à 375 °F / 190 °C
pendant 30 minutes (ou sur le poêle à
feu moyen).
   Mélanger le yogourt et les œufs. Verser
sur les légumes et remettre le plat au four
en laissant cuire à découvert 20 minutes
de plus.

VARIANTE
   Ce plat bulgare peut donner lieu à des
variations infinies, par exemple par
l'ajout d'autres légumes, tels que l'aubergine, la courgette, les champignons, le
fenouil, ou encore en y incluant, sous la
garniture au yogourt, du salami, des
saucisses ou de la viande cuite.

▲ Ragoût de légumes et de riz

LE RIZ ET LES LÉGUMES D'ACCOMPAGNEMENT

À l'instar de n'importe quelle cuisine, la cuisine végétarienne comprend certains plats très nourrissants comme mets principaux et en offre d'autres qui les complètent parfaitement. Ils rehaussent le plaisir du repas tout en satisfaisant certains besoins nutritifs. Voici des recettes de pommes de terre, de riz et de haricots, ainsi qu'une grande variété de légumes verts et de légumes-racines servis à la manière continentale, à l'indienne, à l'orientale et même à l'anglaise.

Trois poivrons dans une sauce tomate à l'ail

Courgette aux amandes

INGRÉDIENTS *4 portions*
6 grosses courgettes / 700 g
    tranchées dans le sens de la
    longueur
1 oignon moyen finement haché
1 c. à table / 15 ml d'huile d'olive
sel et poivre noir fraîchement moulu
1/3 tasse / 50 g d'amandes en flo-
    cons
1 c. à thé / 5 ml de fécule de maïs
1 c. à table / 15 ml d'eau
1 tasse / 250 ml de yogourt

MÉTHODE
Placer les courgettes dans un plat peu profond allant au four. Mélanger l'oignon, l'huile, le sel et le poivre et verser le mélange sur les courgettes. Cuire découvert à 350 °F / 180 °C pendant 40 minutes ou jusqu'à ce que les courgettes soient tendres.

Entre-temps faire rôtir les amandes dans une poêle à frire à feu élevé, en remuant fréquemment; ne pas faire brûler.

Mélanger la fécule de maïs et l'eau, et ajouter au yogourt; assaisonner au goût.

Faire chauffer le mélange à feu doux, en remuant constamment, pendant 3 minutes.

Verser le mélanger sur les courgettes et répandre les amandes sur le dessus.

Gratin de courgettes

INGRÉDIENTS *4 portions*
huile
450 g / 4 grosses courgettes,
    tranchées
1 gros oignon haché
1 3/4 tasse / 425 g de tomates en
    conserve
basilic, thym ou marjolaine haché
zeste de citron
sel et poivre noir fraîchement moulu
1 tasse / 225 g de macaroni
2 œufs
2/3 tasse / 150 ml de yogourt
3/4 tasse / 75 g de cheddar râpé

MÉTHODE
Chauffer l'huile et faire frire les courgettes jusqu'à ce qu'elles soient légèrement colorées. Retirer du poêlon et réserver. Ajouter l'oignon et le faire dorer; ajouter de l'huile si nécessaire. Ajouter les tomates, les herbes, le zeste de citron, le sel et le poivre et laisser mijoter pendant 10 minutes; défaire les tomates et remuer occasionnellement.

Entre-temps, faire cuire les macaroni, bien les égoutter et les mettre dans un plat allant au four.

Verser la sauce sur les macaroni et bien mélanger. Étendre les courgettes cuites sur le dessus. Mélanger les œufs, le yogourt et la moitié du fromage et verser le mélange sur les courgettes. Répandre le reste du fromage sur le dessus.

Cuire au four à 375 °F / 190 °C pendant 30 minutes.

VARIANTE
Les aubergines peuvent remplacer les courgettes. En ce cas, trancher et saler les aubergines, les laisser dégorger pendant 20 minutes, les rincer et les éponger, puis suivre la recette décrite ci-dessus.

▼ Gratin de courgettes

Courgettes à l'aneth

INGRÉDIENTS *4 portions*
1/4 tasse / 60 ml d'huile d'olive
2 c. à table / 25 g de beurre
1 oignon haché
1 gousse d'ail broyée
450 g de courgettes en rondelles
    épaisses
sel et poivre noir fraîchement moulu
2 c. à thé / 10 ml de paprika
1 c. à table / 15 ml d'aneth haché
    (sans les tiges)
1 petit contenant de crème sure

MÉTHODE
Chauffer l'huile et le beurre dans une
grande poêle à frire. Faire cuire l'oignon
et l'ail doucement jusqu'à ce qu'ils soient
tendres. Augmenter la chaleur.

Ajouter les courgettes, le sel et le
poivre. Remuer.

Cuire pendant 5-10 minutes, en
remuant pour cuire les deux côtés des
rondelles de courgettes.

Quand les courgettes commencent à
brunir, ajouter le paprika, l'aneth et la
crème sure. Assaisonner et servir.

▲ Courgettes à l'aneth
▶ Haricots au piment

Courges magyar

INGRÉDIENTS *4 portions*
1 courge, de moyenne à grosse
2 c. à table / 25 g de beurre
2 c. à thé / 10 ml de fécule de maïs
1 c. à table / 15 ml d'eau
1 c. à table / 15 ml d'aneth séché
sel et poivre noir fraîchement moulu
2/3 tasse / 150 ml de crème sure

MÉTHODE
Peler la courge et la hacher finement
ou la râper. Faire cuire celle-ci avec le
beurre, en remuant de temps en temps,
jusqu'à ce qu'elle commence à ramollir.
Mélanger la fécule de maïs avec l'eau
jusqu'à l'obtention d'une pâte légère, et
ajouter le mélange à la courge. Remuer
et cuire pendant 3 minutes de plus.
Ajouter l'aneth, le sel et le poivre, et
enfin incorporer la crème sure. Faire
réchauffer lentement et servir la courge
très chaude.

Haricots au piment

INGRÉDIENTS *4 portions*
1 tasse / 175 g de fèves de cacao
    roses
2 c. à table / 30 ml d'huile d'olive
1/2 c. à thé / 2,5 g de graines de
    fenouil
1/2 c. à thé / 2,5 g de graines de
    moutarde
1 oignon haché
2 gousses d'ail hachées
1 3/4 tasse / 100 g de champignons
    tranchés
1/2 piment vert frais, épépiné et
    haché
1 3/4 tasse / 425 g de tomates en
    conserve, écrasées
2 c. à table / 30 ml de coriandre
    fraîche hachée ou de persil
sel et poivre noir fraîchement moulu

MÉTHODE
Faire tremper les haricots toute la nuit,
puis les faire cuire dans l'eau salée
jusqu'à ce qu'ils soient tendres. À noter
que le temps de cuisson varie selon l'âge
des haricots. Ils peuvent être prêts en 20
minutes ou exiger 1 heure de cuisson; il
importe donc de vérifier à plusieurs
reprises.

Entre-temps, chauffer l'huile dans un
poêlon; quand l'huile est chaude, ajouter
les graines de moutarde et de fenouil.
Dès que les graines de moutarde commencent à éclater, ajouter l'oignon et
l'ail. Cuire doucement jusqu'à ce qu'ils
deviennent translucides.

Incorporer les champignons. Dès
qu'ils sont tendres, ajouter le piment et
les tomates, la coriandre et les assaisonnements. Vous pouvez utiliser du persil
pour remplacer la coriandre, mais le plat
perdra alors beaucoup de sa personnalité.

Ajouter les haricots, réchauffer pendant 10 minutes et servir avec des toasts
au fromage ou une omelette. Vous
obtiendrez alors un repas délicieux apte à
vous réchauffer le cœur durant les jours
froids d'hiver.

Courge farcie

INGRÉDIENTS *4-6 portions*
1 courge
sel et poivre noir fraîchement moulu
1/3 tasse / 75 g de riz brun
2 petites carottes en dés
1/4 tasse / 50 g de pois
1-2 c. à table / 15-30 ml d'huile
1 oignon haché
1 gousse d'ail hachée
1 branche de céleri hachée
1 poignée de persil haché
2 c. à table de noisettes hachées

SAUCE TOMATE
1-2 c. à table / 15-30 ml d'huile
1 oignon haché
2 gousses d'ail hachées
1 3/4 tasse / 425 g de tomates en conserve écrasées
1 c. à table / 15 ml de purée de tomates
sel et poivre noir fraîchement moulu

MÉTHODE
Préchauffer le four à 350 °F / 180 °C. Couper la courge en deux dans le sens de la longueur et retirer la mœlle et les pépins. Saupoudrer la chair de sel, et tourner les côtés coupés vers le bas pour les faire dégorger.

Entre-temps, préparer la farce. Faire mijoter le riz dans une casserole couverte remplie d'eau salée, jusqu'à ce qu'il soit tendre (environ 30 minutes). Égoutter.

Cuire à demi les carottes et les pois, et égoutter. Chauffer l'huile dans un poêlon et faire frire l'oignon et l'ail jusqu'à ce qu'ils soient translucides. Ajouter le céleri, les carottes et les pois. Incorporer le riz, le persil et les noisettes, et bien assaisonner. Assécher la courge et remplir une des moitiés de farce. Couvrir de la deuxième moitié.

Préparer la sauce tomate. Chauffer l'huile dans un poêlon, puis ajouter l'oignon et l'ail. Faire sauter, en remuant, jusqu'à ce qu'ils deviennent tendres. Ajouter les tomates et la purée de tomates. Laisser mijoter pendant 5 minutes, en remuant occasionnellement, et bien assaisonner.

Placer la courge dans un plat allant au four muni d'un couvercle, sinon utiliser du papier d'aluminium. Entourer la courge de sauce. Couvrir et cuire au four pendant 45 minutes, ou jusqu'à ce que la courge soit tendre. Servir chaud ou froid avec une salade croquante.

Épinards crémeux

INGRÉDIENTS *4 portions*
3 tasses / 700 g d'épinards frais, lavés et triés
1 jaune d'œuf
muscade râpée
sel et poivre noir fraîchement moulu
2/3 tasse / 150 ml de yogourt

MÉTHODE
Faire cuire les épinards avec très peu d'eau (l'eau qui adhère à la surface des épinards suffit) et un peu de sel. Bien égoutter les épinards cuits (la façon la plus efficace de le faire consiste à les presser entre deux assiettes).

Fouetter ensemble le jaune d'œuf, la muscade, le sel, le poivre et le yogourt. Mélanger avec les épinards. Réchauffer doucement.

NOTE
Si vous préférez utiliser des épinards surgelés, prenez des épinards en feuille et non des épinards hachés.

Aubergine grillée

INGRÉDIENTS *4 portions*
1 grosse aubergine
1 petit oignon finement haché
1-2 piments verts finement hachés
1/2 c. à thé / 2,5 ml de sel
2-3 c. à table / 30-45 ml d'essence de moutarde

MÉTHODE
Placer l'aubergine sous un gril préchauffé pendant environ 15 minutes et la retourner souvent, jusqu'à ce que la peau devienne noire et la chair tendre.

Enlever la peau et réduire la chair en purée.

Ajouter le reste des ingrédients et bien mélanger.

La Lechuga

INGRÉDIENTS *4 portions*
1 pomme de laitue ferme et croquante, la Iceberg de préférence
4 c. à table / 60 ml d'huile d'olive
4 gousses d'ail finement hachées

MÉTHODE

À l'aide d'un couteau bien aiguisé, couper la laitue en deux, de la tige à la partie supérieure. Jeter les feuilles extérieures et couper chaque moitié en trois. Garder la laitue froide.

Faire chauffer l'huile dans une poêle à frire, puis faire brunir l'ail en remuant. Verser sur la laitue et servir immédiatement. La laitue se mange très bien avec les doigts, si vous ne craignez pas de vous salir. Il suffit d'avoir des serviettes de papier à portée de la main. Servie de cette façon, la laitue devient une entrée estivale originale et appétissante.

Aubergine relevée

INGRÉDIENTS *4 portions*
450 g d'aubergines
3 c. à table / 45 ml d'huile
1 gros oignon finement haché
3 tomates hachées
1 c. à table / 15 ml de feuilles de coriandre hachées
1-2 piments verts hachés
1/2 c. à thé / 2,5 ml de curcuma moulu
1/2 c. à thé / 2,5 ml de poudre de chili
3/4 c. a thé / 4 ml de coriandre moulue
3/4 c. à thé / 4 ml de sel

MÉTHODE

Placer les aubergines sous un gril préchauffé pendant environ 15 minutes en les retournant souvent, jusqu'à ce que la peau soit noire et la chair tendre. Oter la peau et réduire la chair en purée.

Chauffer l'huile dans un karai à feu moyen et faire frire les oignons jusqu'à ce qu'ils deviennent tendres. Ajouter les tomates, les feuilles de coriandre et les piments et frire pendant 2-3 minutes.

Ajouter l'aubergine en purée, le curcuma, le chili, la coriandre et le sel et remuer.

Faire frire pendant 10-12 minutes de plus et servir avec du pain Naan ou Baktora (page 155).

◀▲ Courge farcie
▲▶ La Lechuga
▶ Aubergine relevée

Chou au carvi

INGRÉDIENTS *4 portions*
2 c. à table / 25 g de beurre
9 tasses / 700 g de chou blanc ou
   vert finement tranché
1 c. à table / 15 ml de graines de
   carvi
sel et poivre noir fraîchement moulu
2 c. à thé / 10 ml de farine
2/3 tasse / 150 ml de crème sure

MÉTHODE
   Faire fondre le beurre et ajouter le chou. Bien remuer. Ajouter les graines de carvi, le sel et le poivre, couvrir et cuire jusqu'à ce que le chou soit cuit, mais encore croustillant.
   Ajouter la farine et bien mélanger. Cuire encore 2 minutes en remuant constamment. Ajouter la crème sure et réchauffer.

Chou aux pois

INGRÉDIENTS *4 portions*
3 c. à table / 45 ml d'huile
2 feuilles de laurier
3/4 c. à table / 4 ml de graines de
   cumin entières
9 tasses / 700 g de chou en fines
   lamelles
1 c. à thé / 5 ml de curcuma moulu
1/2 c. à thé / 2,5 ml de poudre de
   chili
1 1/2 c. à thé / 7,5 ml de cumin
   moulu
1 c. à thé / 5 ml de coriandre
   moulue
2 tomates hachées
3/4 c. à thé / 4 ml de sel
1/2 c. à thé / 2,5 ml de sucre
1/2 tasse / 100 g de pois

MÉTHODE
   Chauffer l'huile dans un karai à feu moyen-élevé. Ajouter les feuilles de laurier et les graines de cumin. Laisser grésiller pendant quelques secondes.
   Ajouter le chou et remuer pendant 2-3 minutes. Ajouter le curcuma, le chili, le cumin, la coriandre, les tomates, le sel et le poivre, et mélanger avec le chou.
   Baisser le feu, couvrir et cuire pendant 15 minutes. Ajouter les pois et couvrir de nouveau. Continuer la cuisson pendant 15 minutes encore en remuant occasionnellement.
   Retirer le couvercle, augmenter le feu à moyen-élevé et cuire en remuant continuellement jusqu'à ce que le mélange soit sec.

Carottes et chou râpés

INGRÉDIENTS *4 portions*
2 c. à table / 30 ml d'huile
1 c. à thé / 5 ml de graines de
   moutarde
1 ciboule (échalote), en fines
   lanières
450 g de carottes râpées
un peu de miel
sel et poivre noir fraîchement moulu

MÉTHODE
   Chauffer l'huile dans un poêlon épais muni d'un couvercle, puis ajouter les graines de moutarde.
   Dès que les graines de moutarde commencent à éclater, ajouter les légumes en lanières, arroser de miel et bien remuer. Baisser le feu, couvrir et cuire pendant 3 minutes ou jusqu'à ce que les légumes soient tendres. Assaisonner et servir.

▲▲ Chou au carvi
▲ Carottes et chou râpés

110

Choux de Bruxelles à l'ail et aux champignons

INGRÉDIENTS *4 portions*
2-3 c. à table / 30-45 ml d'huile
4 gousses d'ail hachées
450 g de choux de Bruxelles finement tranchés
2 tasses / 100 g de champignons tranchés

MÉTHODE

Chauffer un peu d'huile dans un wok ou une poêle profonde. Ajouter l'ail et faire frire rapidement, en remuant, jusqu'à ce qu'il soit brun.

Ajouter les choux de Bruxelles et les champignons et remuer. Faire sauter pendant 1-2 minutes; les légumes se mangent chauds et croquants; ils accompagnent délicieusement les plats à base de haricots.

Chou-fleur aux pommes de terre et aux pois

INGRÉDIENTS *4-6 portions*
4 c. à table / 60 ml d'huile
2 oignons moyens finement hachés
4 tasses / 450 g de pommes de terre en dés de 2 cm
1 petit chou-fleur, coupé en morceaux de 2 cm
1/2 c. à thé / 2,5 ml de curcuma moulu
1/3 c. à thé / 3 ml de poudre de chili
1 c. à thé / 5 ml de cumin moulu
2 tomates hachées
1 c. à thé / 5 ml de sel
1/4 c. à thé / 1,5 ml de sucre
1 tasse / 200 g de pois
1/2 c. à thé / 2,5 ml de Garam Masala (voir page 126)

MÉTHODE

Chauffer l'huile dans un karai à feu moyen-élevé. Ajouter les oignons et les faire frire pendant 3-4 minutes, jusqu'à ce qu'ils aient bruni.

Ajouter les pommes de terre, le chou-fleur et remuer. Ajouter les épices, les tomates, le sel et le sucre. Remuer et frire pendant 2-3 minutes.

Ajouter les pois, couvrir et cuire à feu moyen-doux pendant 20 minutes, jusqu'à ce que les pommes de terre et le chou-fleur soient tendres. Remuer les légumes à quelques reprises. Saupoudrer de Garam Masala avant de servir.

▲▶ Carottes au yogourt
▶ Chou-fleur aux pommes de terre et aux pois

Carottes au yogourt

INGRÉDIENTS *4-6 portions*
3 1/2 tasses / 450 g de carottes tranchées
1 c. à thé / 5 ml de sucre
1/2 c. à thé / 2,5 ml de cumin moulu
1 petit oignon finement haché
jus de 1/2 citron
2/3 tasse / 150 ml de yogourt
sel et poivre

MÉTHODE

Faire cuire les carottes avec le sucre dans l'eau bouillante jusqu'à ce qu'elles soient *al dente*. Les égoutter et ajouter le cumin et l'oignon. Remuer.

Mélanger le jus de citron et le yogourt, assaisonner et verser sur les carottes.

Servir immédiatement ou laisser refroidir et offrir en salade ou comme accompagnement d'un cari.

Haricots à filet et maïs miniatures

INGRÉDIENTS *4-6 portions*
225 g de haricots à filet
225 g de maïs miniatures
3-4 c. à table / 45-60 ml d'huile
1 1/2 c. à thé / 7,5 ml de sel
1 c. à thé / 5 ml de sucre
2 c. à table / 30 ml d'eau

MÉTHODE

Laver et trier les haricots. Selon la taille des maïs miniatures, les laisser entiers ou les couper en deux ou en trois en forme de diamants.

Chauffer un wok ou une grande poêle à frire à feu élevé, puis ajouter l'huile de manière à ce que la surface de cuisson soit bien graissée. Quand l'huile commence à fumer, ajouter les haricots à filet ainsi que les maïs miniatures et les faire sauter pendant 1 minute environ.

Ajouter le sel et le sucre et continuer de remuer pendant 1 minute de plus. Ajouter l'eau si les légumes sèchent avant d'être cuits.

Servir dès que le liquide s'est évaporé. Si vous préférez vos légumes croquants, servez-les quand il y a encore un peu de jus de cuisson dans le wok.

Asperges sautées

INGRÉDIENTS *4 portions*
450 ml d'asperges
2 c. à table / 30 ml d'huile
1 c. à thé / 5 ml de sel
1 c. à thé / 5 ml de sucre

MÉTHODE

Bien laver les asperges dans l'eau froide et jeter la partie dure des tiges. Couper la partie tendre en morceaux de 2,5 cm selon la méthode suivante : trancher diagonalement dans la tige, puis lui faire faire un demi-tour et trancher encore, de manière à obtenir des tranches en forme de diamants.

Chauffer l'huile dans un wok très chaud ou une poêle à frire; étendre l'huile pour bien graisser la surface de cuisson. Ajouter les asperges quand l'huile commence à fumer. Faire sauter de manière à bien enrober d'huile chaque morceau.

Ajouter le sel et le sucre et continuer de remuer pendant 1-1 1/2 minute seulement. Il ne faut pas ajouter de liquide car cela gâterait la couleur et la texture des asperges.

Ce plat peut être servi chaud ou froid.

▲ Haricots à filet et maïs miniatures
◀ Asperges sautées

113

Chou aigre-doux

INGRÉDIENTS *6 portions*
700 g de chou blanc
10 grains de poivre noir du Sichuan
5 petits piments rouges séchés
2 c. à table / 30 ml de sauce de soja
1 1/2 c. à table / 22,5 ml de vinaigre
1 1/2 c. à table / 22,5 ml de sucre
1 1/2 c. à thé / 7,5 ml de sel
3 c. à table / 45 ml d'huile de tournesol
1 c. à table / 15 ml d'huile de sésame

MÉTHODE

Choisir un chou rond, vert pâle, au cœur ferme — ne jamais utiliser de chou dont les feuilles sont détachées. Laver à l'eau froide et couper les feuilles en petits morceaux de la taille de cartons d'allumettes.

Couper les piments en petits morceaux. Mélanger la sauce de soja, le vinaigre, le sucre et le sel pour faire la sauce.

Chauffer l'huile de tournesol dans un wok préchauffé jusqu'à ce qu'elle commence à fumer. Ajouter les grains de poivre et les piments rouges, puis le chou quelques secondes plus tard. Remuer pendant 1 1/2 minute, jusqu'à ce que celui-ci commence à ramollir.

Verser la sauce préparée et continuer de remuer un moment pour bien mélanger la sauce et le chou. Juste avant de servir, ajouter l'huile de sésame.

Ce plat est délicieux chaud ou froid.

Poivrons rouges et verts sautés

INGRÉDIENTS *4 portions*
1 gros poivron vert ou 2 petits, cœur et pépins enlevés
1 gros poivron rouge ou 2 petits, cœur et pépins enlevés
3 c. à table / 45 ml d'huile
1 c. à thé / 5 ml de sel
1 c. à thé / 5 ml de sucre

MÉTHODE

Couper les poivrons en petits morceaux en forme de diamants; si vous utilisez un ou deux poivrons oranges, le plat sera encore plus coloré.

Chauffer l'huile dans un wok très chaud ou une poêle à frire, jusqu'à ce qu'elle fume. Étendre l'huile à l'aide d'une spatule pour que la surface de cuisson soit bien graissée. Ajouter les poivrons et les faire sauter jusqu'à ce que tous les morceaux soient bien enrobés d'huile. Ajouter le sel et le sucre.

Remuer constamment pendant environ 1 minute et servir si vous aimez les légumes croquants et fermes. Sinon, faire cuire 1 minute de plus, ou jusqu'à ce que la peau des poivrons commence à se rider légèrement. Ajouter un peu d'eau durant le dernier stade de cuisson, si nécessaire.

Haricots verts dans une sauce à l'ail

INGRÉDIENTS *4 portions*
400 g de haricots verts
1 grosse gousse d'ail ou 2 petites
3 c. à table / 45 ml d'huile
1 c. à thé / 5 ml de sel
1 c. à thé / 5 ml de sucre
1 c. à table / 15 ml de sauce de soja

MÉTHODE

Enlever les pédoncules des haricots. Les laisser entiers s'ils sont jeunes et tendres; autrement, les couper en deux.

Écraser et hacher finement l'ail.

Blanchir les haricots dans une casserole d'eau bouillante légèrement salée; égoutter et plonger dans l'eau froide pour arrêter la cuisson et conserver aux haricots leur couleur brillante. Égoutter.

Chauffer l'huile dans un wok très chaud ou une poêle à frire. Quand l'huile commence à fumer, ajouter l'ail pour la parfumer. Avant que l'ail ne prenne une couleur brun foncé, ajouter les haricots et faire sauter pendant environ 1 minute. Ajouter le sel, le sucre et la sauce de soja, et continuer de remuer pendant au plus une minute. Servir chaud ou froid.

▶ Haricots verts dans une sauce à l'ail
▼ Chou aigre-doux

Julienne de légumes

INGRÉDIENTS *4 portions*
1 c. à table / 15 ml d'huile de tournesol
1 piment vert épépiné et finement haché
1 gousse d'ail broyée
fenouil émincé
1 poireau émincé
1 poivron vert émincé
1/4 petit chou rouge coupé en lanières
1 c. à table / 15 ml de jus de citron
sel et poivre noir fraîchement moulu

MÉTHODE
Chauffer l'huile de tournesol dans une grande casserole et ajouter le piment et l'ail. Cuire pendant 1-2 minutes, puis ajouter le fenouil, le poireau, le poivron et le chou.

Remuer et cuire pendant 3-4 minutes. Ajouter le jus de citron et assaisonner au goût.

Chou-fleur rôti

INGRÉDIENTS *4 portions*
4 tomates moyennes
1 gros oignon
3 gousses d'ail
1 cm de racine de gingembre
2 c. à table / 30 ml de Ghee (voir page 126)
1/2 c. à thé / 4 ml de curcuma moulu
3/4 c. à thé de Garam Masala (voir page 126)
1 tasse / 175 g de pois
1/2 c. à thé / 2,5 ml de sel
1 chou-fleur moyen blanchi

MÉTHODE
Réduire en pâte les tomates, l'oignon, l'ail et le gingembre dans un mélangeur.

Chauffer le Ghee dans une poêle à frire à feu moyen et ajouter la pâte, le curcuma, le piment et le Garam Masala. Faire sauter jusqu'à ce que le Ghee et les épices se séparent, environ 5-6 minutes.

Ajouter les pois et le sel; cuire encore 5 minutes, en remuant constamment. Retirer du feu.

Placer le chou-fleur dans un grand plat allant au four et verser les épices sur celui-ci. Placer dans un four préchauffé à 375 °F / 190 °C pendant 30-35 minutes. Servir dans une assiette plate en couvrant de pois et d'épices.

Châtaignes et légumes

INGRÉDIENTS *6-8 portions*
450 g de châtaignes
4 c. à table / 60 ml d'huile d'olive
2 grosses gousses d'ail hachées
175 g de champignons tranchés
350 g de choux de Bruxelles
350 g de chou rouge
sel et poivre noir fraîchement moulu
1 petit verre de vin rouge

▲▲ Julienne de légumes
▲ Chou-fleur rôti
◀ Châtaignes et légumes

MÉTHODE
Préchauffer le four à 400 °F / 200 °C. Faire une entaille au sommet des châtaignes avec un couteau bien aiguisé et les faire bouillir pendant 10 minutes. Les plonger dans l'eau froide et les peler.

Chauffer l'huile d'olive dans une casserole à l'épreuve du feu et faire frire l'ail. Ajouter les champignons, les choux de Bruxelles et le chou rouge, et assaisonner. Cuire, en remuant occasionnellement, pendant environ 5 minutes, jusqu'à ce que les légumes soient bien enrobés d'huile et commencent à ramollir.

Ajouter les châtaignes et le vin. Couvrir et cuire au four pendant 40 minutes. Servir avec des pommes de terre au four ou une Purée de légumes-racines (voir page 118).

Fenouil Mornay

INGRÉDIENTS *4 portions*
3 bulbes de fenouil
feuille de laurier

SAUCE
2 c. à table / 25 g de beurre
1/4 tasse / 25 g de farine ordinaire
    non traitée
1 1/4 tasse / 300 ml de lait
2/3 tasse / 150 ml de crème de
    table
1 tasse / 100 g de cheddar râpé
1/4-1/2 tasse / 25-50 g de
    chapelure
sel et poivre noir fraîchement moulu

MÉTHODE
Éplucher le fenouil et le faire mijoter
dans l'eau salée avec une feuille de laurier pendant environ 30 minutes, jusqu'à
ce qu'il soit tendre.

Entre-temps, préparer la sauce. Faire
fondre le beurre dans une casserole et
incorporer la farine. Cuire, en remuant
pendant quelques minutes, puis incorporer le lait. Ajouter la crème et presque
tout le fromage. Cuire doucement
jusqu'à ce que le fromage ait fondu. Bien
assaisonner et garder chaud.

Égoutter le fenouil et couper chaque
bulbe en deux. Disposer les moitiés dans
un plat allant au four, verser la sauce sur
le dessus et saupoudrer du reste du fromage et de chapelure. Placer sous le gril
chaud pour faire brunir et faire fondre le
fromage.

NOTE
Pour obtenir une sauce plus piquante,
ajouter un peu de moutarde anglaise en
poudre au goût.

Maïs en épis au beurre à l'ail

INGRÉDIENTS *4-6 portions*
Maïs en épis
beurre
pâte d'ail

MÉTHODE
Enlever les feuilles vertes extérieures
du maïs frais. Faire bouillir les épis dans
l'eau salée avec une goutte d'huile
d'olive.

Faire mijoter pendant 15 minutes ou
jusqu'à ce que le maïs soit cuit et tendre.

Retirer du feu et égoutter.

Badigeonner généreusement de beurre
et de pâte d'ail.

Purée de légumes-racines

INGRÉDIENTS *4 portions*
175 g de carottes
175 g de rutabaga
1 navet
1 panais
beurre
sel et poivre noir fraîchement moulu

MÉTHODE
Éplucher les légumes et les faire mijoter dans l'eau salée jusqu'à ce qu'ils
soient tendres.

Égoutter et réduire en purée légère
avec du beurre. Assaisonner de sel et de
beaucoup de poivre noir. Servir avec un
mets qui a une texture croquante,
comme le plat de Châtaignes et légumes
(voir page 117) ou le Pain de noix (voir
page 84).

Croquettes de maïs

INGRÉDIENTS *4 portions*
3 c. à table / 45 ml de beurre
3 c. à table / 20 g de farine
1 1/4 tasse / 300 ml de lait
sel et poivre noir fraîchement moulu
1-2 c. à table / 15-30 ml de persil
    frais haché
2 1/3 tasses / 400 g de maïs en
    grains cuit
2 jaunes d'œufs

GLAÇAGE
2 œufs battus
farine assaisonnée
chapelure fine
huile à friture

MÉTHODE
Pour faire la sauce, couper le beurre en
petits morceaux et le faire fondre dans
une casserole à fond épais. Incorporer la
farine et cuire quelques minutes, jusqu'à
ce que le mélange ait une couleur dorée.

Retirer du feu et verser le lait. Bien
remuer, remettre sur le feu et remuer
jusqu'à ce que la sauce épaississe.
Assaisonner de sel et de beaucoup de
poivre.

Incorporer à la sauce le persil, le maïs
en grains et les jaunes d'œufs. Réfrigérer.

Le mélange doit avoir une consistance
épaisse. Façonner des croquettes. Les
tremper une à une dans l'œuf battu, puis
les rouler dans la farine et la chapelure.

Faire frire les croquettes dans l'huile
jusqu'à ce qu'elles soient croustillantes.

Croquettes aux pommes de terre et au fromage

INGRÉDIENTS *6-8 portions*
900 g de pommes de terre
2 jaunes d'œufs
sel et poivre noir fraîchement moulu
1 pincée de muscade
1 goutte de sherry
1/2 tasse / 100 g de parmesan râpé
1 pincée de moutarde
2 c. à table / 30 ml de persil haché
farine assaisonnée
1 œuf battu (avec un peu de lait)
chapelure

MÉTHODE
Laver et peler les pommes de terre, puis les couper en morceaux d'égale grosseur. Les faire cuire dans l'eau salée jusqu'à ce qu'elles soient tendres et égoutter.

Après avoir jeté l'eau de cuisson, remettre les pommes de terre dans la casserole, couvrir et placer à feu doux. Cela aura pour effet d'assécher les pommes de terre, mais remuer occasionnellement pour les empêcher de brûler.

Ensuite, mettre les pommes de terre dans un robot culinaire avec les jaunes d'œufs, le beurre et l'assaisonnement.

Incorporer la muscade, le sherry, le parmesan, la moutarde et le persil. La purée de pommes de terre devrait être très ferme. Trop mélanger rendrait le tout collant, auquel cas il faudrait y ajouter un peu de farine à la main.

Vérifier l'assaisonnement et façonner le mélange en forme de cylindres (13 x 5 cm).

Rouler les cylindres dans la farine assaisonnée, les tremper dans l'œuf battu et les enrober de chapelure.

Faire frire à la grande friture à 365 °F / 185 °C. Quand les croquettes sont bien dorées, égoutter et servir.

NOTE
Si vous voulez faire cuire les croquettes plus tard, ou le lendemain, placez soigneusement celles-ci sur un plateau, couvrez d'une pellicule protectrice et réfrigérez.

Pois cassés avec légumes

INGRÉDIENTS *4-6 portions*
1 tasse / 200 g de pois cassés, lavés
3 tasses / 750 ml d'eau
2 c. à table / 30 ml de Ghee (voir page 126)
1/2 c. à thé / 2,5 ml de graines de cumin entières
2 feuilles de laurier
2-3 piments verts, coupés dans le sens de la longueur
2 1/2 tasses / 275 g de pommes de terre en dés, coupées en morceaux de 2,5 cm
1/3 tasse / 75 g de pois
3 tasses / 350 g de chou-fleur
1/2 c. à thé / 2,5 ml de curcuma moulu
1 c. à thé / 5 ml de sel

MÉTHODE
Mettre les pois cassés et l'eau dans une grande casserole, et amener à ébullition. Couvrir et laisser mijoter pendant 30 minutes. Retirer du feu.

Faire chauffer le Ghee dans une grande casserole à feu moyen-élevé. Ajouter les graines de cumin, les feuilles de laurier, les piments, et laisser frémir pendant quelques secondes.

Ajouter les pommes de terre, les pois, le chou-fleur, et frire pendant 1-2 minutes.

Ajouter les pois cassés avec l'eau, le curcuma et le sel. Bien mélanger, baisser le feu et cuire jusqu'à ce que les légumes soient tendres. (Si le mélange devient trop épais, ajouter un peu d'eau.)

◀▲ Croquettes de maïs
◀ Purée de légumes-racines
▶▲ Pois cassés avec légumes
▶ Maïs en épis au beurre à l'ail

Pommes de terre et œufs au four

INGRÉDIENTS *6-8 portions*

3 tasses / 900 g de pommes de terre pelées et tranchées
sel
2 c. à table / 10 ml de paprika
4 œufs durs tranchés
2/3 tasse / 150 ml de crème sure
2 c. à table / 30 ml de lait
beurre

MÉTHODE

Faire bouillir les pommes de terre jusqu'à ce qu'elles soient cuites, mais encore fermes. Égoutter l'eau et trancher.

Disposer une couche de pommes de terre au fond d'un plat graissé allant au four. Saler et poivrer. Disposer les œufs sur les pommes de terre. Mélanger la crème sure et le lait jusqu'à ce que le mélange soit homogène. Verser sur les œufs. Assaisonner de nouveau. Ajouter le reste des pommes de terre.

Garnir de beurre et cuire à 350 °F / 180 °C pendant 25 minutes, jusqu'à ce que le dessus soit doré.

VARIANTE

Vous pouvez ajouter des tranches de fromage sur les œufs.

Pommes de terre à la russe

INGRÉDIENTS *6-8 portions*

900 g de pommes de terre
sel et poivre noir fraîchement moulu
4 c. à table / 50 g de beurre
1 gros oignon
100 g de champignons tranchés
3/4 tasse / 200 ml de crème sure
3 c. à table / 45 ml de ciboulette hachée

MÉTHODE

Brosser les pommes de terre et cuire dans l'eau salée jusqu'à ce qu'elles soient à peine tendres. Égoutter, peler et trancher.

Faire chauffer une partie du beurre dans une cocotte et faire frire l'oignon jusqu'à ce qu'il soit translucide. Ajouter les champignons et cuire doucement jusqu'à ce qu'ils rendent leurs sucs. Ajouter le reste du beurre et incorporer les pommes de terre. Les laisser brunir doucement d'un côté, puis les tourner et ajouter la crème. Quand la plus grande partie de la crème a été absorbée, saupoudrer de ciboulette et de poivre, et servir.

▼ Pommes de terre à la russe

Gâteaux de pommes de terre suisses

INGRÉDIENTS *4 portions*

450 g de pommes de terre fermes
2 œufs
1 c. à table / 15 ml de farine de pommes de terre
sel et poivre noir fraîchement moulu
4 c. à table / 60 ml d'huile

MÉTHODE

Peler les pommes de terre et les râper dans un bol d'eau froide. Égoutter. Éponger les pommes de terre avec un linge. Les mélanger avec les œufs, la farine et l'assaisonnement.

Faire chauffer 1 c. à table / 15 ml d'huile dans une poêle à frire, et faire le premier gâteau aux patates avec un quart du mélange. L'étendre dans la poêle et l'aplatir. Quand le dessous est croustillant et doré, tourner et faire brunir l'autre côté. Garder au chaud pendant la cuisson des autres gâteaux.

Patatas Bravas

INGRÉDIENTS *2-3 portions*

1 oignon haché
2 c. à table / 30 ml d'huile d'olive
1 feuille de laurier
2 piments rouges
2 c. à thé / 10 ml d'ail finement haché
1 c. à table / 15 ml de pâte de tomates
1/2 c. à table / 7,5 ml de sucre
1 c. à table / 15 ml de sauce de soja
450 g de tomates italiennes hachées
1 verre de vin blanc
sel et poivre noir fraîchement moulu
3 pommes de terre moyennes

MÉTHODE

Faire suer les oignons dans l'huile avec la feuille de laurier.

Quand les oignons sont tendres, ajouter les piments, l'ail, la pâte de tomates, le sucre et la sauce de soja. Faire suer pendant 5 minutes à feu doux.

Ajouter les tomates hachées et le vin blanc. Remuer et amener à ébullition. Laisser mijoter pendant 10 minutes. Goûter et assaisonner. (Cette sauce doit être légèrement sucrée; le goût de tomate ne doit pas dominer.)

Couper les pommes de terre comme pour faire de petites pommes de terre rôties. Graisser un plat allant au four. Bien assaisonner les pommes de terre et les badigeonner de beurre fondu.

Faire rôtir au four à 450 °F / 230 °C, jusqu'à ce que les pommes de terre soient dorées. Verser la sauce et servir.

▲▲ Haricots à œil noir aux oignons   ▲ Patatas Bravas

Haricots à œil noir aux oignons

INGRÉDIENTS *4-6 portions*
1 bonne tasse / 200 g de haricots à
   œil noir
5 tasses / 1,1 l d'eau
2 c. à table / 30 ml d'huile
1 gros oignon finement haché
2 gousses d'ail hachées
0,5 cm de racine de gingembre râpée
1-2 piments verts finement hachés
1/2 c. à thé / 2,5 ml de sel
1 c. à thé / 5 ml de mélasse

MÉTHODE
   Faire tremper les haricots dans l'eau
toute la nuit.
   Bouillir les haricots dans l'eau, puis
couvrir et mijoter pendant 1 heure,
jusqu'à ce qu'ils soient tendres. Égoutter.
   Chauffer l'huile dans une casserole, et
frire l'oignon, l'ail, le gingembre et les
piments jusqu'à ce que l'oignon soit tendre. Ajouter les haricots, le sel et la
mélasse et cuire jusqu'à ce que l'humidité
soit absorbée, soit environ 15 minutes.
Servir avec des Baktoras (page 155).

Trois poivrons aux tomates et à l'ail

INGRÉDIENTS *6 portions*
3/4 tasse / 175 ml d'huile d'olive
2 poivrons jaunes épépinés et
   coupés en fines lanières
2 poivrons rouges épépinés et
   coupés en fines lanières
2 poivrons verts épépinés et coupés
   en fines lanières
1 c. à table / 15 ml de persil haché
2 c. à thé / 10 ml d'ail finement
   haché
225 g de tomates fraîches ou en
   conserve
sel et poivre noir fraîchement moulu

MÉTHODE
   Faire chauffer l'huile dans une grande
poêle à frire, et faire cuire les poivrons
doucement pendant 2-3 minutes, en
remuant fréquemment. Ajouter le persil
et l'ail, et cuire pendant encore quelques
minutes.
   Ajouter les tomates hachées et leur jus
dans la casserole. Remuer et assaisonner.
   Couvrir et laisser mijoter doucement
pendant environ 20 minutes, jusqu'à ce
que les poivrons soient tendres.
   La sauce devrait être assez épaisse — si
nécessaire retirer les poivrons et faire
bouillir rapidement pour que le liquide
réduise. Assaisonner.

◀ Riz frit aux œufs
▶ Riz bouilli parfait

Riz frit aux œufs

INGRÉDIENTS *6-8 portions*
3 œufs
2 ciboules (échalotes) finement
   hachées
1 c. à thé / 5 ml de sel
4 c. à table / 60 ml d'huile
2/3 tasse / 100 g de pois verts
4 tasses / 600 g de riz cuit
1 c. à table / 15 ml de sauce de soja
   légère (facultatif)

MÉTHODE

Battre légèrement les œufs avec environ la moitié des ciboules hachées et une pincée de sel.

Faire chauffer environ la moitié de l'huile dans un wok chaud ou une poêle à frire, verser les œufs battus et les brouiller légèrement jusqu'à ce qu'ils prennent. Retirer.

Faire chauffer le reste de l'huile, ajouter le reste des ciboules suivies des pois verts et faire sauter pendant environ 30 secondes. Ajouter le riz cuit, et remuer de manière à bien séparer les grains. Ajouter le sel et la sauce de soja avec les œufs, et remuer de façon à bien défaire les œufs en petits morceaux. Servir dès que tous les ingrédients sont bien mélangés.

Riz bouilli parfait

INGRÉDIENTS *4 portions*
1 1/4 tasse / 275 g de riz à grain
   long
2 1/2 tasses / 600 ml d'eau

MÉTHODE

Laver et rincer le riz à l'eau froide jusqu'à ce qu'il soit propre.

Amener l'eau à ébullition dans une casserole à feu élevé. Ajouter le riz lavé et amener de nouveau au point d'ébullition. Remuer le riz à l'aide d'une cuillère pour l'empêcher de coller au fond de la casserole, puis couvrir hermétiquement et réduire à feu très doux. Cuire lentement pendant 15-20 minutes.

NOTE

Il est préférable de ne pas servir le riz immédiatement. Remuer celui-ci avec une cuillère ou une fourchette, et laisser couvert dans la casserole pendant 10 minutes environ avant de le servir.

122

Chow mein — nouilles frites

INGRÉDIENTS *4 portions*

25 g de fromage de soja séché en bâtonnets

2/3 tasse / 25 g de boutons de lys tigré séchés

50 g de pousses de bambou

100 g d'épinards ou autre légume vert

225 g de nouilles aux œufs séchées

2 ciboules (échalotes) hachées

3-4 c. à table / 45-60 ml d'huile

1 c. à thé / 5 ml de sel

2 c. à table / 30 ml de sauce de soja légère

2 c. à thé / 10 ml d'huile de sésame

MÉTHODE

Faire tremper les légumes séchés toute la nuit dans l'eau froide, ou au moins une heure dans l'eau chaude. Quand ils sont ramollis, couper le tofu et le lys tigré en lamelles.

Couper les pousses de bambou et les épinards en lanières.

Faire cuire les nouilles dans une casserole d'eau bouillante selon les instructions sur l'emballage. La cuisson devrait prendre environ 5 minutes, selon l'épaisseur des nouilles. Les nouilles fraîches prennent la moitié moins de temps à cuire.

Chauffer environ la moitié de l'huile dans un wok chaud ou une poêle à frire. En attendant que l'huile fume, égoutter les nouilles dans une passoire, puis les verser avec la moitié des ciboules et de la sauce de soja dans le wok et les faire sauter. Ne pas les faire cuire trop longtemps, car les nouilles deviendraient pâteuses. Les retirer et les mettre dans un plat de service.

Ajouter le reste de l'huile dans le wok. Quand l'huile est chaude, ajouter le reste des ciboules et remuer à quelques reprises. Puis ajouter tous les légumes et continuer de remuer. Après 30 secondes environ, ajouter le sel et le reste de la sauce de soja, avec un peu d'eau si nécessaire. Dès que la sauce commence à bouillir, ajouter l'huile de sésame et bien mélanger. Verser le mélange sur les nouilles frites.

NOTE

Vous pouvez bien sûr remplacer quelques-uns des ingrédients de la garniture. Par exemple, plutôt que du tofu, vous pouvez utiliser des champignons chinois séchés ou des champignons frais. Et pourquoi ne pas remplacer les boutons de lys tigré séchés par des germes de soja frais ou du céleri? Ce qui compte, c'est le contraste des couleurs et des textures.

Riz frit végétarien spécial

INGRÉDIENTS *4 portions*

4-6 champignons chinois séchés

1 poivron vert, cœur et pépins enlevés

1 poivron rouge évidé

100 g de pousses de bambou

2 œufs

2 ciboules (échalotes) finement hachées

2 c. à thé / 10 ml de sel

4-5 c. à table / 60-75 ml d'huile

6 tasses / 900 g de riz cuit

1 c. à table / 15 ml de sauce de soja légère (facultatif)

▲ Riz frit végétarien spécial

MÉTHODE

Faire tremper les champignons séchés dans l'eau chaude pendant 25-30 minutes, en exprimer l'eau et jeter les tiges dures. Couper les champignons en petits cubes.

Couper les poivrons vert et rouge et les pousses de bambou en petits cubes.

Battre légèrement les œufs avec environ la moitié des ciboules et une pincée de sel.

Chauffer environ 2 c. à table / 30 ml d'huile dans un wok chaud, ajouter les œufs battus et les brouiller jusqu'à ce qu'ils soient pris. Retirer.

Chauffer le reste de l'huile, puis ajouter le reste des ciboules suivies de tous les légumes et faire sauter jusqu'à ce que chaque morceau soit enrobé d'huile. Ajouter le riz cuit et le sel, et remuer de manière à séparer chaque grain de riz. Finalement, ajouter la sauce de soja, bien mélanger, et servir.

▼ Riz pilaf à la noix de coco

Riz pilaf à la noix de coco

INGRÉDIENTS *4-6 portions*
1 1/2 tasse / 325 g de riz basmati,
  rincé et égoutté
2 c. à table / 10 ml de noix de coco
  en fibres
2-3 piments verts
1 c. à thé / 5 ml de sel
1/2 c. à thé de sucre
2 c. à table / 30 ml de raisins
1 c. à table / 15 ml de pistaches
  pelées et émincées
2 feuilles de laurier
5 cm de bâtonnet de cannelle
4 cardamomes
3 c. à table / 45 ml de Ghee
  (voir page 126)
2 1/2 tasses / 600 ml de lait
1 1/4 tasse / 275 ml d'eau

MÉTHODE
  Mélanger le riz avec tous les ingrédients secs.
  Chauffer le Ghee dans une grande
casserole à feu moyen. Ajouter le
mélange de riz et le faire sauter pendant
5 minutes, en remuant constamment.
  Ajouter le lait et l'eau. Amener à ébullition à feu élevé. Remuer.
  Baisser le feu à la plus faible intensité,
couvrir et cuire environ 20 minutes,
jusqu'à ce que le liquide soit imbibé.
Défaire le riz à la cuillère et servir chaud.

Riz frit

INGRÉDIENT *4 portions*
3 c. à table / 45 ml de Ghee (voir
  page 126)
2 feuilles de laurier
5 cm de bâtonnet de cannelle
4 cardamomes
3 gros oignons finement hachés
3 piments verts coupés dans le sens
  de la longueur
1 1/2 tasse / 350 g de riz basmati,
  cuit et refroidi
1 c. à thé / 5 ml de sel
2 c. à table / 30 ml de raisins
  (facultatif)

MÉTHODE
  Faire chauffer le Ghee dans une grande
poêle à frire à feu moyen-élevé. Ajouter
les feuilles de laurier et les épices; les
laisser grésiller un peu.
  Ajouter les oignons et les piments et
les faire frire jusqu'à ce que les oignons
prennent une couleur brun doré. Ajouter
le riz, le sel, le sucre et les raisins et continuer de faire frire jusqu'à ce que le riz
soit bien réchauffé.

LES SAUCES
ET LES VINAIGRETTES

*D'une valeur inestimable, les sauces et les vinaigrettes
permettent de transformer des mets simples, comme des
légumes ou des salades, en des plats forts recherchés. En outre,
puisqu'elles accompagnent souvent des légumes crus ou encore
croquants, elles font gagner du temps au cuisinier
et des vitamines à ses convives!*

Vinaigrette au fromage bleu

125

Yogourt

INGRÉDIENTS *5 tasses / 1,1 litre*
5 tasses / 1,1 l de lait
2 c. à table / 30 ml de yogourt commercial naturel à la température de la pièce

MÉTHODE

Chauffer le lait sans le faire bouillir. Juste avant qu'il atteigne le point d'ébullition, retirer la casserole du feu et laisser tiédir. Vérifier en faisant couler quelques gouttes sur le poignet.

Mettre le yogourt dans le contenant choisi et incorporer un peu de lait jusqu'à l'obtention d'un mélange homogène. Incorporer le reste du lait.

Couvrir et placer le contenant dans l'étuve pendant 4 heures. Quand la consistance désirée est obtenue, réfrigérer pour que le yogourt prenne avant de l'utiliser.

NOTE

On peut faire du yogourt dans n'importe quel contenant stérilisé muni d'un couvercle hermétique et dans n'importe quel type d'étuve, par exemple dans un four avec la veilleuse allumée ou dans une boîte de styromousse. Toutefois, puisque le secret de la réussite est de maintenir une température tiède constante, il est préférable d'utiliser une yaourtière. Ne pas placer la préparation de yogourt près d'une source de chaleur contrôlée par un thermostat. Utiliser 2 c. à table / 30 ml de yogourt fait maison pour chaque nouvelle préparation. Le coût de préparation du yogourt à la maison est minime et la méthode est simple.

Ghee — Beurre clarifié

INGRÉDIENTS *2 tasses / 450 ml*
450 g de beurre non salé

MÉTHODE

Chauffer le beurre dans une casserole à feu doux. Laisser mijoter pendant 15-20 minutes, jusqu'à ce que le résidu blanc devienne doré et se dépose au fond.

Retirer du feu, passer et laisser refroidir.

Verser dans une bouteille hermétique et ranger dans un endroit frais.

Garam Masala maison

INGRÉDIENTS *pour environ 1/3 tasse / 4 c. à table*
3 c. à table / 45 ml de graines de cardamome
7,5 cm de bâtonnets de cannelle
1/2 c. à table / 7,5 ml de graines de cumin
1/2 c. à thé / 2,5 ml de grains de poivre noir
1/2 c. à thé / 2,5 ml de clous de girofle
1/4 de muscade

MÉTHODE

Moudre toutes les épices ensemble très finement et mettre dans un flacon. Réserver jusqu'au moment d'utiliser. (Les proportions des ingrédients peuvent être modifiées pour correspondre aux goûts de chacun.)

Sauce béchamel

INGRÉDIENTS *3 3/4 tasses / 900 ml*
2 1/2 tasses / 600 ml de lait
1 petit oignon pelé
1 petite carotte pelée et tranchée
1 feuille de laurier
6 grains de poivre noir légèrement broyés
1 brin de macis
1 bouquet de persil
3 c. à table / 40 g de beurre
6 c. à table / 40 g de farine
sel et poivre blanc

MÉTHODE

Verser le lait dans une casserole. Ajouter l'oignon coupé en quartiers avec 2 tranches de carottes, la feuille de laurier, les grains de poivre, le macis et le persil.

Couvrir et réchauffer à feu doux, sans faire bouillir, pendant 10 minutes. Retirer du feu et laisser infuser, couvert, pendant 10 minutes de plus.

Préparer un roux (un mélange de beurre et de farine) en faisant fondre le beurre dans une casserole. Ne pas le faire brunir. Ajouter la farine et bien remuer à feu moyen.

Ajouter graduellement le lait passé. Remuer vivement ou fouetter jusqu'à l'obtention d'une sauce crémeuse; assaisonner au goût.

Sauce au raifort froide

INGRÉDIENTS *3/4 tasse / 175 ml*
2 c. à table / 30 ml de crème de raifort préparée
2/3 tasse / 150 ml de crème sure

MÉTHODE

Incorporer la crème de raifort à la crème sure. Si possible, réfrigérer pendant une heure avant d'utiliser.

Cette sauce accompagne à merveille des plats de pommes de terre et de betteraves.

▲ Garam Masala maison

Sauce au concombre et à l'aneth

INGRÉDIENTS *environ 2 1/2 tasses / 600 ml*
1 concombre moyen pelé
2 c. à table / 25 g de beurre
2/3 tasse / 150 ml de bouillon de légumes
2/3 tasse / 150 ml de vin blanc sec
2 c. à table / 30 ml d'aneth frais haché ou 1 c. à table / 15 ml d'aneth séché
4 c. à thé / 20 ml de fécule de maïs
2 c. à table / 30 ml d'eau
1/2 tasse / 120 ml de crème sure ou de yogourt
sel et poivre

MÉTHODE

Râper grossièrement les concombres et les mettre dans une casserole. Ajouter le beurre et cuire à feu doux jusqu'à ce qu'ils soient ramollis. Ajouter le bouillon, le vin et l'aneth. Laisser mijoter 5 minutes. Mélanger la fécule de maïs et l'eau. Verser dans la casserole et cuire doucement, en remuant constamment, jusqu'à ce que la sauce commence à épaissir. Ajouter la crème sure ou le yogourt et réchauffer. Assaisonner.

Servir chaud ou froid avec des œufs pochés, des pommes de terre bouillies, du riz ou des pâtes.

Sauce Marinara

INGRÉDIENTS *environ 5 tasses / 1,1 l*
4 c. à table / 60 ml d'huile d'olive
2 gousses d'ail broyées
4 1/2 tasses / 1,5 kg de grosses tomates mûres, pelées et hachées
sel et poivre noir fraîchement moulu
6 feuilles de basilic

MÉTHODE

Chauffer l'huile dans une casserole, ajouter l'ail et remuer pendant 1 minute. Ajouter les tomates grossièrement hachées et l'assaisonnement; laisser mijoter pendant 6 minutes.

Hacher les feuilles de basilic et ajouter aux tomates; remuer encore une minute. Servir sur des pâtes fraîchement cuites. Cette sauce, délicieuse et facile à préparer, sert à accompagner les pâtes. Le secret? Faire simplement réchauffer les tomates, plutôt que de les faire cuire jusqu'à ce qu'elles se transforment en purée.

Sauce tomate piquante

INGRÉDIENTS *environ 1 3/4 tasse / 400 ml*

1 c. à table / 15 ml d'huile
1 oignon finement haché
2-3 gousses d'ail finement hachées
1 3/4 tasse / 425 g de tomates en conserve, écrasées, avec le jus
2 c. à table / 30 ml de purée de tomates
1 c. à thé / 5 ml de cumin moulu
1 c. à thé / 5 ml de coriandre moulue
1/2 c. à thé / 2,5 ml de poudre de chili
sel

MÉTHODE

Chauffer l'huile dans une casserole et faire sauter l'oignon et l'ail jusqu'à ce qu'ils soient tendres.

Ajouter le reste des ingrédients, laisser mijoter jusqu'à ce que la sauce épaississe et vérifier l'assaisonnement. Servir avec un couscous aux légumes (page 95).

▲ Sauce au concombre et à l'aneth

Vinaigrette crémeuse à la moutarde

INGRÉDIENTS *2/3 tasse / 150 ml*
3 c. à table / 45 ml d'huile d'olive
2 c. à table / 30 ml de crème à
  fouetter
2 c. à table / 30 ml de vinaigre de
  vin rouge
1 c. à table / 15 ml de moutarde de
  Dijon
1/2 c. à thé / 2,5 ml de thym séché
1 1/2 c. à thé / 7,5 ml de sauce de
  soja
sel et poivre noir fraîchement moulu

MÉTHODE

Mettre l'huile d'olive, la crème, le
vinaigre et la moutarde dans un petit
bol. Mélanger à la fourchette ou au fouet
jusqu'à ce que le mélange commence à
mousser. Incorporer le thym, la sauce de
soja, le sel et le poivre.

Vinaigrette moderne

INGRÉDIENTS *1 tasse / 250 ml*
2 c. à table / 30 ml de vinaigre de
  vin
1 c. à table / 15 ml de jus de citron
1 c. à thé / 5 ml de moutarde préparée
sel et poivre noir fraîchement moulu
3/4 tasse / 175 g d'huile d'olive
  pure
3 c. à thé / 15 ml d'herbes fraîches
  mélangées (facultatif)

MÉTHODE

Mettre le vinaigre, le jus de citron, la
moutarde, le sel et le poivre dans un
bocal muni d'un couvercle hermétique.
Fermer le bocal et brasser jusqu'à ce
que le sel se dissolve. Ajouter l'huile d'o-
live et brasser jusqu'à l'obtention d'un
mélange uniforme. Ajouter du basilic, de
l'origan ou des herbes mélangées hachés.

Vinaigrette au tofu

INGRÉDIENTS *2 tasses / 475 ml*
1 2/3 tasse / 300 g de tofu à
  texture fine
2 c. à table / 30 ml de jus de citron
3 c. à table / 45 ml d'huile
1 pincée de sel
1 c. à thé / 5 ml de sauce de soja
1 gousse d'ail broyée

MÉTHODE

Mettre tous les ingrédients ensemble
dans un mélangeur et servir.

Mayonnaise

INGRÉDIENTS *1 3/4 tasse / 400 ml*
2 jaunes d'œufs
1/2 c. à thé / 2,5 ml de sel
1 c. à thé / 5 ml de moutarde de
  Dijon
1 1/4 tasse / 400 ml d'huile d'olive
2 c. à thé / 10 ml de vinaigre de
  cidre

MÉTHODE

S'assurer que tous les ingrédients
soient à la température de la pièce.
Mettre les jaunes d'œufs dans un bol
avec le sel et la moutarde; remuer
vigoureusement avec un fouet.
En battant constamment et uniformément, ajouter peu à peu l'huile d'olive en
un mince filet. Utiliser, si possible, une
bouteille munie d'un bouchon à entaille
de sorte que très peu d'huile s'en
échappe à la fois. Le but est de séparer
l'huile en petites gouttes afin qu'elle
puisse être absorbée par les jaunes
d'œufs. Quand toute l'huile a été
ajoutée, vous devriez avoir une émulsion
lustrée qui collera au fouet.
Incorporer graduellement le vinaigre
de cidre. Pour obtenir une mayonnaise
plus claire, incorporer 1 c. à table / 15
ml d'eau chaude.

Mayonnaise maltaise

INGRÉDIENTS *1 3/4 tasse / 400 ml*
1 3/4 tasse / 400 ml de Mayonnaise
  (voir ci-dessus)
écorce râpée et jus de 2 oranges

MÉTHODE

Combiner les ingrédients et servir avec
des légumes cuits, tels que des asperges
et des artichauts. Peut également servir
de vinaigrette à salade.

Vinaigrette au fromage bleu

INGRÉDIENTS *1 3/4 tasse / 400 ml*
1 tasse / 250 ml de yogourt
1/2 tasse / 50 g de fromage bleu
3 c. à table / 45 ml d'huile d'olive
sel et poivre noir fraîchement moulu

MÉTHODE

Mélanger soigneusement ensemble
tous les ingrédients.

Vinaigrette au yogourt et aux tomates

INGRÉDIENTS *3/4 tasse / 175 ml*
2/3 tasse / 150 ml de yogourt
4 c. à thé / 20 ml de ketchup aux
  tomates
quelques gouttes de jus de citron
un peu de sauce tabasco
sel et poivre noir fraîchement moulu

MÉTHODE

Bien mélanger ensemble tous les ingrédients. Servir sur de la laitue croquante.

VARIANTE

Ajouter des poivrons rouges ou verts,
des œufs durs ou des ciboules (échalotes)
ayant été préalablement hachés finement.

Vinaigrette française crémeuse

INGRÉDIENTS *1 3/4 tasse / 400 ml*
1 œuf
1/2 tasse / 120 ml d'huile
2 c. à table / 30 ml de jus de citron
1 gousse d'ail hachée
herbes fraîches
sel et poivre noir fraîchement moulu
1 tasse / 250 ml de yogourt

MÉTHODE

Mettre ensemble dans un mélangeur
l'œuf, le jus de citron, l'ail, les herbes, le
sel et le poivre. Ajouter lentement le
yogourt en laissant le moteur tourner.
Réfrigérer jusqu'au moment de servir; la
vinaigrette devrait épaissir après quelque
temps.

VARIANTE

Si vous souhaitez que cette délicieuse
vinaigrette soit plus épaisse, pour faire
des décorations à la douille par exemple,
vous n'avez qu'à ajouter de la gélatine et
laisser prendre. Vous pouvez utiliser de la
ciboulette, du fenouil, du persil, de l'estragon ou tout autre mélange d'herbes
que vous avez sous la main.

NOTE

Pour obtenir une vinaigrette moins
riche, omettre l'œuf.

▲▶ Vinaigrette moderne
▶ Vinaigrette au fromage bleu

Vinaigrette à la tomate

INGRÉDIENTS *3/4 tasse / 175 ml*
4 c. à table / 60 ml de purée de
  tomates
3 c. à table / 45 ml d'huile d'olive
4 c. à table / 60 ml de jus de citron
2 gousses d'ail hachées
1 petit oignon finement haché
1 c. à table / 15 ml de miel
1 pincée de sel

MÉTHODE
  Mélanger vigoureusement ensemble
tous les ingrédients.

Vinaigrette au fromage et aux herbes

INGRÉDIENTS *2 tasses / 475 ml*
1 1/3 tasse / 225 g de fromage
  blanc ou de Quark
3/4 tasse / 200 ml de crème sure
2 ciboules (échalotes) finement
  hachées
1 c. à table / 15 ml de persil haché
1 c. à table / 15 ml d'aneth haché
1 c. à table / 15 ml de sucre
1 c. à table / 15 ml d'oignon haché

MÉTHODE
  Combiner tous les ingrédients; bien
mélanger pour incorporer le fromage et
la crème sure.
  Servir sur des légumes cuits ou comme
vinaigrette à salade.

VARIANTE
  Utiliser de la ricotta à la place du fromage blanc, au goût.

◀ Vinaigrette à la tomate

130

Mayonnaise verte

INGRÉDIENTS *1 1/2 tasse / 375 ml*
3 c. à table / 45 ml d'épinards frais
  hachés
3 c. à table / 45 ml de cresson
  haché
3 c. à table / 45 ml de ciboules
  (échalotes) hachées
3 c. à table / 45 ml de persil haché
1 tasse / 250 ml de mayonnaise
1/2 c. à thé / 2,5 g de muscade
  râpée
sel au goût

MÉTHODE
  Mettre les épinards, le cresson, les
ciboules et le persil dans une petite casserole. Couvrir d'eau.
  Amener à ébullition. Retirer la casserole du feu. Laisser reposer une minute.
  Bien égoutter les légumes verts. Les
passer au tamis ou les réduire en purée
dans un mélangeur. Enlever l'excès de
liquide.
  Mettre la mayonnaise dans un
mélangeur ou un bol de grosseur
moyenne. Ajouter la purée, la muscade
et le sel au goût. Remuer jusqu'à l'obtention d'un mélange uniforme.

Vinaigrette à l'orientale

INGRÉDIENTS *1 tasse / 250 ml*
2 c. à thé / 10 ml de sauce de soja
2 c. à thé / 10 ml d'eau
1 ciboule (échalote) entière hachée
1/2 c. à thé / 2,5 ml d'huile de
  sésame
1/4 c. à thé / 1,5 ml d'huile de
  piment fort
1 gousse d'ail finement hachée
1/4 c. à thé / 1,5 ml de poivre noir
  moulu
3/4 tasse / 175 ml d'huile
  d'arachide
2 1/2 c. à table / 38 ml de vinaigre
  de vin de riz

MÉTHODE
  Mettre la sauce de soja, l'eau, la
ciboule, l'huile de sésame, l'huile de
piment fort, l'ail et le poivre noir dans
un bocal muni d'un couvercle hermétique. Fermer et brasser jusqu'à ce que
les ingrédients soient bien mélangés.
  Verser l'huile d'arachide dans le bocal,
fermer et brasser encore. Laisser reposer
pendant 2 minutes.
  Ajouter le vinaigre. Fermer hermétiquement et brasser à nouveau. Verser
sur la salade immédiatement.

Vinaigrette au citron

INGRÉDIENTS *3/4 tasse / 175 ml*
1 c. à thé / 5 ml d'eau
1 grosse pincée de sel
1 grosse pincée de zeste de citron
  râpé
2 c. à thé / 10 ml de menthe séchée
4 c. à table / 60 ml de jus de citron
  frais
1/2 tasse / 120 ml d'huile d'olive
  pure
1 grosse pincée de poivre noir
  moulu

MÉTHODE
  Mettre l'eau, le sel et le zeste de citron
dans un bocal muni d'un couvercle her-
métique. Laisser reposer pendant 2 mi-
nutes.
  Ajouter la menthe et le jus de citron.
Fermer et brasser.
  Ajouter l'huile d'olive et le poivre noir.
Fermer le bocal hermétiquement, brasser
de nouveau et servir.

Mayonnaise au yogourt

INGRÉDIENTS *1 tasse / 250 ml*
1/2 tasse / 20 ml de yogourt nature
1 c. à table / 15 ml de miel
1 c. à thé / 5 ml de jus de citron
4 1/2 c. à table / 90 ml de mayonnaise
1/4 c. à thé / 1,5 ml de sel
1 c. à thé / 5 ml de graines de pavot

MÉTHODE
  Combiner le yogourt, le miel et le jus
de citron dans un bol. Remuer avec une
cuillère de bois jusqu'à l'obtention d'un
mélange uniforme. Ajouter la mayonnaise, le sel et les graines de pavot.
Mélanger uniformément. Réfrigérer pendant une heure et servir.

Vinaigrette au basilic

INGRÉDIENTS *1 tasse / 250 ml*
1 tasse / 250 ml de yogourt
10 feuilles de basilic finement
  hachées
1 grosse gousse d'ail broyée
sel et poivre noir fraîchement moulu

MÉTHODE
  Bien mélanger tous les ingrédients.
Servir sur une salade verte, une salade
mixte ou une salade de tomates et
d'oignons.

NOTE
Cette sauce est également délicieuse avec
les pâtes. Dans ce cas, doubler la quantité.

Vinaigrette aux herbes

INGRÉDIENTS *1 1/2 tasse / 375 ml*
1/2 tasse / 75 g de fromage à la
  crème
1 tasse / 250 ml de yogourt ou de
  babeurre
sel et poivre noir fraîchement moulu
herbes fraîches finement hachées

MÉTHODE
  Bien mélanger ensemble tous les ingrédients. Réfrigérer jusqu'au moment de
servir. Utiliser sur des salades ou du poisson.

Vinaigrette au tahini

INGRÉDIENTS *1 3/4 tasse / 400 ml*
1 tasse / 250 ml de tahini
4 c. à table / 60 ml d'eau
4 c. à table / 60 ml de jus de citron
3 gousses d'ail broyées
1 pincée de sel

MÉTHODE
  Mélanger ensemble tous les ingrédients.

Vinaigrette Mille-Îles

INGRÉDIENTS *1 1/3 tasse / 325 ml*
1 tasse / 250 ml de mayonnaise
4 c. à table / 60 ml de tabasco ou
  de sauce chili
2 c. à table / 30 ml d'olives vertes
  farcies au poivron rouge, hachées
1 œuf dur, haché
1 c. à table / 15 ml de crème à
  fouetter
1/2 c. à thé / 2,5 ml de jus de citron
  frais
1 1/2 c. à thé / 7,5 ml de ciboule
  (échalote) finement hachée
2 c. à table / 30 ml de poivron vert
  finement haché
2 c. à table / 30 ml de persil frais
  finement haché
1/4 c. à thé / 1,5 ml de paprika
1 grosse pincée de poivre noir
  fraîchement moulu

MÉTHODE
Mettre la mayonnaise et la sauce chili
dans un bol de grosseur moyenne.
Remuer à l'aide d'une cuillère de bois
jusqu'à l'obtention d'un mélange uniforme.
Ajouter les olives, l'œuf, la crème et le
jus de citron. Continuer de remuer.
Ajouter le reste des ingrédients. Bien
mélanger. Réfrigérer pendant au moins 1
heure avant de servir. La vinaigrette
accompagne très bien la salade verte.

Vinaigrette au chutney

INGRÉDIENTS *1 1/2 tasse / 350 ml*
1/2 tasse / 120 ml de crème sure
1/2 tasse / 120 ml de babeurre
2 c. à table / 30 ml de chutney à la
  mangue
1 c. à table / 15 ml de jus de citron
2 c. à thé / 10 ml d'huile
2 c. à thé / 10 ml de moutarde

MÉTHODE
Bien mélanger tous les ingrédients.
Réfrigérer jusqu'au moment de servir.
Peut accompagner une salade ou des
légumes froids. Cette vinaigrette est
également délicieuse avec des œufs durs.

Sirop à salade de fruits

INGRÉDIENTS *1 1/4 tasse / 300 ml*
1 c. à table / 15 ml de farine
2/3 tasse / 150 ml d'eau
1/2 c. à thé / 2,5 ml d'essence de
  vanille pure
1 œuf
5 c. à table / 75 ml de sucre
2 c. à thé / 10 ml de beurre
1 grosse pincée de muscade moulue
3 c. à table / 45 ml de crème à
  fouetter

MÉTHODE
Mettre la farine et 2 c. à table / 30 ml
d'eau dans une casserole. Remuer de
manière à former une pâte légère.
Ajouter la vanille et l'œuf. Battre jusqu'à
l'obtention d'un mélange onctueux.
Mettre le sucre, le reste de l'eau et le
beurre dans une autre casserole. Amener
à ébullition à feu doux.
Ajouter le sirop bouillant au mélange
contenant la vanille et l'œuf. Bien
mélanger. Cuire à feu doux, en remuant
constamment, jusqu'à l'obtention d'une
sauce épaisse et onctueuse.
Retirer la casserole du feu. Laisser
refroidir.
Incorporer la muscade et la crème.
Battre jusqu'à ce que le mélange soit uniforme et verser sur la salade de fruits.

Salsa Verde

INGRÉDIENTS *1 1/2 tasse / 375 ml*
3 gousses d'ail finement hachées
1 tasse / 100 g de persil finement
  haché
1 c. à table / 15 g de feuilles de
  cresson finement hachées (facultatif)
1 c. à table / 15 g d'herbes fraîches
  mélangées hachées (basilic, marjolaine, un peu de thym, de sauge,
  de cerfeuil et d'aneth)
gros sel
4 c. à table / 60 ml d'huile d'olive
jus de 1-2 citrons
1-2 c. à thé / 5-10 g de sucre
poivre noir

MÉTHODE
Placer dans un mélangeur ou écraser
dans un mortier l'ail, le persil, le cresson,
les herbes fraîches mélangées et un peu
de gros sel, jusqu'à ce que le tout forme
une pâte légère.
Ajouter l'huile, une cuillerée à la fois,
et bien mélanger. Ajouter le jus de citron
et assaisonner de sucre, de sel et de
poivre au goût. Cette sauce est excellente
avec les œufs durs ou les beignets.

▲ Vinaigrette Mille-Îles

132

Les boissons, les marinades et les chutneys

Les jus de fruits frais connaissent actuellement une popularité grandissante en raison, notamment, de l'importance accordée à la saine alimentation et à la consommation d'alcool modérée. Quant aux marinades et aux chutneys, un inestimable héritage des temps anciens, ils sont toujours aussi appréciés. Les recettes internationales proposées dans les prochaines pages devraient donc avoir l'heur de plaire à tous vos invités!

Boisson au yogourt et à l'orange

Concombre à la menthe et aux piments

INGRÉDIENTS *1 1/3 tasse / 325 ml*
1 concombre râpé, saupoudré de sel et placé dans une passoire pour enlever l'excès d'humidité
1 grosse tomate pelée (placer la tomate dans l'eau bouillante pendant 10 secondes, puis la plonger dans l'eau froide pour enlever la peau)
1/2 c. à thé / 2,5 ml d'ail haché
1 botte de menthe haché
2/3 tasse / 150 ml de yogourt nature
2/3 tasse / 150 ml de crème sure
1 c. à thé / 5 ml de cumin
2 piments rouges, épépinés et hachés
sel et poivre noir fraîchement moulu

MÉTHODE
Enlever l'excès d'humidité des concombres et bien égoutter; les presser pour en faire sortir l'eau.

Couper les tomates en petits cubes; jeter les pépins.

Mélanger tous les ingrédients dans un bol, bien assaisonner et réfrigérer.

▲▲ Concombre à la menthe et aux piments
▲ Chutney à la menthe
▲▶ Chutney à la coriandre

Chutney à la menthe

INGRÉDIENTS *1 tasse / 250 ml*
1/4 tasse / 125 ml de jus de tamarin
1/2 tasse / 50 g de feuilles de menthe lavées
2 c. à table / 30 ml d'oignons hachés
2 gousses d'ail
2 cm de racine de gingembre
2-3 piments verts
1/2 c. à thé / 2,5 ml de sel
1/2 c. à thé / 2,5 ml de sucre

MÉTHODE
Préparer le jus de tamarin en faisant tremper 1 tamarin séché dans l'eau bouillante pendant 10 minutes.

Mélanger ensemble tous les ingrédients de manière à obtenir une pâte légère. Servir avec des aliments frits. (Le chutney à la menthe se conserve pendant une semaine au réfrigérateur dans un contenant hermétique.)

Chutney à la coriandre

INGRÉDIENTS *1 1/4 tasse / 300 ml*
3/4 tasse / 75 g de feuilles de coriandre
4 gousses d'ail
3 c. à table / 45 ml de noix de coco rapée
2 piments verts
2-3 c. à table / 30-45 ml de jus de citron
1/2 c. à thé / 2,5 ml de sel
1/4 c. à thé / 1,5 ml de sucre

MÉTHODE
Hacher les feuilles de coriandre et jeter les racines et les tiges inférieures.

Mettre la coriandre dans un mélangeur avec tous les autres ingrédients, et mélanger jusqu'à l'obtention d'une pâte légère. Servir avec des aliments frits. (Le chutney à la coriandre se conserve pendant une semaine au réfrigérateur dans un contenant hermétique.)

Sambal aux tomates fraîches, au concombre et à l'oignon

INGRÉDIENTS *3 tasses / 750 ml*
3/4 tasse / 225 g de tomates
  coupées en morceaux de 0,5 cm
1 tasse / 225 g de concombre,
  coupé en morceaux de 0,5 cm
1/2 tasse / 100 g d'oignons hachés
2-3 piments verts
1/2 c. à thé / 2,5 ml de sel
1/4 c. à thé / 1,5 ml de sucre
3 c. à table / 45 ml de jus de citron
2 c. à table / 30 ml de feuilles de
  coriandre hachées

MÉTHODE
Mélanger tous les ingrédients ensemble dans un petit bol. Couvrir et réfrigérer. Servir avec un repas indien.

Chutney à l'ananas

INGRÉDIENTS *1 tasse / 250 ml*
1 1/2 c. à thé / 7,5 ml d'huile
1/2 c. à thé / 2,5 ml de graines de
  moutarde
1 tasse / 237 g d'ananas en conserve, écrasés et égouttés
1 grosse pincée de sel
1 c. à thé / 5 ml de fécule de maïs
  délayée dans un peu de lait

MÉTHODE
Chauffer l'huile dans une petite casserole à feu moyen. Ajouter les graines de moutarde et les laisser grésiller pendant quelques secondes.

Ajouter l'ananas égoutté et le sel, et cuire, en remuant occasionnellement, pendant environ 10 minutes.

Épaissir avec le mélange de fécule de maïs et de lait, et retirer du feu. Laisser refroidir.

Raita au concombre

INGRÉDIENTS *2 1/2 tasses / 600 ml*
1/2 concombre pelé et haché
1 petit oignon haché
2 tasses / 500 ml de yogourt
jus de 1 citron
sel et poivre noir fraîchement moulu
feuilles de coriandre

MÉTHODE
Mélanger ensemble tous les ingrédients, assaisonner au goût et garnir de feuilles de coriandre. La coriandre peut être remplacée par du persil.

Réfrigérer avant de servir.

▲ ▲ Sambal aux tomates fraîches, au concombre et à l'oignon
▲ Chutney à l'ananas

135

Œufs au thé

INGRÉDIENTS *12 portions*
12 œufs
2 c. à thé / 10 ml de sel
3 c. à table / 45 ml de sauce de soja légère
2 c. à table / 30 ml de sauce de soja foncée
1 c. à thé / 5 ml de poudre de cinq-épices
1 c. à table / 15 ml de feuilles de thé

MÉTHODE

Faire bouillir les œufs dans l'eau pendant 5-10 minutes, puis retirer. Frapper doucement la coquille de chaque œuf avec une cuillère jusqu'à ce qu'elle soit finement craquelée.

Replacer les œufs dans la casserole et les couvrir d'eau fraîche. Ajouter le sel, les sauces de soja, la poudre de cinq-épices et les feuilles de thé (plus le thé est de bonne qualité, plus le résultat sera intéressant). Amener à ébullition et laisser mijoter pendant 30-40 minutes. Laisser les œufs refroidir dans le liquide.

Enlever les coquilles — les œufs seront couverts de magnifiques motifs marbrés.

Ils peuvent être servis seuls ou avec d'autres hors-d'œuvre, entiers ou encore coupés en deux ou en quatre.

Radis marinés

INGRÉDIENTS *4-6 portions*
24 radis
2 c. à thé / 10 ml de sucre
1 c. à thé / 5 ml de sel

MÉTHODE

Choisir d'assez gros radis, si possible de taille à peu près semblable. Couper les tiges et les queues. Laver dans l'eau froide et bien assécher. À l'aide d'un couteau bien aiguisé, faire plusieurs entailles jusqu'aux deux tiers dans les côtés de chaque radis.

Mettre les radis dans un grand bocal. Ajouter le sucre et le sel. Fermer le bocal et bien brasser de sorte que les radis soient bien enrobés du mélange de sucre et de sel. Laisser mariner pendant plusieurs heures ou toute la nuit.

Juste avant de servir, enlever le liquide et étendre chaque radis en éventail. Servir les radis seuls dans une assiette ou comme garniture avec d'autres mets froids.

Légumes chinois marinés

INGRÉDIENTS *utiliser au moins quatre à six des légumes suivants :*
concombre
carotte
radis ou navet
chou-fleur
brocoli
chou vert
chou blanc
céleri
oignon
racine de gingembre fraîche
poireau
ciboule (échalote)
poivron rouge
poivron vert
haricots à filet
ail
18 tasses / 4,5 l d'eau bouillie refroidie
3/4 tasse / 175 g de sel
50 g de piments du Chili
3 c. à thé / 15 g de grains de poivre du Sichuan
1/4 tasse / 60 ml d'eau-de-vie distillée chinoise (ou de rhum blanc, de gin ou de vodka)
100 g de racine de gingembre
1/2 tasse / 100 g de sucre brun

MÉTHODE

Mettre l'eau bouillie refroidie dans un grand contenant propre en terre cuite ou un bocal en verre. Ajouter le sel, les piments, les grains de poivre, l'eau-de-vie, le gingembre et le sucre.

Laver et éplucher les légumes, les peler si nécessaire et bien égoutter. Les mettre dans le bocal et le fermer hermétiquement. S'assurer de son étanchéité. Placer le bocal dans un endroit frais et laisser les légumes mariner pendant au moins cinq jours avant de servir.

Utiliser une paire de baguettes propres ou de pinces de cuisine pour sortir les légumes du bocal. Ne pas laisser de graisse entrer dans le bocal. Vous pouvez remplacer les légumes, en ajoutant un peu de sel à chaque fois. Si une écume blanche apparaît à la surface de l'eau salée, ajouter un peu de sucre et d'eau-de-vie. Plus les légumes marineront longtemps, meilleurs ils seront.

◄ Œufs au thé avec radis marinés
► Légumes marinés

Cocktail aux tomates

INGRÉDIENTS *4 portions*
3-4 tomates moyennes, peau
   enlevée
1 1/4 tasse / 300 ml de yogourt
basilic frais
sel et poivre noir fraîchement moulu
1 pincée de sel
2 cubes de glace

MÉTHODE

Enlever les pépins de tomates (les conserver pour les utiliser dans une soupe) et
placer la chair dans un mélangeur, avec
le reste des ingrédients. Bien mélanger.
Servir immédiatement dans de grands
verres. Garnir de feuilles de basilic addi-
tionnelles.

VARIANTE

Cette recette donne également une
excellente vinaigrette; dans ce cas,
réduire la quantité de moitié.

Boisson au yogourt et à l'orange

INGRÉDIENTS *2 portions*
3/4 tasse / 175 ml de yogourt
1/2 tasse / 120 ml de lait
écorce râpée et jus de 1 orange
zeste de citron râpé
1 c. à thé / 5 ml de miel
1 1/2 c. à thé / 25 g de noisettes
   (facultatif)

MÉTHODE

Bien mélanger ensemble tous les ingrédients au mélangeur. Servir immédiatement ou réfrigérer jusqu'au moment de
servir.

VARIANTE

On peut préparer une boisson au
yogourt et aux agrumes de manière plus
simple en passant au mélangeur la chair
d'une orange ou d'un petit pamplemousse avec 2/3 tasse / 150 ml de
yogourt et du sucre au goût.

Liqueur aux feuilles de hêtre

INGRÉDIENTS *1 bouteille*
jeunes feuilles de hêtre tendres
vodka
sucre à fruit
brandy

MÉTHODE

Cueillir de jeunes feuilles de hêtre à la
fin du printemps ou au début de l'été.
S'assurer qu'elles sont tendres. (Vous
pouvez manger en salade les feuilles que
vous n'utiliserez pas dans cette recette.)

Entasser les feuilles dans un bocal en
les pressant bien. Remplir le bocal de
vodka. Fermer hermétiquement et laisser
reposer pendant deux semaines dans un
endroit sombre.

Vider la vodka, dont la couleur sera
devenue vert pâle.

Pour faire la liqueur, préparer un sirop
avec 1 tasse / 225 g de sucre à fruit et
300 ml d'eau bouillante pour chaque
demi-litre de vodka. Remuer le sucre
dans l'eau jusqu'à dissolution. Une fois
que l'eau est refroidie, ajouter 1 c. à table
/ 15 ml de brandy pour 300 ml d'eau et
de sucre, et mélanger avec la vodka.
Embouteiller et fermer hermétiquement.

Liqueur de prunelle

INGRÉDIENTS *pour 1 bouteille*
prunelles mûres
le meilleur gin hollandais

NOTE
Les prunelles sont les fruits bleu noir des
buissons d'aubépine. On les cueille en
octobre, puis il faut les trier et enlever les
tiges.

MÉTHODE

Remplir la moitié d'une bouteille de
prunelle et la remplir de gin. Fermer hermétiquement la bouteille et la ranger
dans un endroit sombre.

Le gin prendra une magnifique couleur
rosée et une saveur fruitée et piquante en
deux semaines environ. Si vous attendez
plus longtemps, le goût sera plus fort et
davantage fruité; vous pouvez aussi
décanter le gin et remplir la bouteille de
gin frais une deuxième fois. La liqueur
de prunelle est la boisson idéale à servir
lors des fêtes de Noël.

◀ Cocktail aux tomates

LE PAIN ET LES PÂTISSERIES

*Voici une section assez volumineuse qui comprend
des recettes de pains de toutes les couleurs et textures, des
biscuits sucrés et salés, des roulés et des muffins, des pâtisseries à
la levure, des tartes et des gâteaux. Les boulangers et les
pâtissiers amateurs y trouveront donc une véritable mine
d'inspiration et de conseils.*

Tartelettes aux fruits

Pain blanc rapide

INGRÉDIENTS *2 gros pains ou 4 petits*
2 c. à table / 50 g de levure fraîche
ou 4 c. à table / 25 g de levure
sèche et 1/2 c. à thé / 2,5 ml de
sucre
3 3/4 tasses / 750 ml d'eau chaude
50 g de vitamine C
12 tasses / 1,5 kg de farine blanche
2 c. à thé / 10 ml de sel
2 c. à table / 30 ml de sucre
1/4 tasse / 50 g de beurre ou de
margarine

MÉTHODE

Température du four à 450 °F /
230 °C.

Graisser deux gros moules à pain (ou
quatre petits). Mélanger la levure avec
quelques gouttes d'eau. Mettre de côté
pendant 10 minutes, jusqu'à la formation d'écume. Écraser les comprimés de
vitamine C dans un peu d'eau; ajouter au
liquide de la levure.

Mélanger la farine et le sel dans un bol
chaud. Ajouter le sucre et faire pénétrer
la matière grasse. Incorporer le liquide
de levure et le reste de l'eau chaude;
mélanger de manière à former une pâte
molle. Tourner sur une planche enfarinée
et pétrir la pâte jusqu'à ce qu'elle devienne souple, élastique et non collante.
Diviser la pâte en deux, former 2 ou 4
pains et mettre dans les moules. Couvrir
de pellicule protectrice et laisser lever la
pâte jusqu'à ce qu'elle ait doublé de volume, soit environ 1 heure.

Préchauffer le four. Retirer la pellicule
et faire cuire les pains pendant 45 minutes (30-35 minutes pour les petits
pains). Laisser refroidir sur un treillis.

Pain blanc

INGRÉDIENTS *3 gros pains*
1 c. à table / 25 g de levure fraîche
ou 2 c. à table / 15 g de levure
sèche et 1 c. à thé / 5 ml de sucre
3 3/4 tasses / 900 ml d'eau chaude
12 tasses / 1,5 kg de farine blanche
2-3 c. à thé / 10-15 ml de sel
1 c. à thé / 5 ml de sucre
1/4 tasse / 50 g de beurre ou de
margarine

MÉTHODE

Température du four à 450 °F / 230 °C.

Graisser trois gros moules à pain.
Mélanger la levure avec quelques gouttes
d'eau. Mettre de côté pendant 10 minutes, jusqu'à la formation d'écume.

Mélanger la farine et le sel. Ajouter le
sucre et faire pénétrer la matière grasse.
Incorporer le liquide de levure et le reste
de l'eau chaude de manière à former une
pâte molle. Tourner la pâte sur une
planche légèrement enfarinée et la pétrir
jusqu'à ce qu'elle devienne souple, élastique et non collante.

Remettre la pâte dans le bol, la couvrir
de pellicule auto-collante et la laisser
lever jusqu'à ce qu'elle double de volume, soit environ 1 1/4 heure.

Rompre à nouveau la pâte et la diviser
en 3 portions. Pétrir et façonner 3 pains
selon la taille des moules. Couvrir les
moules de pellicule auto-collante. Laisser
lever la pâte jusqu'à ce qu'elle double de
volume, soit environ 45 minutes.

Retirer la pellicule et faire cuire les
pains pendant 45-50 minutes. Laisser
refroidir le pain sur un treillis
métallique.

Petits pains blancs et bruns

MICHE

Façonner la pâte en une grosse boule.
L'aplatir légèrement et la placer sur une
plaque graissée. Faire une entaille en
forme de croix sur le dessus avec un
couteau. Couvrir et laisser lever pendant
environ 45 minutes dans un endroit
chaud. Cuire pendant 30-40 minutes.

PETITS PAINS

(12) Façonner, laisser lever et glacer les
petits pains. Cuire 10-15 minutes.

PETITS PAINS EN TRÈFLES

Diviser chaque boule de pâte de 50 g
en 3 parties égales. Façonner 3 boulettes.
Les placer sur une plaque à pâtisserie
selon la forme d'un trèfle et les presser
légèrement ensemble.

PETITS PAINS TRESSÉS DOUBLES

Diviser les morceaux de 50 g de pâte
en deux. Rouler chaque morceau en une
bande de 20 cm de long. Placer les bandes en forme de croix sur la surface de
travail. Prendre les deux extrémités de la
bande inférieure et les croiser au-dessus
du milieu de la bande supérieure, de
manière qu'elles se trouvent côte à côte.
Répéter avec la bande qui reste et recommencer en alternance jusqu'à ce qu'il n'y
ait plus de pâte. Presser les extrémités
fermement ensemble. Placer sur une
plaque à pâtisserie, glacer et décorer.
Couvrir, laisser lever et faire cuire.

PETITS PAINS TRESSÉS TRIPLES

Couper des morceaux de 50 g de pâte
levée. Diviser et rouler chaque morceau
en trois bandes. Tresser comme ci-dessus.

PETIT PAIN NOUÉ

Rouler des boules de 50 g de pâte en
bandes épaisses de 15 cm. Faire un nœud
simple.

TRESSE

Diviser la pâte en 3 boules égales.
Rouler chaque boule en une bande de
30-35 cm de longueur. Presser ensemble
une extrémité de chacune des trois bandes et tresser. Presser les autres
extrémités ensemble et placer la tresse
sur une plaque graissée. Couvrir, laisser
lever et glacer. Décorer de graines de
pavot si désiré. Cuire pendant 25-30
minutes.

◀ Petits pains

Pain de blé entier

INGRÉDIENTS *un pain*

4 1/2 tasses / 450 g de farine de blé entier

2 c. à table / 30 ml de graines (sésame, carvi ou pavot)

1 1/2 c. à thé / 7,5 ml de sel

1 1/2 tasse / 300 ml d'eau chaude

1 c. à table / 15 g de levure fraîche ou 1 1/2 c. à thé / 7 g de levure sèche

1/2 c. à thé de mélasse

1 c. à table / 15 ml d'huile

1 c. à table / 15 ml d'extrait de malt

1 œuf battu pour glacer

1 c. à thé / 5 ml de graines (sésame, carvi ou pavot) pour couvrir le pain

MÉTHODE

Mélanger la farine, les graines et le sel dans un bol chaud. Verser un peu d'eau chaude dans un petit bol et ajouter la levure. Placer dans un endroit chaud pendant 10 minutes. S'il s'agit de levure sèche, suivre les instructions sur l'emballage.

Ajouter l'huile, l'extrait de malt et la mélasse au reste d'eau dans un pot.

Verser le mélange à la levure dans la farine et mélanger. Ajouter suffisamment de l'autre liquide pour obtenir une pâte molle, mais ne pas laisser celle-ci devenir trop collante. Comme les différentes marques de farine absorbent différentes quantités de liquide, il ne sera peut-être pas nécessaire d'utiliser tout ce liquide; il est donc préférable de l'ajouter petit à petit. Façonner une boule de pâte. Pétrir la pâte pendant 20 minutes, puis mettre dans un sac de plastique graissé pour la faire lever. La placer dans un endroit chaud. Laisser lever pendant 1 heure.

Préchauffer le four à 400 °F / 200 °C. Écraser la pâte du talon de la main pour redistribuer la poudre à lever et la pétrir pendant 1 minute. Mettre dans un moule à pain huilé de 22 x 12 cm. Badigeonner le dessus avec l'œuf battu et saupoudrer du reste des graines. Couvrir le pain d'un linge propre et laisser lever sur le dessus du four.

Cuire pendant 35 minutes. Démouler et donner un petit coup sur le bas du pain avec les ongles. Cela devrait sonner creux. Les côtés du pain devraient reprendre leur forme une fois pressés. Laisser refroidir sur un treillis métallique.

VARIANTE / PAIN AUX NOIX

Pour obtenir un pain très savoureux et plus ferme, ajouter 1/2 tasse / 50 g de noix grossièrement hachées à la farine et utiliser de l'huile de noix plutôt que de l'huile d'olive. Omettre la mélasse. Ce pain aura un goût merveilleux avec des confitures au petit-déjeuner.

VARIANTE / PAIN À LA MARMITE

Pour obtenir un pain d'un goût piquant et salé, omettre la mélasse et remplacer l'extrait de malt par de la Marmite (pâte à tartiner à base d'extrait de levure). Ajouter 1-2 c. à table de graines de carvi à la farine et en saupoudrer également le dessus du pain. Ce pain est excellent avec du cheddar fort ou simplement avec du beurre pour accompagner un bol de soupe au déjeuner.

▲ Pain de blé entier

141

Pain au lait

INGRÉDIENTS *2 pains*

2 c. à table / 15 g de levure fraîche
ou 1 paquet de levure sèche et
1/2 c. à thé de sucre

2 tasses / 450 ml de lait écrémé
chaud ou un mélange de lait
entier et d'eau

6 tasses / 675 g de farine blanche

1 1/2 c. à thé / 7,5 ml de sel

1 1/2 c. à thé / 7,5 ml de sucre

6 c. à table / 75 g de beurre ou de
margarine

œuf battu ou lait pour glacer

MÉTHODE

Température du four à 400 °F / 200 °C.

Graisser 1 gros moule à pain et 1 petit. Mélanger la levure avec le liquide, mais ajouter du sucre s'il s'agit de levure sèche. Placer la levure sèche et le liquide dans un endroit chaud pendant 15 minutes, jusqu'à la formation d'écume.

Mélanger la farine, le sel et le sucre. Faire pénétrer le beurre ou la margarine en frottant. Incorporer le liquide contenant la levure et mélanger de manière à former une pâte molle. Tourner la pâte sur une planche légèrement enfarinée et pétrir jusqu'à ce que la pâte devienne souple et cesse d'être collante. Remettre la pâte dans le bol à mélanger chaud et le couvrir d'un morceau de polythène huilé. Laisser lever la pâte jusqu'à ce qu'elle ait doublé de volume, environ 1 1/2 heure.

Rompre la pâte, la diviser en une grosse boule et une petite, et façonner celles-ci selon les dimensions des moules à pain. Badigeonner les pains avec l'œuf battu ou le lait. Couvrir les moules d'un polythène huilé et laisser lever la pâte jusqu'à ce qu'elle ait doublé de volume, soit environ 1 heure.

Préchauffer le four. Cuire pendant environ 50 minutes et laisser refroidir sur un treillis métallique.

VARIANTE / PAIN AUX OLIVES

Omettre les 7,5 ml de sucre et incorporer 5-6 c. à table / 75-90 ml d'huile d'olive plutôt que de faire pénétrer du beurre ou de la margarine. Ajouter à la pâte 1 1/2 tasse / 225 g d'olives noires dénoyautées et tranchées, avec le liquide. Les pains aux olives peuvent être façonnés en double ou triple cercle et cuits sur des plaques à pâtisserie plutôt que dans des moules à pain.

Pain aux pommes de terre

INGRÉDIENTS *trois pains*

1 grosse pomme de terre crue

2 tasses / 450 ml de lait

2 c. à table / 30 ml de levure fraîche
ou 1 paquet de levure sèche et
1 c. à thé / 5 ml de sucre

8 tasses / 900 g de farine

2 c. à thé / 10 ml de sel

1 œuf

3 c. à table / 45 ml de crème sure

MÉTHODE

Température du four à 350 °F / 180 °C.

Graisser des moules à pain de 16 x 9 x 7,5 cm. Râper la pomme de terre finement. Amener le lait à ébullition et le verser sur les pommes de terre dans un bol. Laisser tiédir et ajouter la levure fraîche. S'il s'agit de levure sèche, la mélanger avec le sucre et 3 c. à table de lait chaud ou d'eau chaude et laisser reposer pendant 8-10 minutes, jusqu'à la formation d'écume.

Ajouter le mélange à la levure au mélange à base de pommes de terre. Incorporer la moitié de la farine et bien mélanger. Ajouter le sel, l'œuf, la crème sure et le reste de la farine. Battre le mélange vigoureusement.

Couvrir le bol d'une pellicule auto-collante et laisser lever dans un endroit chaud pendant 2-2 1/2 heures. Pétrir soigneusement et répartir la pâte entre les trois moules à pain.

Laisser lever encore une fois, couvert, pendant environ 40 minutes. Préchauffer le four et cuire pendant 45 minutes.

▶ ▲ Pain aux herbes
▶ Bagels
▲ Pain au lait
◀ ▲ Pain aux pommes de terre

Pain aux herbes

INGRÉDIENTS *2 pains*

2 tasses / 225 g de farine de blé entier
2 tasses / 225 g de farine ordinaire
2 c. à thé / 10 g de margarine
1 c. à thé / 5 ml de sel
1 c. à thé / 5 ml de sucre
1/2 c. à thé / 2,5 ml d'aneth séché
1 c. à thé / 5 ml de graines d'aneth
1 c. à thé / 5 ml de sauge séchée
2 c. à table / 15 g de levure fraîche ou 1 paquet de levure sèche et 1/2 c. à thé / 2,5 ml de sucre
1 1/4 tasse / 300 ml d'eau chaude
blé concassé pour décorer

MÉTHODE

Température du four à 450 °F / 230 °C.

Graisser deux moules à pain de 18 cm. Mélanger les farines et y faire pénétrer la matière grasse. Ajouter le sel, le sucre et les herbes séchées. Mélanger la levure fraîche avec l'eau et ajouter au mélange de farines. S'il s'agit de levure sèche, mélanger 1/2 c. à thé / 2,5 ml de sucre dans la moitié du liquide de la pâte, saupoudrer la levure sur le dessus et placer pendant 10 minutes dans un endroit chaud, jusqu'à la formation d'écume. Ajouter avec le reste de l'eau au mélange de farine. Mélanger jusqu'à l'obtention d'une pâte molle et pétrir sur une planche légèrement enfarinée jusqu'à ce qu'elle soit souple. Saupoudrer uniformément les moules graissés de blé concassé. Remplir de pâte à pain jusqu'à la moitié de chaque moule.

Couvrir les moules de pellicule auto-collante huilée ou de sacs de polythène. Laisser lever la pâte dans un endroit chaud jusqu'à ce qu'elle double de volume. Découvrir et cuire dans le four préchauffé environ 35 minutes. Démouler les pains et servir chaud.

Bagels

INGRÉDIENTS *18 bagels*

1 c. à table / 25 g de levure fraîche ou 2 c. à table / 15 g de levure sèche et 1/2 c. à thé de sucre brun
2 tasses / 450 ml de lait chaud
1 c. à thé / 5 ml de sucre brun
1/4 tasse / 50 ml d'huile végétale
2 c. à thé / 10 ml de sel
5 tasses / 550 g de farine de blé entier (il vous en faudra peut-être un peu plus)
8 tasses / 2 litres d'eau
2 c. à table / 25 g de sucre brun
œuf battu pour glacer (1 jaune d'œuf avec 1 c. à table / 15 ml d'eau)
graines de sésame rôties, graines de pavot ou oignons hachés sautés pour décorer

MÉTHODE

Température du four à 375 °F / 190 °C.

Graisser 2 plaques à pâtisserie. Dissoudre la levure dans le lait chaud, ajouter le sucre s'il s'agit de levure sèche. Attendre 10 minutes que la levure sèche se réhydrate et que le liquide devienne mousseux.

Ajouter le sucre brun, l'huile et le sel au liquide de la levure. Incorporer à la farine, petit à petit, en commençant par battre, puis en pétrissant la pâte plus ferme. Quand toute la farine a été incorporée, pétrir la pâte sur une planche enfarinée pendant 10 minutes. Replacer la pâte dans le moule chaud, couvrir d'une pellicule auto-collante huilée et laisser lever pendant 1 heure, jusqu'à ce que la pâte ait doublé de volume. Rompre la pâte à nouveau, couvrir, et laisser lever jusqu'à ce que la pâte ait encore une fois doublé de volume.

Rompre la pâte une fois de plus en la séparant en 18 morceaux égaux. Rouler chaque morceau en une bande de 15 cm de long et de 2,5 cm d'épaisseur en terminant les bouts en pointes. Façonner en anneaux en pressant fermement les extrémités ensemble. Couvrir les bagels et laisser lever pendant 10-15 minutes. Amener l'eau à ébullition et ajouter 2 c. à table de sucre brun.

Mettre 2 ou 3 bagels à la fois dans l'eau bouillante et cuire jusqu'à ce qu'ils montent à la surface (ce qui prend 1 ou 2 minutes). Retirer les bagels à l'aide d'une cuillère perforée. Placer ceux-ci sur les plaques à pâtisserie graissées.

Glacer les bagels avec l'œuf battu et les saupoudrer de graines ou d'oignons.

Cuire jusqu'à ce qu'ils soient dorés, soit environ 20 minutes.

143

Pain à la farine d'avoine

INGRÉDIENTS *2 petits pains*
1 c. à table / 25 g de levure fraîche
  ou 1 paquet de levure sèche et 1
  c. à thé / 5 ml de sucre brun
2 1/4 tasses / 550 ml d'eau chaude
4 1/2 tasses / 500 g de farine
  mélangée (moitié blé entier, moitié
  blanche)
1/4 tasse / 25 g de farine de gluten
2 c. à table / 30 ml de sucre brun
2 tasses / 175 g de flocons d'avoine
4 c. à table / 60 ml de germe de blé
4 c. à table / 60 ml de farine de
  soja
2 c. à table / 30 ml d'huile végétale
1 1/2 c. à thé / 7,5 ml de sel

MÉTHODE
Température du four à 350 °F / 180 °C.
Graisser deux petits moules à pain.
Mettre la levure dans un bol (avec le
sucre s'il s'agit de levure sèche) et
mélanger avec 1/2 tasse d'eau chaude.
Mettre de côté pendant 10 minutes,
jusqu'à la formation d'écume. Ajouter la
farine de gluten, le sucre et la moitié des
farines mélangées au reste de l'eau. Bien
battre pendant 5 minutes. Ajouter le liquide de levure et battre vigoureusement. Incorporer les flocons d'avoine et
placer le mélange dans un endroit chaud
pendant environ 30 minutes pour
obtenir une pâte spongieuse.

Ajouter le germe de blé, la farine de
soja, l'huile, le sel et le reste des farines
mélangées. Tourner sur une planche
enfarinée et pétrir jusqu'à l'obtention
d'une pâte molle. Remettre la pâte dans
le bol et couvrir d'une pellicule auto-
collante. Placer dans un endroit chaud
jusqu'à ce que la pâte double de volume,
soit environ 30 minutes.

Rompre à nouveau la pâte sur une
planche enfarinée en la séparant en deux
morceaux. Former des pains et les placer
dans les moules. Couvrir d'une pellicule
auto-collante et laisser la pâte lever
jusqu'à ce qu'elle double de volume
encore une fois. Préchauffer le four et
cuire pendant environ 1 heure. Laisser
refroidir sur un treillis métallique.

Pain de malt

INGRÉDIENTS *2 petits pains*
1 c. à thé / 15 g de levure fraîche
  ou 2 c. à thé de levure sèche et 1
  c. à thé / 5 ml de sucre
2 1/2 tasses / 600 ml d'eau chaude
4 tasses / 450 g de farine de blé
  entier
1 c. à thé / 5 ml de sel
2 c. à thé / 10 ml de malt
1 c. à table / 15 ml de miel ou de
  sirop
2 c. à table / 30 ml d'huile végétale
1 tasse / 150 g de raisins de Smyrne
miel ou sirop pour glacer

MÉTHODE
Température du four à 400 °F / 200 °C;
puis, à 350 °F / 180 °C.

Graisser deux moules à pain de 16 x 9
x 7,5 cm. Mélanger la levure (et le sucre)
avec l'eau chaude.

Ajouter le malt, le miel, l'huile et les
raisins de Smyrne à la farine réchauffée.
Incorporer le liquide de levure et
mélanger soigneusement. Mettre le
mélange dans les deux moules à pain.

Placer pendant 1 heure dans un
endroit chaud, couvert de pellicule auto-
collante. Préchauffer le four et cuire à la
température la plus élevée pendant 15
minutes, puis réduire à la température
moins élevée et cuire encore pendant 20
minutes, jusqu'à ce que les pains soient
cuits. Une brochette insérée au centre du
pain devrait en ressortir propre. Placer
les pains sur un treillis métallique. Faire
chauffer un peu de miel ou de sirop et en
badigeonner le dessus des pains pendant
qu'ils sont encore chauds.

Pain à l'oignon

INGRÉDIENTS *1 pain rond*
un quart de la pâte à Pain blanc
  rapide (page 140)
2 tasses / 225 g d'oignons tranchés
1/4 tasse / 50 g de beurre ou de
  margarine
2 c. à table / 15 g de farine blanche
2/3 tasse / 150 ml de lait
1/4 c. à thé / 1,5 ml de sel ou de sel
  d'ail
1 pincée de poivre noir fraîchement
  moulu
1 c. à thé / 5 ml de graines de pavot
  ou de sésame

MÉTHODE
Température du four à 375 °F / 190 °C.
Graisser et enfariner un moule rond de
20 cm de diamètre. Rouler la pâte à la
dimension du moule. Mettre la pâte dans
le moule, couvrir d'une pellicule auto-
collante et laisser lever jusqu'à ce que la
pâte ait doublé de volume, soit environ
30 minutes.

Faire cuire les oignons dans la matière
grasse dans une poêle épaisse jusqu'à ce
qu'ils deviennent transparents et tendres.
Ajouter la farine en remuant et cuire
encore quelques minutes. Ajouter le lait
en remuant constamment. Amener à
ébullition et laisser mijoter pendant
encore une minute. Ajouter le sel et le
poivre.

Préchauffer le four. Étendre le mélange
à l'oignon sur la pâte et saupoudrer de
graines. Cuire pendant 30 minutes.
Servir chaud ou froid, avec une soupe ou
une salade.

◀▲ Pain de malt
▲ Pain à l'oignon

Pain de seigle noir (Pumpernickel)

INGRÉDIENTS *2 pains*

1 c. à table / 25 g de levure fraîche ou 2 c. à table / 15 g de levure sèche et 1 c. à thé / 5 ml de sucre brun

5 tasses / 1,2 l d'eau chaude

1 c. à table / 15 ml de mélasse

6 tasses / 675 g de farine de blé entier

1 tasse / 100 g de farine de seigle noir

2/3 tasse / 65 g de farine de sarrasin

1/3 tasse / 50 g de semoule de maïs

2 c. à thé / 10 ml de sel

1 tasse / 225 g de pommes de terre cuites en purée

1 c. à thé / 5 ml de graines de carvi

1 tasse / 100 g de farine de blé entier (si nécessaire)

MÉTHODE

Température du four à 425 °F / 220 °C. Graisser deux grands moules à pain. Mélanger la levure dans une tasse d'eau chaude, mais ajouter du sucre brun s'il s'agit de levure sèche. Mettre le liquide de la levure de côté pendant 10 minutes, jusqu'à la formation d'écume.

Mélanger la farine de blé entier, la mélasse, le liquide de la levure et le reste de l'eau chaude pour faire une pâte très mouillée. Bien battre. Pétrir dans le bol jusqu'à l'obtention d'une pâte molle et moins collante. Ajouter le reste des ingrédients et bien mélanger. Tourner la pâte sur une planche enfarinée et pétrir en ajoutant, si nécessaire, la dernière tasse de farine. Pétrir jusqu'à ce que la pâte soit molle et élastique. Remettre dans le bol et couvrir d'une pellicule auto-collante. Laisser lever la pâte dans un endroit chaud jusqu'à ce qu'elle ait doublé de volume, soit environ 1 1/4 -1 1/2 heure.

Rompre à nouveau la pâte et la séparer en deux morceaux. Façonner en pains, mettre la pâte dans les moules et couvrir de polythène huilé. Laisser lever encore une fois jusqu'à ce que la pâte ait doublé de volume, soit environ 1 heure. Préchauffer le four et cuire pendant 1 heure; retirer les pains des moules et les faire cuire encore pendant 10-15 minutes. Laisser refroidir le pain sur un treillis métallique. Conserver le pain pendant 1 ou 2 jours avant de le trancher.

▲▶ Pain à la farine d'avoine
▲ Pain de seigle noir

Pain de maïs

INGRÉDIENTS *16 carrés*

1 tasse / 100 g de farine de blé entier

1 tasse / 100 g de semoule de maïs

1/2 c. à thé / 2,5 ml de sel

1 c. à thé / 5 ml de bicarbonate de soude

3/4 c. à thé / 4 ml de crème de tartre

1 1/2 tasse / 350 ml de babeurre ou d'un mélange moitié yogourt / moitié lait écrémé

3 c. à table / 45 ml d'huile de tournesol

2 œufs battus

1 c. à table / 15 ml de sucre brun ou de miel

MÉTHODE

Température du four à 425 °F / 220 °C. Graisser un moule carré de 20 cm. Mélanger la farine, la semoule de maïs, le sel, le bicarbonate de soude et la crème de tartre. Incorporer le babeurre avec l'huile, les œufs et le sucre ou le miel. Verser les ingrédients liquide dans le mélange d'ingrédients secs et bien mélanger.

Préchauffer le four. Mettre la pâte dans le moule et cuire pendant environ 35 minutes. Couper en carrés de 5 cm et servir chaud.

Petits pains suisses

INGRÉDIENTS *8 petits pains*
2 c. à thé / 15 g de levure fraîche
ou 1 c. à table / 10 g de levure
sèche et 1 c. à thé / 5 ml de sucre
2/3 tasse / 150 ml de lait chaud
2 tasses / 225 g de farine blanche
2 c. à thé / 10 ml de sucre
1/2 c. à thé / 2,5 ml de sel
2 c. à table / 25 g de beurre ou de
margarine

GLAÇAGE
1 1/2 tasse / 175 g de sucre à glacer
3 c. à table / 45 ml d'eau
colorant (facultatif)

MÉTHODE

Température du four à 425 °F / 220 °C.
Graisser une ou deux plaques à pâtisserie (selon les dimensions). Mélanger la
levure avec le lait et ajouter 1 c. à thé / 5
ml de sucre s'il s'agit de levure sèche.
Dans ce dernier cas, laisser le liquide
reposer pendant 10 minutes environ,
jusqu'à la formation d'écume.

Mélanger la farine, le sucre et le sel.
Faire ensuite pénétrer la matière grasse.
Incorporer le liquide de la levure et
mélanger de manière à obtenir une pâte
molle. Tourner la pâte sur une planche
légèrement enfarinée et pétrir vigoureusement jusqu'à ce qu'elle devienne
souple et cesse d'être collante. Remettre
la pâte dans le bol chaud, couvrir d'une
pellicule protectrice et laisser lever la
pâte jusqu'à ce qu'elle ait doublé de volume, soit environ 1 heure.

Rompre de nouveau la pâte, la séparer
en 8 morceaux et façonner en petits pains
de forme rectangulaire de 12 cm de long.

Placer les petits pains sur la plaque à
pâtisserie graissée (ou les plaques).
Couvrir d'une pellicule protectrice et
laisser lever la pâte dans un endroit
chaud pendant environ 20 minutes.
Préchauffer le four, découvrir les petits
pains et les faire cuire pendant environ
15 minutes, jusqu'à ce qu'ils aient bruni.
Laisser refroidir sur un treillis métallique. Combiner les ingrédients du
glaçage et glacer les petits pains avec le
mélange obtenu.

Pain au fromage

INGRÉDIENTS *un gros pain*
2 c. à thé / 15 g de levure fraîche
ou 1 c. à table / 10 g de levure
sèche et 1/2 c. à thé / 2,5 ml de
sucre
1 1/4 tasse / 300 ml d'eau chaude
4 tasses / 450 g de farine blanche
1 c. à thé / 5 ml de sel
1/4 c. à thé / 1,5 ml de poivre de
Cayenne
1/2 c. à thé de moutarde sèche ou
2 c. à thé / 10 ml de crème de
raifort
2 c. à table / 30 ml de ciboulette
1 c. à table / 15 g de beurre ou de
margarine
1 tasse / 100 g de cheddar finement
râpé
œuf battu ou lait pour glacer
1-2 c. à table / 15-30 ml de fromage râpé pour décorer (facultatif)

MÉTHODE

Température du four à 400 °F / 200 °C.
Graisser un grand moule à pain ou
deux petits. Mélanger la levure avec l'eau
chaude, mais ajouter du sucre s'il s'agit
de levure sèche.

Laisser le liquide de la levure reposer
pendant 10 minutes, jusqu'à la formation d'écume.

Mettre la farine, le sel, le poivre de
Cayenne, la moutarde et la ciboulette
dans un bol et faire pénétrer la matière
grasse. Incorporer le fromage, puis le liquide de la levure (et le raifort, le cas
échéant). Travailler le mélange pour former une pâte. Tourner la pâte sur une
planche enfarinée et pétrir jusqu'à ce
qu'elle devienne souple et non collante.

Remettre la pâte dans le bol, couvrir de
pellicule auto-collante et laisser lever pendant 1 heure, jusqu'à ce qu'elle ait doublé
de volume. Rompre à nouveau la pâte et
façonner 1 gros pain ou 2 petits. Placer la
pâte dans un moule. Badigeonner avec
l'œuf battu ou le lait. Couvrir le moule de
pellicule auto-collante et laisser lever la
pâte dans un endroit chaud pendant environ 45 minutes.

Préchauffer le four et saupoudrer la
pâte de fromage râpé si désiré.

Cuire pendant 40 minutes, jusqu'à ce
que le pain soit brun. Démouler et laisser refroidir sur un treillis métallique.

Ce pain est délicieux en toasts et peut
être utilisé comme base de pizza rapide.

◀ ▲ Pain au fromage
◀ Petits pains suisses

Pain Chollah juif

INGRÉDIENTS *2 pains*

2 c. à thé / 15 g de levure fraîche
  ou 1 c. à table / 10 g de levure
  sèche et 1/2 c. à thé / 2,5 ml de
  sucre
1 tasse / 250 ml de lait ou d'eau
4 tasses / 450 g de farine blanche
1 c. à thé / 5 ml de sel
1/4 tasse / 50 g de beurre ou de
  margarine végétale ou 2 c. à table
  / 30 ml d'huile végétale
1 c. à table / 15 ml de miel liquide
1 œuf battu pour glacer

MÉTHODE

Température du four à 400 °F / 200 °C.
Graisser 2 plaques à pâtisserie.
Mélanger la levure avec le lait, mais
ajouter le sucre s'il s'agit de levure sèche.
Laisser reposer pendant 5-10 minutes,
jusqu'à la formation d'écume. Incorporer
1 tasse / 25 g de farine et laisser fer-
menter dans un endroit chaud.

Ajouter le sel au reste de la farine. Faire
pénétrer la matière grasse dans la farine
ou incorporer l'huile dans le mélange
contenant la levure. Ajouter la matière
grasse et la farine (ou la farine seulement, si c'est de l'huile qui est utilisée) à
la pâte contenant la levure et le miel.
Former une pâte souple. Tourner le
mélange sur une planche enfarinée et
pétrir vigoureusement, jusqu'à ce que la
pâte soit molle, élastique et non collante,
pendant environ 10 minutes. Remettre
la pâte dans le bol et couvrir de pellicule
auto-collante huilée. Laisser lever la pâte
au chaud, jusqu'à ce qu'elle ait doublé de
volume, soit environ 1 heure.

Rompre de nouveau la pâte et pétrir.
Séparer la pâte en 2, puis couper chaque
moitié en 4 morceaux. Laisser reposer les
huit morceaux pendant 5-10 minutes,
recouverts de pellicule auto-collante
huilée. Rouler 4 morceaux en longueurs
individuelles de 38 cm et tresser. Laisser
les 4 autres morceaux couverts de pellicule lors du tressage des 4 premiers.
Mettre la tresse de pâte sur une plaque
graissée, badigeonner avec l'œuf battu et
couvrir de pellicule auto-collante huilée.
Tresser les 4 autres morceaux.

Quand les deux tresses ont doublé de
volume, les faire cuire dans le four
préchauffé pendant 30-40 minutes. Les
pains demeurent humides pendant
plusieurs jours.

▲▲ Pain Chollah juif
▲ Pain irlandais à la levure chimique

Pain irlandais à la levure chimique

INGRÉDIENTS *1 pain*

4 tasses / 450 g de farine blanche
1 c. à thé / 5 ml de sel
2 c. à thé / 10 ml de bicarbonate de
  soude
1 1/2 c. à thé / 7,5 ml de crème de
  tartre
2 c. à table / 25 g de saindoux
1 1/4 tasse / 300 ml de babeurre

MÉTHODE

Température du four à 425 °F / 220 °C.
Tamiser dans un bol la farine, le sel, le
bicarbonate de soude et la crème de
tartre. Faire pénétrer le saindoux et
ajouter suffisamment de babeurre pour
obtenir une pâte molle. Tourner le
mélange sur une planche légèrement
enfarinée et pétrir pendant une minute.
Façonner en rond et placer sur la plaque
à pâtisserie. Tracer une croix en coupant
profondément dans la pâte.

Préchauffer le four et cuire 40-50 minutes, jusqu'à ce que le pain soit légèrement bruni et que la base soit ferme au
toucher. Laisser refroidir sur un treillis
métallique.

VARIANTES

Vous pouvez utiliser du lait ordinaire
plutôt que du babeurre, mais dans ce cas
il faudra doubler la quantité de crème de
tartre. Vous pouvez également utiliser un
mélange de farine blanche et de farine de
blé.

Panettone italien

INGRÉDIENTS *1 pain*

1 c. à table / 25 g de levure fraîche
   ou 2 c. à table / 15 g de levure
   sèche et 1 c. à thé / 5 ml de sucre
3/4 tasse / 175 ml de lait chaud
4 tasses / 450 g de farine blanche
1 c. à thé / 5 ml de sel
5 c. à table / 60 g de sucre
5 c. à table / 60 g de beurre
2 œufs plus 2 jaunes d'œufs battus
2 c. à thé / 10 ml de cardamome
   moulue
zeste de 2 petits citrons finement
   râpé
1/2 tasse / 75 g d'écorces d'a-
   grumes séchées hachées
3/4 tasse / 100 g de raisins hachés
   marinés dans 2 c. à table / 30 ml
   de rhum
œuf battu pour glacer

MÉTHODE

Température du four à 425 °F / 220 °C
pendant 20 minutes, puis réduite à
375 °F / 190 °C pendant 30 minutes.

Graisser un moule à gâteau rond et
profond de 20 cm de diamètre. Mélanger
la levure avec le lait, mais ajouter 1 c. à
thé / 5 ml de sucre s'il s'agit de levure
sèche. Mettre le liquide de la levure de
côté pendant environ 10 minutes,
jusqu'à la formation d'écume. Ajouter le
quart de la farine au liquide de la levure,
et placer dans un endroit chaud pendant
1/2 heure. Ajouter à la pâte à levure le
reste de la farine, le beurre fondu, les
œufs, les jaunes d'œufs battus, la cardamome, le zeste de citron, les écorces
d'agrumes et les raisins dans le rhum.
Mélanger soigneusement pour former
une pâte lourde. Pétrir vigoureusement,
couvrir d'une pellicule protectrice huilée
et laisser lever pendant 1 1/2 -2 heures.

Rompre à nouveau la pâte et bien
pétrir. Mettre la pâte dans le moule à
gâteau graissé. Badigeonner le dessus du
pain avec l'œuf battu. Couvrir d'une pellicule auto-collante et laisser lever pendant 40 minutes. Préchauffer le four,
enlever la pellicule et cuire pendant 50
minutes (voir les températures ci-
dessus). Démouler après 10 minutes et
laisser refroidir sur un treillis métallique.

Pain aux noix, aux abricots et à l'orange

INGRÉDIENTS *1 gros pain ou 2 petits*

2 c. à thé / 15 g de levure fraîche
   ou 1 c. à table / 10 g de levure
   sèche et 1 c. à thé / 5 ml de miel
1 1/4 tasse / 300 ml d'eau chaude
4 tasses / 450 g de farine de blé
   entier
1 c. à thé / 5 ml de sel
1/4 tasse / 50 g de sucre
1/4 tasse / 50 g de beurre ou de
   margarine
1/2 tasse / 50 g de noix hachées
1 1/4 tasse / 175 g d'abricots
   séchés, trempés et hachés
2 c. à table / 30 ml de zeste
   d'orange râpé

MÉTHODE

Température du four à 425 °F / 220 °C.

Graisser un gros moule à pain ou deux
petits. Dissoudre la levure (et le sucre)
dans l'eau chaude, et s'il s'agit de levure
sèche laisser reposer (10 à 15 minutes),
jusqu'à la formation d'écume. Mélanger
la farine avec le sucre et le sel, et faire
pénétrer la matière grasse. Incorporer le
liquide de la levure et former une pâte.
Tourner sur une planche enfarinée et
pétrir jusqu'à l'obtention d'une pâte
molle. Remettre la pâte dans le bol, couvrir de pellicule auto-collante et laisser
lever pendant environ 1 heure, jusqu'à ce
que la pâte ait doublé de volume. Pétrir
de nouveau, puis incorporer les noix, les
abricots et le zeste d'orange. Façonner 1
gros pain (ou 2 petits) et placer la pâte
dans le moule (ou les moules). Couvrir la
pâte et laisser lever de nouveau pendant
40-50 minutes.

Cuire dans le four préchauffé pendant
45-50 minutes, selon la taille du pain
(ou des pains).

Laisser refroidir sur un treillis
métallique.

▲ Panettone italien
◀ Pain aux noix, aux abricots et à l'orange

Sally Lunn

INGRÉDIENTS *2 gâteaux*
1 c. à table / 15 g de levure fraîche
 ou 2 c. à thé / 10 g de levure
 sèche et 1 c. à thé / 5 ml de sucre
1 1/4 tasse / 300 ml de lait chaud
4 tasses / 450 g de farine blanche
1 c. à thé / 5 ml de sel
2 œufs battus
1/4 tasse / 50 g de beurre ou de
 margarine, fondu et refroidi
POUR GLACER
2 c. à table / 30 ml d'eau
2 c. à table / 30 ml de sucre

MÉTHODE

Température du four à 425 °F / 220 °C.
Graisser deux moules à gâteau de 15
cm. Mélanger la levure fraîche (ou la levure sèche et le sucre) avec le lait chaud.
S'il s'agit de levure sèche, mettre le bol
de côté pendant 10 minutes, jusqu'à la
formation d'écume.

Incorporer au liquide de la levure
1 tasse / 100 g de farine et placer le
mélange dans un endroit chaud pendant
20 minutes environ, jusqu'à ce que la
pâte devienne mousseuse.

Mélanger le reste de la farine avec le sel,
puis incorporer dans le mélange à levure
avec les œufs et le beurre fondu. Bien
battre, jusqu'à l'obtention d'une pâte
molle. Verser la pâte dans les moules,
couvrir de pellicule protectrice huilée et
placer dans un endroit chaud pendant
environ 1 1/2 heure, jusqu'à ce que la
pâte ait doublé de volume.

Préchauffer le four et cuire les gâteaux
pendant environ 20 minutes, jusqu'à ce
qu'ils aient bruni. Démouler les gâteaux
sur un treillis métallique et les badigeonner de glaçage chaud, obtenu en faisant
bouillir le sucre et l'eau ensemble.
Laisser refroidir un peu avant de servir
chaud avec de la crème grumeleuse ou
du beurre.

Pain aux poires suisse

INGRÉDIENTS *2 petits pains ou 1 gros*
5 tasses / 1 kg de poires séchées
1 1/2 tasse / 225 g de raisins de
 Smyrne
3/4 tasse / 100 g de noisettes
 hachées
6 c. à table / 50 g de zeste de citrons confits, en petits dés
1 tasse / 225 g de sucre
7 c. à table / 110 ml d'eau de rose
1/2 verre de kirsch
1 c. à table / 15 ml de cannelle
 moulue
900 g de Pâte à pain blanc (voir
 page 140)

MÉTHODE

Température du four à 425 °F / 220 °C.
Graisser deux plaques à pâtisserie.

Couvrir les poires d'eau et les faire
tremper toute la nuit, puis les faire cuire
dans l'eau de trempage.

Égoutter et réduire les poires en purée.
Mélanger la purée de poire avec les
raisins de Smyrne, les noix, le zeste de
citron, le sucre, l'eau de rose, le kirsch et
la cannelle. Pétrir la moitié de la pâte à
pain avec le mélange aux poires et façonner en deux pains rectangulaires.

Préchauffer le four. Rouler l'autre
moitié de la pâte sur une planche enfarinée. Diviser la pâte en deux et envelopper chaque pain aux poires d'une couche
de pâte ordinaire. Badigeonner les côtés
de la pâte avec du lait et coller. Piquer les
pains avec une fourchette. Cuire pendant
50-60 minutes.

◀ ▲ Sally Lunn
▲ Pain aux poires suisse
▲ ▶ Pain aux amandes

Pain aux amandes

INGRÉDIENTS *4-5 tranches*
3 tasses / 350 g de farine blanche
2 c. à thé / 10 ml de poudre à pâte
1/4 c. à thé / 1,5 ml de sel
2 gros œufs
1/2 tasse / 120 ml d'huile de
 tournesol
5-6 c. à table / 75-90 ml de miel ou
 de sucre brun
2 c. à thé / 10 ml de zeste d'orange
 ou de tangerine râpé
2 c. à thé / 10 ml d'essence
 d'amande
3/4 tasse / 100 g d'amandes
 hachées

MÉTHODE

Température du four à 350 °F / 180 °C.
Tamiser la farine, la poudre à pâte et le
sel. Battre dans un bol ou un mélangeur
les œufs, l'huile, le miel, le zeste d'a-
grumes et l'essence d'amande. Verser le
mélange dans un plus grand bol et incorporer peu à peu le mélange de farine.

Incorporer les amandes dans la pâte
ferme, puis la diviser en 6 petits pains
rectangulaires d'environ 5 cm de large.
Placer les pains assez éloignés les uns des
autres sur une plaque couverte de papier
d'aluminium et cuire pendant 20 minutes.

Sortir du four et couper chaque petit
pain en 7 ou 8 tranches de 1 cm d'épaisseur. Remettre au four et cuire encore
pendant 15-20 minutes, jusqu'à ce
qu'elles soient brunies. Laisser refroidir
sur un treillis.

149

Muffins anglais

INGRÉDIENTS *12 muffins*
1 c. à table / 15 g de levure fraîche
  ou 2 c. à table / 10 g de levure
  sèche et 1 c. à thé / 5 ml de miel
1 tasse / 250 ml d'eau chaude
4 tasses / 450 g de farine blanche
1 c. à thé / 5 ml de sel
2 c. à table / 25 g de beurre fondu
2 petits œufs battus

MÉTHODE

Température du four à 450 °F / 230 °C pour les muffins cuits au four.

Graisser deux plaques à pâtisserie et bien les saupoudrer de flocons d'avoine ou de germe de blé, de farine de maïs ou de semoule. Vous pouvez également faire chauffer une poêle à crêpes (ou une poêle à frire épaisse) graissée et enfarinée pour faire cuire les muffins sur le poêle.

Mélanger la levure avec le lait chaud et ajouter le miel s'il s'agit de levure sèche. Mettre le liquide de levure de côté pendant 10 minutes, jusqu'à la formation d'écume.

Mélanger la farine et le sel, puis ajouter le liquide de levure, le beurre fondu et les œufs. Façonner une boule de pâte molle, la tourner sur une planche enfarinée et la pétrir jusqu'à ce qu'elle devienne souple, élastique et non collante. Remettre la pâte dans le bol chaud. Couvrir d'une pellicule auto-collante huilée et laisser lever pendant environ 1 1/4 heure, jusqu'à ce que la pâte ait doublé de volume. Tourner de nouveau la pâte sur la surface enfarinée, la pétrir et la rouler à 1 cm d'épaisseur. Couvrir de pellicule auto-collante et laisser reposer pendant 5 minutes. Couper en rondelles avec un couteau ordinaire.

Placer les muffins sur les plaques à pâtisserie et les saupoudrer de semoule. Couvrir d'une pellicule auto-collante huilée. Laisser lever pendant environ 40 minutes. Cuire les muffins au four environ 10 minutes, en les retournant à l'aide d'une pelle à tarte après 5 minutes (ou faire cuire les muffins 5 minutes de chaque côté dans la poêle à crêpe chaude). Placer les muffins sur un treillis métallique.

Pour servir les muffins, les ouvrir tout autour du bord et laisser les moitiés jointes au centre. Les faire griller lentement des deux côtés. Détacher complètement les moitiés et placer un morceau de beurre froid à l'intérieur. Réunir de nouveau les deux moitiés et servir chaud.

Crumpets

INGRÉDIENTS *environ 20*
2 c. à table / 15 g de levure fraîche
  ou un paquet de levure sèche et
  1/2 c. à thé de sucre
1 1/4 tasse / 300 ml d'eau chaude
3 tasses / 350 g de farine blanche
1 c. à thé / 5 ml de sel
1/2 c. à thé / 2,5 ml de bicarbonate
  de soude
3/4 tasse / 200 ml de lait chaud

MÉTHODE

Graisser des anneaux à crumpets, des anneaux à pocher les œufs ou de simples coupe-biscuits de 7,5 cm de diamètre. Mélanger la levure avec l'eau et ajouter le sucre s'il s'agit de levure sèche.

Laisser le liquide de levure reposer pendant 5-10 minutes, jusqu'à la formation d'écume. Incorporer la moitié de la farine et bien battre. Placer la pâte dans un endroit chaud pendant 30 minutes, jusqu'à ce qu'elle soit mousseuse.

Ajouter le reste des ingrédients à la pâte et mélanger. Battre et rectifier la quantité de lait si nécessaire.

Placer les anneaux à crumpets sur la poêle à crêpes chauffée et verser 2 c. à table / 30 ml de pâte dans chacun. Cuire jusqu'à ce que le dessous soit pris et que des trous apparaissent à la surface supérieure. Retirer les anneaux et retourner les crumpets avec une pelle à tarte. Cuire légèrement l'autre côté. Laisser refroidir sur un treillis métallique. Servir avec du beurre ou les faire griller plus tard des deux côtés et les servir chauds avec du beurre.

▲ Crumpets
▼ Muffins anglais

Galettes d'avoine

INGRÉDIENTS *environ 22*
1/2 tasse / 100 g de sucre brun
   léger
1/2 tasse / 50 g de farine ordinaire
   non traitée
1 tasse / 100 g de farine de blé
1 1/3 tasse / 100 g de gruau
1 pincée de bicarbonate de soude
1 pincée de sel
8 c. à table / 100 g de beurre
1 jaune d'œuf

MÉTHODE
   Préchauffer le four à 350 °F / 180 °C.
Mélanger tous les ingrédients secs dans
un bol. Couper le beurre en petits
morceaux et le faire pénétrer dans le
mélange avec le bout des doigts.
   Incorporer le jaune d'œuf et former
une pâte. Pétrir pendant quelques minutes, puis rouler la pâte assez mince sur

une surface légèrement enfarinée; y
découper des ronds avec un coupe-biscuits.
   Disposer les ronds de pâtes sur une
plaque à pâtisserie graissée en laissant
beaucoup d'espace entre eux. Cuire pendant 10-15 minutes, jusqu'à ce que les
galettes soient croustillantes et dorées.
Laisser refroidir un peu avant de les placer sur un treillis métallique. Quand les
galettes sont froides, les ranger dans un
contenant hermétique. Servir avec du
fromage.

Pain pita

INGRÉDIENTS *8 pains*
   Utiliser les mêmes ingrédients et suivre
la recette du Pain de blé entier, jusqu'au
quatrième paragraphe inclusivement
(page 141).

MÉTHODE
   Préchauffer le four à 450 °F / 230 °C.
Écraser la pâte avec le talon de la main et
pétrir pendant une minute. Diviser la
pâte en 8 morceaux et les rouler en
ovales minces. Placer les ovales sur des
plaques à pâtisserie et couvrir de linges
propres humides. Laisser sur la cuisinière
pendant 20 minutes.
   Cuire pendant 5-7 minutes. Laisser
refroidir. Ces pains pitas se congèlent
très bien.

▲ Pain pita

151

Muffins au son et aux raisins

INGRÉDIENTS *12 muffins*
2 c. à table / 30 ml d'huile
2 c. à table / 30 ml de miel
1 œuf
2/3 tasse / 150 ml de lait
1 1/4 tasse / 125 g de farine de blé entier
75 g de son
2 c. à thé / 10 ml de poudre à pâte
1 pincée de sel
1/3 tasse / 50 g de raisins de Smyrne

MÉTHODE

Préchauffer le four à 375 °F / 190 °C. Battre ensemble l'huile et le miel. Incorporer l'œuf. Ajouter graduellement le lait en battant jusqu'à ce que le mélange soit uniforme.

Combiner les ingrédients secs et les incorporer aux ingrédients liquides. Quand le son a bien imbibé le liquide, vous devriez obtenir une pâte lisse.

Verser dans un moule à muffins huilé et cuire pendant environ 20 minutes.

Scones épicés au babeurre

INGRÉDIENTS *8 scones*
2 tasses / 225 g de farine ordinaire non traitée
2 tasses / 225 g de farine de blé entier
2 c. à thé / 10 ml de bicarbonate de soude
2 c. à thé / 10 ml de crème de tartre
1 c. à thé / 5 ml de sucre à fruit
1 c. à thé / 5 ml d'épices mélangées
8 c. à table / 100 g de beurre
1 1/4 tasse / 300 ml de babeurre
3 c. à thé de poudre à pâte

MÉTHODE

Préchauffer le four à 425 °F / 220 °C. Tamiser les farines, puis les mélanger avec les autres ingrédients secs. Couper le beurre dans le mélange à farines et le faire pénétrer soigneusement.

Incorporer le babeurre et mélanger de manière à former une pâte souple. Pétrir la pâte légèrement sur une surface enfarinée. Diviser la pâte en 2, façonner chaque partie en boule, couper chaque boule en 4 parts et placer sur une plaque graissée et enfarinée. Cuire pendant 12 minutes et laisser refroidir sur un treillis.

▲ ▲ Muffins au son et aux raisins
▲ Scones épicés au babeurre

Biscuits croustillants au sésame

INGRÉDIENTS *environ 20 biscuits*
1 tasse / 100 g de farine de blé
   entier
1/2 tasse / 50 g de graines de
   sésame
1 c. à thé / 5 ml de poudre à pâte
1-2 c. à thé / 2-10 ml de sel
2 c. à thé / 10 ml de pâte de tahini
1 c. à table / 15 ml d'huile d'olive
3-5 c. à table / 45-75 ml d'eau tiède

MÉTHODE

Préchauffer le four à 425 °F / 220 °C. Combiner les ingrédients secs dans un bol. Ajouter la pâte de tahini et l'huile d'olive, et mélanger avec le bout des doigts, jusqu'à l'obtention d'une pâte friable. Ajouter de manière graduelle suffisamment d'eau pour former une pâte molle.

Pétrir délicatement sur une surface enfarinée, puis rouler la pâte mince. Couper des ronds de pâtes avec un coupe-biscuits et disposer sur une plaque à pâtisserie graissée. Cuire au four pendant 15 minutes, jusqu'à ce que les biscuits soient croustillants et dorés.

Laisser refroidir sur un treillis métallique, ranger dans un contenant de métal et servir avec du fromage.

Biscuits salés au seigle

INGRÉDIENTS *environ 20 biscuits*
2 c. à table / 25 g de beurre
1 tasse / 100 g de farine de seigle
1 pincée de sel
un peu de lait, réchauffé

MÉTHODE

Préchauffer le four à 350 °F / 180 °C. Faire pénétrer le beurre dans la farine avec une pincée de sel et lier avec un peu de lait pour former une pâte. Pétrir pendant environ 7 minutes.

Façonner 20 petites boules de pâtes et les aplatir à l'aide d'un rouleau sur une surface enfarinée.

Cuire sur une plaque à biscuits pendant environ 10 minutes, jusqu'à ce que les bords commencent à brunir. Laisser refroidir sur un treillis métallique. Ranger dans un contenant de métal et servir avec du beurre et du fromage.

▶ Biscuits croustillants au sésame

153

Parathas fourrés aux pommes de terre

INGRÉDIENTS *environ 20*
5 tasses / 450 g de pommes de terre
  bouillies et réduites en purée
1 petit oignon finement haché
1-2 piments verts finement hachés
1 c. à table / 15 ml de feuilles de
  coriandre hachées
3/4 c. à thé / 4 ml de sel
3/4 c. à thé / 4 ml de cumin moulu
  rôti

PÂTE
2 3/4 tasses / 325 g de farine
  ordinaire
1/2 c. à thé / 2,5 ml de sel
4 c. à table / 60 ml d'huile
3/4 tasse / 175 ml d'eau chaude
Ghee (voir page 126) pour la friture

MÉTHODE
Mélanger tous les ingrédients de la garniture et réserver.

Pour faire la pâte, tamiser la farine et le sel. Faire pénétrer l'huile. Ajouter suffisamment d'eau pour former une pâte ferme. Pétrir pendant environ 10 minutes, jusqu'à ce que la pâte soit molle et souple. Diviser en 20 boules.

Rouler deux boules en ronds de 10 cm chacun. Placer environ 1 1/2-2 c. à table / 20-30 ml de garniture dans l'un des ronds de pâte et étendre uniformément. Placer l'autre rond de pâte sur la garniture et sceller les bords avec un peu d'eau.

Rouler doucement en ronds de 18 cm et veiller à ce que la garniture ne s'échappe pas. Rouler tous les parathas de la même façon.

Chauffer une poêle à frire à feu moyen. Y placer un paratha et cuire environ 1 minute, jusqu'à l'apparition de taches brunes. Tourner et faire cuire l'autre côté.

Ajouter 2 c. à thé / 10 ml de Ghee et cuire pendant 2-3 minutes, jusqu'à ce que les parathas soient de couleur brun doré. Tourner et cuire de l'autre côté; ajouter du Ghee si nécessaire. Cuire tous les parathas de la même façon. Servir chaud.

Pain lucchi indien

INGRÉDIENTS *environ 40*
2 3/4 tasses / 350 g de farine
  ordinaire
1/2 c. à thé / 2,5 ml de sel
2 c. à table / 30 ml d'huile
3/4 tasse / 175 ml d'eau chaude
huile à grande friture

MÉTHODE
Tamiser ensemble la farine et le sel. Faire pénétrer l'huile dans la farine. Ajouter lentement suffisamment d'eau pour obtenir une pâte ferme. Pétrir pendant environ 10 minutes, jusqu'à ce que la pâte soit molle et flexible.

Diviser la pâte en 40 boulettes et les aplatir tour à tour. Rouler quelques boulettes sur une surface légèrement huileuse en ronds de 10 cm de diamètre (ne pas rouler toutes les boulettes en même temps, parce qu'elles auront tendance à coller.

Faire chauffer l'huile dans un karai ou une poêle à friture en fonte à feu élevé. Mettre un lucchi dans l'huile et presser le milieu avec une cuillère à rainures pour le faire gonfler. Retourner et faire cuire l'autre côté pendant quelques secondes. Égoutter et servir chaud.

▲◀ Parathas fourrés aux pommes de terre
◀ Pain lucchi indien

Naan

INGRÉDIENTS *12 naans*
1 c. à thé / 5 ml de levure sèche
1 c. à thé / 5 ml de sucre
3/8 tasse / 75 ml d'eau tiède
2 3/4 tasses / 275 g de farine
  ordinaire
1/2 c. à thé / 2,5 ml de sel
3/4 c. à thé / 4 ml de poudre à pâte
1 c. à table / 15 ml d'huile
environ 3 c. à table / 45 ml de
  yogourt nature

MÉTHODE

Mélanger la levure et le sucre dans l'eau; laisser reposer pendant 15-20 minutes, jusqu'à la formation d'écume.

Tamiser la farine, le sel et la poudre à pâte. Faire un puits au centre, ajouter le liquide de levure, l'huile et le yogourt et pétrir pendant environ 10 minutes, jusqu'à ce que la pâte soit souple.

Mettre la pâte dans un sac de plastique huilé et placer dans un endroit chaud pendant 2-3 heures, jusqu'à ce que la pâte ait doublé de volume.

Pétrir de nouveau pendant 1-2 minutes et diviser la pâte en 12 boules. Rouler en ronds de 18 cm. Disposer sur une plaque à pâtisserie et mettre dans le four préchauffé à 400 °F / 200 °C. Cuire durant 4-5 minutes par côté, jusqu'à l'apparition de taches brunes. Placer la plaque sous un gril très chaud, jusqu'à ce

▲ Naan　　　▼ Pain au yogourt Baktora

que les naans brunissent légèrement. Garder au chaud jusqu'au moment de servir.

Pain au yogourt Baktora

INGRÉDIENTS *12-14*
2 1/4 tasses / 225 g de farine
1 1/2 c. à thé / 7,5 ml de poudre à
  pâte
1/2 c. à thé / 2,5 ml de sel
1 c. à thé / 5 ml de sucre
1 œuf battu
environ 3 c. à table / 45 ml de
  yogourt
huile à grande friture

MÉTHODE

Tamiser ensemble la farine, la poudre à pâte et le sel. Incorporer le sucre.

Ajouter l'œuf battu et le yogourt pour former une pâte ferme. Pétrir pendant 10-15 minutes, jusqu'à l'obtention d'une pâte molle et souple. Couvrir d'un linge et laisser reposer pendant 3-4 heures.

Pétrir de nouveau sur une surface enfarinée pendant 5 minutes. Diviser en 12-14 boules.

Rouler les boules sur une surface enfarinée en ronds de 12,5 cm.

Chauffer l'huile dans un karai à feu élevé. Faire frire les baktoras, en pressant le milieu avec une cuillère pour les faire gonfler. Tourner et faire cuire l'autre côté pendant quelques secondes. Égoutter.

Biscuits croquants aux noisettes et aux abricots

INGRÉDIENTS *16 biscuits*
8 c. à table / 100 g de beurre
1/3 tasse / 50 g de sucre brun
2 c. à table / 30 ml de sirop d'érable
1 1/3 tasse / 100 g de gruau
1/2 tasse / 50 g de noisettes hachées
1/3 tasse / 50 g d'abricots séchés, hachés

MÉTHODE
Préchauffer le four à 350 °F / 180 °C. Mettre le beurre, le sucre et le sirop dans un poêlon épais. Faire cuire à feu doux, en remuant, jusqu'à l'obtention d'un mélange homogène. Incorporer le reste des ingrédients. Presser le mélange dans une plaque à gâteaux roulés couverte de papier anti-graisse. Faire cuire pendant 45 minutes, jusqu'à ce que la pâte soit dorée. Couper en tablettes dans le moule à l'aide d'un couteau huilé. Laisser refroidir dans une boîte en fer blanc.

Biscuits aux amandes

INGRÉDIENTS *20 biscuits*
2 blancs d'œufs
1/2 tasse / 100 g de sucre à fruits
2/3 tasse / 100 g d'amandes hachées
1 c. à thé / 5 ml de kirsch (facultatif)
quelques gouttes d'essence de vanille
petits morceaux d'amandes pour décorer

MÉTHODE
Préchauffer le four à 350 °F / 180 °C. Battre les blancs d'œufs jusqu'à la formation de pics mous. Ajouter graduellement le sucre, en battant continuellement, jusqu'à ce que le mélange devienne épais et lustré. Incorporer les amandes hachées, le kirsch et la vanille.

Tapisser des plaques à pâtisserie de feuilles de papier de riz. Prendre une cuillerée du mélange et la rouler en boule d'environ la taille d'une prune. Aplatir les boules et les disposer sur les plaques à pâtisserie. Prévoir suffisamment d'espace entre elles.

Décorer chaque biscuit d'un morceau d'amande et cuire pendant 20-30 minutes. Laisser refroidir légèrement, puis enlever les biscuits des plaques avec leur base de papier de riz (qui est comestible). Laisser refroidir complètement sur un treillis métallique.

◀ Biscuits croquants aux noisettes et aux abricots

Gâteau aux courgettes et au fromage à la crème

INGRÉDIENTS *un gâteau*
4 courgettes miniatures
1 œuf battu
4 c. à table / 60 ml d'huile
2 c. à table / 30 ml de miel
2 c. à table / 30 ml de mélasse
2 c. à table / 30 ml de fromage à la crème
1 1/2 tasse / 175 g de farine de blé entier
1/2 tasse / 50 g de farine de soja
1 pincée de sel
2 c. à thé / 10 ml de poudre à pâte
1 c. à thé / 5 ml de bicarbonate de soude

MÉTHODE
Préchauffer le four à 325 °F / 170 °C. Couper les courgettes en bandes fines, sans enlever la pelure, puis couper en morceaux de 1 cm.

Mettre l'œuf dans un bol et incorporer en battant l'huile, le miel et la mélasse. Incorporer le fromage à la crème et battre jusqu'à l'obtention d'un mélange uniforme.

Dans un autre bol, combiner les ingrédients secs. Ajouter les courgettes. Incorporer graduellement les ingrédients secs dans le mélange au fromage. Verser la pâte dans un moule à pain et cuire pendant 50-60 minutes.

Biscuits au musli

INGRÉDIENTS *15-20 biscuits*
1 tasse / 175 g de raisins de Smyrne ou de raisins secs
3/8 tasse / 50 g d'abricots séchés, hachés
1 œuf battu
2 c. à table / 25 g de beurre fondu avec 2 c. à table / 30 ml d'eau
1 1/2 tasse / 175 g de musli
1 c. à table / 25 g de noix hachées

MÉTHODE
Préchauffer le four à 350 °F / 180 °C. Trier les fruits séchés et les laver dans l'eau bouillante. Égoutter. Battre les fruits dans un bol avec l'œuf et le beurre. Incorporer le musli et les noix.

Tapisser une plaque à biscuits de papier ciré graissé et y étendre le mélange à plat. Tracer des petits rectangles et cuire pendant 45 minutes. Couper les rectangles et laisser refroidir pendant 10 minutes avant de les enlever de la plaque.

◀ Gâteau aux courgettes et au fromage à la crème

Pâte à tarte au blé entier

INGRÉDIENTS
3/4 tasse / 75 g de farine de blé entier
3/4 tasse / 75 g de farine de blé entier auto-levante
1 pincée de sel
6 c. à table / 75 g de margarine polyinsaturée
eau

MÉTHODE
Mélanger ensemble les farines et le sel dans un bol. Couper la matière grasse en petits morceaux dans la farine et la faire pénétrer avec le bout des doigts, jusqu'à ce que le mélange soit fin et friable. Ajouter suffisamment d'eau pour lier la pâte et rouler en une boule molle. Réfrigérer pendant au moins 20 minutes.

Pour utiliser la pâte, la rouler sur une surface enfarinée.

▲ Pâte à tarte au blé entier
▶ Tarte au fromage

Pâte brisée

INGRÉDIENTS
1 tasse / 100 g de farine
1 pincée de sel
4 c. à table / 50 g de beurre ou un mélange de beurre et de margarine
2 c. à table / 30 ml d'eau froide

MÉTHODE
Tamiser la farine et le sel dans un bol. Couper le beurre et l'émietter dans la farine. À l'aide d'un couteau, incorporer suffisamment d'eau pour faire une pâte ferme et la rassembler en boule. Sur une surface enfarinée, pétrir la pâte délicatement, jusqu'à ce qu'elle devienne souple. Envelopper d'une pellicule de plastique et réfrigérer pendant un court moment pour rendre la pâte ferme.

Pour faire une abaisse, rouler la pâte sur une surface enfarinée; la pâte doit avoir 2,5-5 mm d'épaisseur et être plus grande que l'assiette à tarte de 5 cm. Graisser l'assiette à tarte et y déposer la pâte délicatement, en pressant vers le bas pour couvrir le fond et les côtés. Piquer légèrement le fond et laisser reposer dans un endroit frais pendant 30 minutes.

Pâte à tarte à la crème sure

INGRÉDIENTS
2 3/4 tasse / 275 g de farine
1 tasse / 220 g de beurre ou de margarine
1 œuf
1 c. à table / 15 ml de rhum (facultatif)
2 c. à table / 30 ml de crème sure
1/3 tasse / 75 g de sucre-semoule

MÉTHODE
Faire pénétrer le beurre dans la farine. Incorporer les autres ingrédients pour former une pâte ferme. Bien pétrir et laisser reposer la pâte pendant une demi-heure avant de l'utiliser.

Cette pâte est excellente dans la préparation de n'importe quelle tarte ou tartelette qui requiert une pâte sucrée. Vous pouvez faire de délicieux biscuits avec les restes de pâte (ou même préparer la pâte spécialement pour faire des biscuits).

Pâte à tarte au yogourt

INGRÉDIENTS
1/2 tasse / 100 g de beurre ou de margarine, coupé en petits morceaux
1 1/2 tasse / 175 g de farine
1 c. à thé / 5 ml de poudre à pâte
3/8 tasse / 75 ml de yogourt

MÉTHODE
Combiner le beurre, la farine et la poudre à pâte; travailler jusqu'à ce que le mélange ressemble à une chapelure fine. Ajouter le yogourt et bien mélanger. Rassembler la pâte et pétrir doucement. Réfrigérer pendant une heure ou plus. Utiliser selon les besoins. Cette recette donne un belle pâte tendre (pâte brisée) idéale pour les tartes sucrées ou salées.

Pâte à tarte au fromage

INGRÉDIENTS
1 1/3 tasse / 225 g de fromage blanc
1/2 tasse / 100 g de beurre
1/2 tasse / 100 g de margarine
2 1/4 tasses / 225 g de farine
1 c. à thé / 5 ml de poudre à pâte

MÉTHODE
Mélanger ensemble le fromage et les matières grasses. Les faire pénétrer dans la farine et la poudre à pâte. Réfrigérer pendant au moins 3 heures.

VARIANTE
Pour faire un strudel, rouler la pâte et y étendre des pommes hachées, de la confiture, des raisins, des flocons de maïs et du sucre. Rouler et faire cuire au four.

Pour faire des tartelettes, couper la pâte en carrés d'environ 5 cm. Remplir de confiture d'abricots, de garniture au fromage ou de pommes finement hachées avec des raisins. Plier en triangle ou joindre les coins au milieu. Badigeonner d'un œuf battu et cuire au four à 350 °F / 180 °C pendant 30 minutes.

GARNITURE AU FROMAGE
1/2 tasse / 100 g de fromage à la crème
1/2 œuf battu
1 c. à table / 15 ml de sucre
zeste de citron râpé

MÉTHODE
Bien mélanger ensemble tous les ingrédients et utiliser selon les besoins.

Tarte aux abricots

INGRÉDIENTS *4-6 portions*
2 1/2 tasses / 600 ml de yogourt
pâte brisée pour une abaisse d'environ 19 cm
1 1/2 tasse / 400 g d'abricots en conserve
3/8 tasse / 90 ml de crème à fouetter
2 c. à table / 30 ml de fécule de maïs
1/4 tasse / 50 g de sucre-semoule
1 c. à table / 15 ml de jus de citron
2 c. à thé / 10 ml d'extrait de vanille
1 œuf séparé

MÉTHODE

Laisser égoutter le yogourt pendant 3 heures. Faire cuire l'abaisse pendant 10 minutes. Égoutter les fruits (conserver le jus pour l'utiliser dans une salade de fruits) et disposer les moitiés d'abricots sur la pâte à tarte. Quand le yogourt est égoutté, le mélanger avec la crème et le reste des ingrédients, sauf le blanc d'œuf; battre le tout jusqu'à l'obtention d'un mélange uniforme.

Fouetter le blanc d'œuf jusqu'à ce qu'il soit ferme et l'incorporer dans le mélange. Verser sur les abricots et cuire à 325 °F / 170 °C pendant 50 minutes.

VARIANTE

Utiliser du fromage blanc ou du quark (1 1/3 tasse / 225 g) à la place du yogourt, au goût.

▲ Tarte aux abricots
▶ Tarte aux pommes française

Tarte aux pommes danoise

INGRÉDIENTS *4-6 portions*
pâte brisée pour une abaisse d'environ 19 cm
5 pommes à cuire moyennes / 700 g, pelées, évidées et tranchées
1/4 tasse / 50 ml d'eau
1/4 tasse / 50 ml de sucre
1 c. à table / 15 g de beurre
1 c. à thé / 5 ml de cannelle moulue
1 tasse / 250 ml de crème sure
2 c. à table / 30 ml de sucre-semoule

MÉTHODE

Faire cuire l'abaisse pendant 10 minutes à 350 °F / 180 °C. Préparer une sauce épaisse avec les pommes, l'eau, le sucre, le beurre et la moitié de la cannelle. Il ne devrait pas rester de liquide quand les pommes sont cuites; s'il en reste, cuire encore quelques minutes sans couvercle, en remuant pour empêcher les pommes de coller.

Laisser légèrement refroidir la sauce aux pommes avant de la verser dans l'abaisse. Napper de crème sure. Mélanger le reste de la cannelle avec le sucre et saupoudrer ce mélange sur la crème sure. Cuire à 400 °F / 200 °C pendant 30 minutes.

Bien que la tarte soit meilleure chaude, elle est également délicieuse froide.

Tarte aux pommes française

INGRÉDIENTS *6 portions*
3/4 tasse / 75 g de farine ordinaire non traitée
3/4 tasse / 75 g de farine de blé entier
1/3 tasse / 50 g d'amandes moulues
8 c. à table / 100 g de beurre
1 œuf
1/4 tasse / 50 g de sucre à fruits
1 pincée de sel

GARNITURE
6 pommes à cuire
10 c. à table / 150 g de beurre
2-3 c. à table / 30-45 ml de sucre à fruits
2 c. à thé / 10 ml d'épice mélangées

MÉTHODE

Préchauffer le four à 400 °F / 200 °C. Pour faire la pâte, tamiser les farines et les amandes sur une planche et faire un puits au centre. Mettre le reste des ingrédients dans le puits et travailler du bout des doigts jusqu'à l'obtention d'une pâte souple. Pétrir quelques minutes, puis réfrigérer pendant une demi-heure.

Entre-temps, peler, évider et trancher les pommes. Chauffer le beurre dans une casserole et faire frire les pommes doucement, jusqu'à ce qu'elles soient tendres et dorées. Ajouter le sucre et les épices; cuire, en remuant, jusqu'à ce que les pommes soient enrobées de sirop.

Tapisser de pâte un moule à quiche de 22 cm à fond amovible et y déposer les pommes. Cuire pendant 25-30 minutes et servir avec de la crème fouettée.

Gâteau au chocolat

INGRÉDIENTS *6 portions*
1/2 tasse / 100 g de beurre ou de margarine molle
3/4 tasse / 175 g de sucre
2 œufs battus
2 1/4 tasses / 225 g de farine
1 c. à thé / 5 ml de poudre à pâte
4 c. à table / 50 g de cacao
1 c. à thé / 5 ml de bicarbonate de soude
1 tasse / 250 ml de yogourt
1 c. à thé / 5 ml d'extrait de vanille

MÉTHODE

Battre ensemble le beurre et le sucre, jusqu'à l'obtention d'un mélange léger. Ajouter les œufs et continuer de battre. Tamiser la farine, la poudre à pâte, le cacao et le bicarbonate, puis incorporer dans le mélange de beurre. Ajouter le yogourt et l'extrait de vanille; bien mélanger.

Verser le mélange dans un moule graissé, mesurant environ 20 cm. (Utiliser deux moules à sandwich ou un gros moule en couronne, si désiré.) Cuire à 350 °F / 180 °C pendant 25 minutes. Insérer un couteau pour vérifier la cuisson.

Laisser refroidir et glacer avec le Glaçage au fromage à la crème (voir page 165) ou saupoudrer de sucre à glacer.

Tartelettes aux fruits

INGRÉDIENTS *6-8 portions*
6-8 petites croûtes à tarte cuites
1/2 tasse / 100 g de fromage à la crème
1/2 c. à thé / 2,5 ml d'extrait de vanille (facultatif)
1-2 c. à thé / 5-10 ml de sucre-semoule
3-4 tasses / 450 g de fruits frais (framboises, fraises, etc.)
confiture à l'abricot pour glacer

MÉTHODE

Mélanger le fromage à la crème, la vanille et suffisamment de sucre pour que le mélange ait la consistance d'une crème épaisse. Verser dans les croûtes à tartes cuites et refroidies. Couvrir le fromage à la crème de fruits frais. Faire fondre un peu de confiture à l'abricot dans une casserole et en badigeonner les fruits.

Utiliser plusieurs variétés de fruits pour composer une assiette de tartelettes attrayante ou faire une grande tarte et remplir la croûte de fruits différents en les disposant en cercles.

Gâteau aux épices et au babeurre

INGRÉDIENTS *6 portions*
2 1/4 tasses / 300 g de farine
1 tasse / 225 g de sucre
1 1/2 c. à thé / 7,5 ml de bicarbonate de soude
1 c. à thé / 5 ml de poudre à pâte
1 pincée de sel
1 c. à thé / 5 ml de cannelle
1/2 c. à thé / 2,5 ml de clous de girofle moulus
1/2 tasse / 100 g de beurre fondu
1 1/2 tasse / 350 ml de babeurre
2 œufs

MÉTHODE

Tamiser les ingrédients secs. Ajouter le beurre et le babeurre; battre le mélange jusqu'à ce qu'il soit uniforme. Verser le mélange dans un moule à gâteau graissé et enfariné d'environ 20 cm. Cuire à 350 °F / 180 °C pendant 40 minutes.

Gâteau à la citrouille, aux graines de tournesol et aux raisins

INGRÉDIENTS *6-8 portions*
2 1/4 tasses / 350 g de citrouille
2 1/4 tasses / 225 g de farine de blé entier
1 pincée de sel
2 c. à thé / 10 ml de poudre à pâte
1 c. à thé / 5 ml de bicarbonate de soude
1/3 tasse / 50 g de graines de tournesol hachées
1/3 tasse / 50 g de raisins secs
2 œufs
2 c. à table / 30 ml de miel
2 c. à table / 30 ml de mélasse
1 c. à table / 15 ml d'eau chaude

MÉTHODE

Préchauffer le four à 375 °F / 190 °C. Peler la citrouille, la couper en petits morceaux et faire cuire jusqu'à ce qu'ils soient tendres. Égoutter et hacher fin.

Combiner la farine, le sel, la poudre à pâte, les graines de tournesol et les raisins secs; bien mélanger.

Dans un autre bol, battre les œufs et incorporer le miel et la mélasse. Ajouter 1 c. à table / 15 ml d'eau chaude avec la citrouille et bien battre.

Mélanger tous les ingrédients ensemble. Verser dans un moule graissé et enfariné. Cuire pendant 50-60 minutes. Laisser reposer 10 minutes dans le moule, puis faire refroidir le gâteau sur un treillis métallique.

Tarte aux pacanes

INGRÉDIENTS *4-6 portions*
1 1/2 tasse / 250 g de pâte à tarte (voir page 158)
4 c. à table / 50 g de beurre ramolli
2 c. à table / 30 ml de miel
2 c. à table / 30 ml de sirop d'érable
3 œufs
1 c. à thé / 5 ml d'essence de vanille
1 tasse / 100 g de pacanes séparées en deux
crème fouettée

MÉTHODE

Préchauffer le four à 425 °F / 220 °C. Tapisser un moule de 22 cm de la pâte à tarte (au choix). Piquer et faire cuire vide pendant 10 minutes.

Entre-temps, préparer la garniture. Battre le beurre avec le miel et le sirop, jusqu'à ce que le mélange soit uniforme. Dans un autre bol, battre vigoureusement les œufs et l'essence de vanille à l'aide d'un batteur à œufs rotatif ou électrique. Verser le sirop, en battant continuellement avec une fourchette.

Disperser les noix uniformément sur la croûte à tarte et couvrir de garniture. Cuire au four pendant 10 minutes. Réduire la chaleur à 325 °F / 170 °C et cuire pendant environ 25-35 minutes, jusqu'à ce que la garniture soit prise, mais non sèche. Servir chaud (mais pas trop) ou froid avec de la crème fouettée.

Gâteau au yogourt

INGRÉDIENTS *4 portions*
2/3 tasse / 150 ml de yogourt
2 1/2 tasses / 250 g de farine
3 c. à thé / 15 ml de poudre à pâte
1/4 tasse / 60 ml d'huile
3/4 tasse / 175 g de sucre
1 c. à thé / 5 ml d'extrait de vanille
2 œufs

MÉTHODE

Bien mélanger tous les ingrédients. Battre jusqu'à l'obtention d'un mélange uniforme. Verser le mélange dans un moule à gâteau bien graissé d'environ 20 cm. Cuire à 350 °F / 180 °C pendant 45 minutes. Insérer un couteau pour vérifier la cuisson et cuire plus longtemps si nécessaire.

Cette recette permet de nombreuses variantes. Pour faire un gâteau renversé aux fruits, saupoudrer le fond du moule de sucre brun; puis, disposer des pommes ou des poires tranchées sur le sucre; verser le mélange sur ces fruits et cuire tel qu'indiqué.

▲ Tarte aux pacanes   ▼ Gâteau à la citrouille, aux graines de tournesol et aux raisins

163

Gâteau au fromage continental

INGRÉDIENTS *6-8 portions*
Pâte à tarte à la crème sure (voir page 158)
6 c. à table / 75 g de beurre ou de margarine
4 c. à table / 75 g de sucre-semoule
1/3 tasse / 50 g de raisins
zeste de citron râpé
1 1/3 tasse / 225 g de fromage blanc
2 c. à table / 30 ml de crème sure
2 œufs séparés
1 c. à thé / 5 ml d'essence de vanille

MÉTHODE

Tapisser de pâte une assiette à tarte de 23 cm et cuire pendant 5 minutes. Réserver un peu de pâte pour décorer le dessus du gâteau. Bien mélanger ensemble le reste des ingrédients, sauf les blancs d'œufs. Battre les blancs d'œufs jusqu'à ce qu'ils soient fermes et les incorporer au mélange.

Verser dans la croûte à tarte et décorer avec la pâte réservée selon un motif entrecroisé. Cuire à 350 °F / 180 °C pendant 30 minutes.

Gâteau au fromage grec

INGRÉDIENTS *6 portions*
pâte brisée pour un moule d'environ 19 cm
2 2/3 tasses / 450 g de fromage blanc
4 œufs
1/2 tasse / 100 g de miel clair
1 c. à thé / 5 ml de cannelle moulue

MÉTHODE

Faire cuire la pâte pendant 15 minutes à 350 °F / 180 °C. Mélanger ensemble le fromage blanc, les œufs, le miel et la cannelle (dans un mélangeur ou un robot culinaire de préférence). Remplir partiellement du mélange la croûte cuite et mettre au four à 350 °F / 180 °C pendant 30 minutes.

VARIANTE

Le nom de ce gâteau, en grec, est *siphnopitta* (littéralement "gâteau de l'île de Siphnos"). Il est très facile à faire et constitue une exquise variation sur le thème des gâteaux au fromage. Vous pouvez utiliser de la ricotta si vous préférez.

▲▶ Gâteau aux carottes
◀ Gâteau au fromage continental

Gâteau aux carottes

INGRÉDIENTS *6 portions*
6 c. à table / 75 g de beurre
1 tasse / 250 g de sucre-semoule
3 œufs
2 3/4 tasses / 300 g de farine
2 c. à thé / 10 ml de bicarbonate de soude
1/2 c. à thé / 2,5 ml de sel
1/2 c. à thé / 2,5 ml de cannelle moulue
2/3 tasse / 150 ml de yogourt
4 tasses / 350 g de carottes finement râpées
3/4 tasse / 100 g de noix hachées ou de noix mélangées hachées

MÉTHODE

Réduire le beurre et le sucre en crème. Ajouter les œufs, un à la fois. Tamiser la farine, le bicarbonate de soude, le sel et la cannelle, et ajouter au mélange au beurre en alternant avec le yogourt. Incorporer les carottes et les noix; mélanger délicatement.

Verser le mélange dans un moule à gâteau graissé et enfariné d'environ 20 cm. Cuire au four à 350 °F / 180 °C pendant 45 minutes. Insérer un couteau pour vérifier la cuisson et cuire un peu plus longtemps si nécessaire.

Glacer le gâteau avec le Glaçage au fromage à la crème (voir ci-contre) pour la version américaine. Si vous trouvez le glaçage trop riche, sachez que ce gâteau est excellent nature.

Glaçage au fromage à la crème

INGRÉDIENTS *pour glacer un gâteau de 20 cm*
2 c. à table / 25 g de beurre non salé
2/3 tasse / 75 g de sucre à glacer
zeste de citron râpé
1 tasse / 250 g de fromage à la crème

MÉTHODE

Mélanger ensemble tous les ingrédients jusqu'à l'obtention d'un mélange uniforme — utiliser un mélangeur ou un robot culinaire pour accélérer le travail. Réfrigérer jusqu'à l'utilisation. Étendre sur les gâteaux ou utiliser comme garniture à gâteaux.

C'est le glaçage américain classique pour le Gâteau aux carottes (recette précédente). Il est également délicieux avec le Gâteau au chocolat (voir page 162) ou avec n'importe quel gâteau que vous désirez glacer.

VARIANTE

Pour préparer un glaçage à la saveur différente, omettre le zeste de citron et le remplacer par:
1 c. à thé / 5 ml d'extrait de vanille
ou 1 c. à table / 15 ml de jus d'orange et de zeste d'orange râpé
ou 1/2 c. à thé / 2,5 ml de cannelle moulue
ou 2 c. à table / 25 g de chocolat amer fondu
ou 2 c. à table / 30 ml de café très fort

Gâteau aux pommes

INGRÉDIENTS *6 portions*
3 pommes à cuire moyennes, pelées,
  évidées et tranchées
un peu de cidre
1 clou de girofle
2 c. à table / 30 ml de beurre mou
2 c. à table / 30 ml de miel
2 c. à table / 30 ml de mélasse
1 œuf
1 c. à thé / 5 ml d'épices mélangées
1 pincée de sel
2 c. à thé / 10 ml de poudre à pâte
1 c. à thé / 5 ml de bicarbonate de
  soude
1/2 tasse / 75 g de raisins secs
1 1/2 tasse / 175 g de farine de blé
  entier
4 c. à table / 15 g de germe de blé

MÉTHODE
Préchauffer le four à 350 °F / 180 °C.
Faire pocher les tranches de pommes
dans un peu de cidre avec le clou de
girofle, jusqu'à ce qu'elles soient tendres.
Retirer le clou. Égoutter et réserver le
cidre. Réduire les pommes en purée dans
un mélangeur.

Mélanger dans un grand bol le beurre,
le miel, la mélasse et 1 c. à table / 15 ml
du cidre réservé. Incorporer l'œuf en
battant. Ajouter les pommes et le reste
des ingrédients; bien mélanger.

Verser la pâte dans un moule à pain de
22 x 10 cm, graissé et enfariné, et cuire
une heure ou jusqu'à ce que la pâte soit
ferme. Laisser reposer pendant 10 minutes, puis démouler et laisser refroidir
complètement sur un treillis métallique.

Gâteau aux fruits frais

INGRÉDIENTS *8 portions*
2 œufs
1/3 tasse / 75 ml de lait
2 c. à table / 30 ml de miel
2 c. à table / 30 ml de mélasse
1 1/2 tasse / 175 g de farine de blé
  entier
1 c. à thé / 5 ml de poudre à pâte
1 c. à thé / 5 ml de bicarbonate de
  soude
1 c. à thé / 5 ml de cannelle
1 pincée de sel
500 g de pêches
250 g de prunes

250 g de cerises
1 tasse / 100 g de noix hachées
un peu de beurre
fruits frais pour décorer
crème fouettée

MÉTHODE
Préchauffer le four à 400 °F / 200 °C.
Battre les œufs avec le lait. Incorporer le
miel et la mélasse. Ajouter le reste des
ingrédients secs et bien mélanger.

Dénoyauter et hacher les fruits. Les
incorporer à la pâte avec les noix. Verser
dans un moule à gâteau à fond amovible
de 22 cm, graissé et enfariné. Cuire pendant 50-60 minutes, jusqu'à ce que le
milieu soit pris. Garnir de noisettes de
beurre vers la fin de la cuisson pour
éviter que le dessus sèche.

Laisser refroidir dans le moule.
Réfrigérer, décorer de fruits frais et servir
avec de la crème fouettée.

▲ Gâteau aux pommes

166

LES DESSERTS ET LES FLANS

Les mousses aux fruits et les diplomates, les soufflés et les flans,
la riche crème glacée et les glaces à faible teneur en calories
sont autant de succulentes contributions à la carte des desserts.
Vous trouverez ici des recettes variées conçues pour répondre à
tous les goûts : tant les friands de sucreries que les gens qui
surveillent attentivement leur ligne et leur santé,
devraient y trouver leur compte.

Diplomate aux pétales de roses

167

Mousse au cassis

INGRÉDIENTS
2/3 tasse / 150 ml de yogourt
2 œufs séparés
1 c. à table / 15 ml de crème de cassis (ou de sirop de cassis)
1/4 tasse / 50 g de sucre-semoule
2 tasses / 225 g de cassis

MÉTHODE
Mélanger le yogourt et les jaunes d'œufs avec la crème de cassis et le sucre, jusqu'à ce que le sucre soit dissous.

Avant de servir, fouetter les blancs d'œufs jusqu'à ce qu'ils deviennent fermes; les incorporer au mélange contenant les jaunes. Verser dans des récipients individuels.

Servir avec des biscuits de Savoie ou des petits gâteaux.

VARIANTE
Changez la saveur en utilisant une liqueur différente : liqueur à l'orange avec un peu de zeste d'orange râpé; liqueur au chocolat avec un peu de chocolat râpé. Vous pouvez également remplacer les 2 tasses de cassis pour des myrtilles. Si vous souhaitez préparer ce dessert à l'avance, réfrigérer le mélange contenant les jaunes d'œufs et incorporez les blancs et les fruits à la dernière minute.

▲ Mousse au cassis

Mousseline à l'orange

INGRÉDIENTS *4-6 portions*
1 c. à table / 15 ml d'agar-agar
1/2 tasse / 100 ml de jus d'orange
5 c. à table / 75 ml de sucre-semoule
2 œufs séparés
1 tasse / 250 ml de babeurre
écorces d'orange râpées

MÉTHODE
Faire tremper l'agar-agar dans le jus d'orange. Faire chauffer doucement, jusqu'à ce que l'agar-agar soit dissous. Retirer la casserole du feu. Battre 3 c. à table / 45 ml de sucre avec les jaunes d'œufs, jusqu'à ce que le mélange soit léger et mousseux. Ajouter ce mélange à l'agar-agar et remuer à feu très doux jusqu'à ce que ce nouveau mélange commence à épaissir. Verser le mélange épais dans un bol et ajouter le babeurre et les écorces d'orange. Bien mélanger et réfrigérer jusqu'à ce le mélange commence à prendre.

Battre les blancs d'œufs jusqu'à qu'ils soient fermes. Incorporer le reste du sucre. Combiner les blancs d'œufs et le mélange contenant l'agar-agar, en remuant doucement.

Verser la mousseline dans un plat de service (ou dans des coupes individuelles) et réfrigérer jusqu'au moment de servir.

VARIANTE
Si vous préférez, vous pouvez utiliser ce mélange pour faire une tarte. Versez le mélange dans une croûte à tarte cuite et réfrigérez. Décorez la mousseline de morceaux de fruits confits ou de chocolat.

Crème à l'orange

INGRÉDIENTS *4 portions*
2 œufs séparés
2 c. à table / 30 ml de sucre-semoule
jus et zeste râpé de 1 orange
1 1/3 tasse / 225 g de fromage à la crème
2 c. à table / 30 ml de liqueur à la saveur d'orange

MÉTHODE
Battre les jaunes d'œufs avec le sucre jusqu'à l'obtention d'un mélange épais et crémeux. Ajouter le jus et le zeste d'orange; bien mélanger. Ramollir le fromage et l'ajouter au mélange. Ajouter la liqueur.

Battre les blancs d'œufs jusqu'à ce qu'ils soient fermes. Incorporer graduel-

lement les blancs d'œufs au mélange contenant le fromage. Verser dans quatre verres et servir immédiatement.

Si vous préférez préparer ce dessert à l'avance, attendez à la dernière minute avant de fouetter et d'incorporer les blancs d'œufs. Sinon, le mélange peut se séparer; si cela se produit, mélangez bien avant de servir.

VARIANTE
Utiliser du fromage blanc ou du quark pour obtenir une version moins riche.

Gelée crémeuse à la rhubarbe

INGRÉDIENTS *6 portions*
2 1/2 tasses / 600 ml de yogourt
4 tasses / 450 g de rhubarbe
sucre au goût
1 c. à thé / 5 ml d'essence de vanille
1/2 c. à thé / 2,5 ml de cannelle moulue ou un petit morceau de cannelle en bâton
1 tasse / 250 ml de crème fouettée
2 c. à table / 15 mg d'agar-agar
2 c. à table / 30 ml d'eau bouillante

MÉTHODE
Égoutter le yogourt pendant environ 3 heures.

Faire cuire la rhubarbe avec le sucre, l'essence de vanille et la cannelle, et juste assez d'eau pour empêcher que le mélange brûle. Vous aurez besoin de 1 1/4 tasse / 300 ml de rhubarbe cuite. Mélanger la rhubarbe cuite avec le yogourt égoutté et la crème fouettée. Mélanger délicatement, jusqu'à ce que tous les ingrédients soient bien intégrés.

Dissoudre l'agar-agar dans l'eau bouillante et mélanger uniformément. Ajouter rapidement au mélange contenant la rhubarbe.

Verser le mélange dans un petit moule en couronne humide et réfrigérer jusqu'à ce que le mélange soit pris. Servir avec un peu de crème fouettée si désiré.

VARIANTE
Utiliser 1 1/3 tasse / 225 g de quark ou de fromage blanc à la place du yogourt égoutté, si désiré.

Crème caramel

INGRÉDIENTS *6 portions*
4 c. à table / 60 ml de sucre à fruits
4 c. à table / 60 ml d'eau

CRÈME ANGLAISE
2 1/2 tasses / 600 ml de lait
quelques gouttes d'essence de
  vanille
4 œufs
3 c. à table / 45 ml de sucre à fruits

MÉTHODE

Préchauffer le four à 350 °F / 180 °C. Pour préparer le caramel, mettre le sucre et l'eau dans une casserole épaisse et remuer à feu doux jusqu'à ce que le sucre soit dissous. Amener à ébullition et faire bouillir jusqu'à l'obtention d'un sirop doré. Verser le caramel dans six moules individuels et remuer pour que le sirop couvre le fond et les côtés.

Amener le lait et la vanille à ébullition dans une casserole. Retirer du feu.

Battre les œufs et le sucre ensemble dans un bol. Ajouter graduellement le lait, en remuant continuellement.

À l'aide d'une louche, verser la crème anglaise dans les moules. Placer les moules dans une rôtissoire à moitié remplie d'eau chaude et cuire pendant 45 minutes, jusqu'à ce que la crème soit prise. Laisser refroidir, puis réfrigérer. Ne démouler la crème caramel qu'au moment de servir.

▼ Crème caramel

Pashka russe

INGRÉDIENTS *6 portions*
3/4 tasse / 175 g de sucre-semoule
3/4 tasse / 175 g de beurre non salé
2 jaunes d'œufs
2 tasses / 350 g de fromage cottage, égoutté et passé
2/3 tasse / 150 ml de crème sure ou de crème épaisse
1 1/3 tasse / 225 g de fruits séchés mélangés
1 c. à thé / 5 ml d'essence de vanille

MÉTHODE
Réduire le sucre et le beurre en crème jusqu'à ce que le mélange soit léger et mousseux. Incorporer les jaunes d'œufs, un à la fois, en battant. Ajouter le fromage cottage égoutté au mélange au beurre et bien mélanger. Ajouter le reste des ingrédients et mélanger soigneusement.

Verser le mélange dans un plat de service et réfrigérer pendant au moins 2 heures.

Mousse aux prunes de Damas

INGRÉDIENTS
450 g de prunes de Damas ou autres prunes
sucre au goût
1 tasse / 250 ml d'eau
1 c. à table / 15 ml d'agar-agar
3 c. à table / 45 ml d'eau bouillante
2/3 tasse / 150 ml de yogourt
2 blancs d'œufs

MÉTHODE
Faire cuire les prunes de Damas avec le sucre et l'eau. Passer les prunes dans un tamis pour faire une purée. Goûter et ajouter du sucre si nécessaire.

Dissoudre l'agar-agar dans l'eau bouillante et l'ajouter à la purée. Laisser refroidir le mélange. Quand il commence à prendre incorporer le yogourt. Battre les blancs d'œufs jusqu'à ce qu'ils soient fermes. Ajouter un peu de blancs d'œufs au mélange de prunes pour l'alléger, puis incorporer le reste.

Réfrigérer pendant au moins 6 heures, toute une nuit si possible. Plus la mousse passera de temps au réfrigérateur, plus elle sera savoureuse.

VARIANTE
Essayer cette recette avec d'autres fruits — avec des prunes bien parfumées ou d'autres fruits cuits.

Crème de marron

INGRÉDIENTS *4 portions*
1 1/4 tasse / 425 g de purée de marron non sucrée
2 c. à table / 30 ml de rhum brun
1 c. à table / 15 ml de sucre muscovado brun
2/3 tasse / 150 ml de yogourt grec égoutté
2 blancs d'œufs
marrons ou pistaches hachés

MÉTHODE
Battre ensemble la purée de marron, le rhum, le sucre et le yogourt, jusqu'à l'obtention d'un mélange uniforme.

Fouetter les blancs d'œufs jusqu'à ce qu'ils soient fermes et incorporer au mélange.

Verser dans un grand plat de service ou dans quatre petites coupes.

Réfrigérer pendant 1 heure; décorer de noix hachées et servir.

▲▲ Pashka russe
▲ Crème de marron
◀ Mousse aux prunes de Damas

171

Diplomate aux pétales de roses

INGRÉDIENTS *6 portions*
2 œufs
4 c. à table / 50 g de sucre muscovado brun foncé
1/2 c. à thé / 2,5 ml de cannelle
moulue
4 c. à table / 25 g de farine de blé
entier
4 c. à table / 25 g de farine ordinaire
1 c. à table / 15 g de margarine
polyinsaturée fondue
2 jaunes d'œufs
2 c. à table / 15 g de fécule de maïs
2 c. à table / 25 g de sucre muscovado pâle
1 1/4 tasse / 300 ml de lait partiellement écrémé
1 c. à table / 15 ml d'eau de rose à
concentration triple
4 fruits de la passion coupés en
deux
175 g de framboises
2 c. à table / 30 ml de crème fouettée (ou de yogourt grec égoutté)
pétales de roses

MÉTHODE

Graisser légèrement un moule à sandwich de 18 cm. Fouetter ensemble les
œufs et le sucre muscovado foncé,
jusqu'à ce que le mélange soit épais et
crémeux.

Incorporer la cannelle, les farines et la
margarine fondue. Verser dans le moule
et cuire dans un four préchauffé à 350 °F
/ 180 °C pendant 20 minutes, ou jusqu'à
ce que le mélange ait levé et soit ferme.
Démouler et laisser refroidir.

Battre ensemble les jaunes d'œufs, la
fécule de maïs et le sucre muscovado
pâle. Faire chauffer le lait jusqu'au point
d'ébullition et le verser sur le mélange
aux œufs. Verser le mélange dans la
casserole et cuire à feu doux, en remuant
constamment, jusqu'à ce qu'il épaississe.

Ajouter l'eau de rose, couvrir et laisser
reposer le mélange jusqu'à ce qu'il ait
refroidi.

Couper le gâteau en cubes et placer
ceux-ci au fond d'un plat de service. À
l'aide d'une cuillère, enlever la chair des
fruits de la passion et l'étendre sur les
cubes de gâteau. Couvrir de framboises.

Verser la crème anglaise sur le tout,
puis, à l'aide d'une douille, décorer de
crème fouettée ou de yogourt. Garnir de
pétales de roses et servir.

Framboises et pommes étagées

INGRÉDIENTS *6 portions*
450 g de pommes à dessert, pelées,
évidées et hachées
225 g de framboises mûres en purée
1 c. à table / 15 ml de sucre muscovado pâle
2 c. à table / 25 g de margarine
polyinsaturée
50 g de chapelure au blé entier
50 g de biscuits au musli émiettés
1 c. à thé / 5 ml d'épices mélangées
framboises
tranches de pommes vertes

MÉTHODE

Placer les pommes dans une casserole
avec 1 c. à table / 15 ml d'eau bouillante,
couvrir et cuire lentement jusqu'à ce que
les pommes soient tendres. Réduire en
purée dans un mélangeur ou un robot
culinaire.

Mélanger avec la purée de framboises
et le sucre. Laisser refroidir.

Faire fondre la margarine dans une
casserole, ajouter la chapelure au blé
entier et remuer à feu doux jusqu'à ce
que le mélange soit bruni. Incorporer les
biscuits au musli et les épices mélangées.
Disposer en alternance des rangées de
fruits et de mélange à biscuits dans des
bols en verre. Décorer de fruits et servir.

Yogourt aux bananes et aux cerises

INGRÉDIENTS *4 portions*
4 bananes très mûres, coupées en
morceaux
2 c. à thé / 10 ml de jus de citron
1 1/4 tasse / 300 ml de yogourt
nature à faible teneur en gras
225 g de cerises fraîches dénoyautées
cerises doubles avec les tiges

MÉTHODE

Écraser les bananes avec le jus de citron. Incorporer le yogourt.

Répartir les cerises dénoyautées entre
quatre grands verres et les couvrir de
yogourt aux bananes.

Suspendre des cerises doubles sur le
bord de chaque verre pour décorer.
Servir froid tel quel ou avec des biscuits
de blé entier.

Meringue aux mûres

INGRÉDIENTS *4-6 portions*
meringue émiettée pour couvrir un
moule de 18 cm
2 1/2 tasses / 350 g de mûres
2/3 tasse / 150 ml de crème sure
2 c. à thé / 10 ml de sucre-semoule
1/2 c. à thé / 2,5 ml d'essence de
vanille

MÉTHODE

Couvrir le moule de meringue émiettée. Recouvrir de mûres. Mélanger la
crème sure, le sucre et l'essence de
vanille; verser ce mélange sur les mûres.
Cuire à 350 °F / 180 °C pendant 20
minutes.

NOTE

Si vous faites souvent cuire des
meringues, vous avez peut-être un sur-
plus de meringue émietté — voici la
solution à votre problème. D'autres
types de baies pourraient convenir, mais
les mûres ont une acidité particulière qui
contraste très bien avec le goût sucré de
la meringue.

▲ ▲ Yogourt aux bananes et aux cerises
▲ Framboises et pommes étagées
▶ Meringue aux mûres

Blintzes au fromage

INGRÉDIENTS *8-9 crêpes*
1 recette de Crêpes (voir page 68)
2 tasses / 350 g de fromage blanc
1 jaune d'œuf
1 c. à table / 15 ml de sucre
beurre

MÉTHODE

Préparer les crêpes. Bien mélanger ensemble le fromage, le jaune d'œuf et le sucre. Mettre une cuillerée de mélange sur le côté cuit de chaque crêpe. Former des carrés en ramenant deux côtés vers le milieu, puis en pliant les deux autres côtés par-dessus.

Faire fondre un peu de beurre et faire frire les crêpes fourrées en plaçant le côté plié vers le bas en premier, puis les retourner pour les faire frire de l'autre côté, jusqu'à ce qu'elles soient légèrement brunies. Garder les crêpes au chaud pendant que les autres cuisent. Servir très chaud.

NOTE

Les blintzes se congèlent très bien : faire cuire, laisser refroidir, puis envelopper de papier d'aluminium et congeler. Faire cuire les crêpes au four à leur sortie du congélateur, avec un peu de beurre sur chacune; si elles sont décongelées, les faire réchauffer doucement dans une poêle à frire. Vous pouvez faire une garniture moins riche en utilisant du fromage cottage ou une garniture plus riche en utilisant du fromage à la crème.

▶ Blintzes au fromage

Crêpes au sarrasin avec des myrtilles (bleuets)

INGRÉDIENTS *9 petites crêpes*
3/8 tasse / 40 g de farine de blé entier
1/8 tasse / 14 g de farine de sarrasin
1 pincée de sel
1 œuf
2/3 tasse / 150 ml de lait
1 c. à table / 15 ml de beurre fondu

GARNITURE
500 g de myrtilles (bleuets)
4 c. à table / 60 ml de miel
crème fouettée pour servir

MÉTHODE

Pour faire la pâte à crêpes, tamiser les farines et le sel dans un bol. Faire un puits au centre et ajouter l'œuf.

Incorporer graduellement la moitié de la quantité de lait, puis ajouter le beurre fondu. Incorporer le reste du lait en battant jusqu'à l'obtention d'une pâte légère. Laisser reposer la pâte pendant une demi-heure.

Entre-temps, préparer la garniture. Laver et trier les myrtilles. Les placer dans une casserole à fond épais à feu très doux. Il est préférable de ne pas ajouter d'eau. Quand les fruits baignent dans leur propre jus, ajouter le miel et remuer jusqu'à ce qu'il soit dissous. Le sirop doit être épais et fruité.

Pour faire les crêpes, huiler un poêlon à fond épais de 18 cm de diamètre. Placer sur le feu et quand l'huile est très chaude ajouter 2 c. à table / 30 ml de pâte. Incliner le poêlon de sorte que la pâte en couvre le fond. Faire cuire la crêpe jusqu'à ce que le dessous commence à brunir, puis la retourner et faire cuire l'autre côté. Vous devrez peut-être jeter la première crêpe, parce qu'elle aura absorbé l'excès d'huile dans le poêlon.

Continuer à faire des crêpes jusqu'à ce qu'il n'y ait plus de pâte. Garder les crêpes au chaud. Répartir la garniture et les rouler en forme de cigares. Servir avec une bonne cuillerée de crème fouettée.

Scones aux pommes

INGRÉDIENTS *4-6 portions*
1 1/2 tasse / 175 g de farine tamisée
5 c. à table / 90 g de sucre brun
1 œuf
7/8 tasse / 225 ml de yogourt
3 pommes à cuire moyennes (450 g), pelées, évidées et râpées
1/2 c. à thé / 2,5 ml de cannelle moulue
beurre ou margarine pour la friture

MÉTHODE

Combiner la farine, le sucre, l'œuf et le yogourt; bien mélanger jusqu'à l'obtention d'un mélange uniforme. Incorporer les pommes râpées et la cannelle, puis bien mélanger. Faire chauffer une poêle à frire ou une poêle à crêpes, et graisser légèrement.

Verser des cuillerées de mélange dans la poêle et cuire trois ou quatre gâteaux à la fois, selon la taille de la poêle. Tourner les gâteaux quand des bulles commencent à apparaître. Garder au chaud pendant la cuisson des autres gâteaux.

NOTE

Si désiré, servir avec du beurre ou de la confiture, mais c'est aussi très bon nature.

Crêpes aux patates douces et aux abricots

INGRÉDIENTS *6-8 portions*
1 recette de Crêpes (page 68)

GARNITURE
3/4 tasse / 100 g d'abricots séchés
2 grosses patates douces
beurre
miel
cannelle
crème sure

MÉTHODE

Faire tremper les abricots toute la nuit. Amener à ébullition et laisser mijoter jusqu'à ce qu'ils soient tendres. Les hacher ensuite.

Peler et couper grossièrement les patates douces. Mettre dans une casserole, verser le liquide des abricots et couvrir d'eau. Amener à ébullition et laisser mijoter jusqu'à ce que les patates soient cuites.

Réduire les patates douces en purée avec un peu de beurre. Ajouter le miel et la cannelle pour les parfumer. Incorporer les abricots.

Placer une bonne cuillerée du mélange sur chaque crêpe et rouler. Réchauffer et servir avec du miel et de la crème sure.

▶ Crêpes au sarrasin avec des myrtilles

Bananes caramélisées

INGRÉDIENTS *4 portions*
4 bananes pelées
1 œuf
2 c. à table / 15 g de farine ordinaire
huile à grande friture
4 c. à table / 50 g de sucre
1 c. à table / 15 ml d'eau froide

MÉTHODE

Couper les bananes en deux dans le sens de la longueur, puis couper chaque moitié en deux dans l'autre sens.

Battre l'œuf, ajouter la farine et bien mélanger pour former une pâte uniforme.

Faire chauffer l'huile dans un wok ou une friteuse. Enrober de pâte les morceaux de banane et faire frire jusqu'à ce qu'ils soient dorés. Retirer et égoutter.

Enlever l'excès d'huile, mais en laisser environ 1 c. à table / 15 ml dans le wok. Ajouter le sucre et l'eau, en remuant à feu moyen pour dissoudre le sucre. Continuer de remuer et quand le sucre est caramélisé ajouter les morceaux de banane chauds. Bien les enrober et reti-rer. Plonger les bananes chaudes dans l'eau froide pour faire durcir le caramel et servir immédiatement.

Crêpes aux haricots riz

INGRÉDIENTS *environ 20 crêpes*
2 tasses / 225 g de farine ordinaire
6 c. à table / 120 ml d'eau bouillante
1 œuf
3 c. à table / 45 ml d'huile
4-5 c. à table / 100 g de purée de haricots riz sucrée ou de purée de marrons

MÉTHODE

Tamiser la farine dans un bol et y ver-ser très délicatement l'eau bouillante. Ajouter environ 1 c. à thé d'huile et l'œuf battu.

Pétrir le mélange pour obtenir une pâte ferme et diviser celle-ci en deux portions égales. Rouler chaque partie en longue "saucisse" sur une surface légèrement enfarinée; les couper en 4-6 morceaux. Presser avec la paume des mains chaque morceau pour former une crêpe plate.

Sur une surface légèrement enfarinée, aplatir soigneusement chaque crêpe en un cercle de 15 cm à l'aide d'un rouleau à pâtisserie.

Placer une poêle à frire non graissée à feu élevé. Quand la poêle est très chaude, réduire le feu au plus bas et y cuire une crêpe à la fois. La retourner quand de petites taches brunes apparaissent en dessous. Retirer et placer sous un linge humide jusqu'à ce que toutes les crêpes soient cuites.

Étendre environ 2 c. à table de purée de haricots riz ou de purée de marrons sur 80 % de la surface des crêpes et les rouler trois ou quatre fois pour former un rouleau plat.

Faire chauffer l'huile dans une poêle et faire frire les crêpes jusqu'à ce qu'elles prennent une couleur brun doré; les retourner une fois. Couper chaque crêpe en 3 ou 4 morceaux. Servir chaud ou froid.

▲ Crêpes aux haricots riz
▶ Bananes caramélisées

Flan aux nouilles

INGRÉDIENTS *6 portions*
1 tasse / 175 g de fromage cottage
1/2 tasse / 75 g de fromage à la crème
2/3 tasse / 150 ml de crème sure
3 œufs
1/2 tasse / 100 g de sucre
3 1/2 tasses / 350 g de nouilles plates, cuites et égouttées
1/2 tasse / 75 g de raisins secs ou de raisins de Smyrne
4 c. à table / 50 g de beurre ou de margarine, fondu
1 c. à thé / 5 ml de cannelle moulue
1 c. à thé / 5 ml de sucre

MÉTHODE

Mélanger le fromage cottage et le fromage à la crème avec la crème sure. Battre les œufs et le sucre ensemble et les ajouter au mélange au fromage. Incorporer les nouilles cuites et les raisins.

Vider le mélange dans un plat allant au four beurré. Verser le beurre fondu sur le mélange. Mélanger la cannelle et le sucre et saupoudrer sur le dessus. Cuire à 350 °F / 180 °C pendant 1 heure. Servir chaud.

VARIANTE

Il existe plusieurs variantes de ce flan très consistant dont la recette nous vient de l'Europe centrale. Ainsi, on peut ajouter des pommes hachées ou des abricots séchés trempés au mélange avant de le faire cuire au four. On peut en outre incorporer plus de fromage cottage ou utiliser du fromage blanc à la place du fromage à la crème.

Flan au riz brun

INGRÉDIENTS *4 portions*
1/2 tasse / 100 g de riz brun
2 1/2 tasses / 600 ml de thé chinois
1 bâton de cannelle
1/3 tasse / 50 g de raisins de Smyrne
1/3 tasse / 50 g d'abricots séchés, hachés
1/4 tasse / 50 g d'amandes
fruits frais tranchés (facultatif)

MÉTHODE

Laver le riz soigneusement sous l'eau courante. Le placer avec le thé dans une casserole épaisse et faire mijoter doucement pendant environ 1 heure, en ayant pris soin d'inclure le bâton de cannelle.

Préchauffer le four à 350 °F / 180 °C. Retirer la cannelle et transférer le riz dans un plat allant au four. Incorporer le reste des ingrédients et cuire pendant environ 25 minutes. Servir chaud (ou réfrigérer et servir froid). Garnir de tranches de fruits frais si désiré.

Flan aux pommes

INGRÉDIENTS *4-6 portions*
2 1/2 tasses / 600 ml de yogourt
2/3 tasse / 150 ml de crème à fouetter
2 œufs
4 c. à table / 75 g de sucre-semoule
zeste de citron râpé
1 grosse pomme à cuire, pelée et tranchée
1/2 c. à thé / 2,5 ml de cannelle moulue
2 c. à table / 25 g de sucre

MÉTHODE

Égoutter le yogourt pendant environ 4 heures. Fouetter la crème et l'incorporer dans le yogourt égoutté. Battre les œufs avec le sucre et le zeste de citron; ajouter au mélange contenant le yogourt.

Verser dans un plat graissé peu profond allant au four. Disposer les tranches de pommes sur le dessus du mélange au yogourt. Saupoudrer de cannelle, puis de sucre.

Cuire à 350 °F / 180 °C pendant 50 minutes. Servir chaud.

▶ Pommes au four
▶▶ Flan aux pommes, aux fraises et aux mûres

Flan aux pommes, aux fraises et aux mûres

INGRÉDIENTS *4 portions*
4 pommes à cuire
1 c. à table / 15 ml de miel
3/4 tasse / 100 g de fraises
3/4 tasse / 100 g de mûres
2 1/4 tasses / 225 g de farine de blé
  entier
1/2 tasse / 100 g de beurre
2 c. à table / 30 ml de graines de
  sésame
1 c. à table / 5 ml d'épices
  mélangées
1 pincée de sel

MÉTHODE

Préchauffer le four à 350 °F / 180 °C. Peler, évider et trancher les pommes. Mettre les pommes dans un plat peu profond allant au four. Ajouter le miel et un peu d'eau, couvrir et cuire au four pendant 30 minutes.

Entre-temps, équeuter et trancher les fraises, puis trier les mûres.

Pour préparer le crumble, placer les ingrédients qui restent dans un bol et faire pénétrer le beurre avec les doigts jusqu'à ce que le mélange ressemble à une fine chapelure.

Quand les pommes sont prêtes, les mélanger avec les fraises et les mûres, et ajouter un peu de miel si désiré. Presser délicatement le crumble sur les fruits et remettre le plat au four pendant 15 minutes ou jusqu'à ce que la croûte soit d'un brun doré. Servir chaud ou froid avec de la crème.

Pommes au four

INGRÉDIENTS *4 portions*
4 pommes à cuire, évidées
2 c. à table / 25 g de beurre
2 c. à table / 25 g de sucre
2/3 tasse / 150 ml de yogourt
2 c. à table / 25 g de sucre brun
1/2 tasse / 75 g de noix hachées

MÉTHODE

Inciser les pommes vers le milieu. Les placer dans un plat peu profond allant au four. Mélanger ensemble le beurre et le sucre, et remplir les pommes du mélange.

Cuire les pommes au four, sans couvrir, à 400 °F / 200 °C pendant 20 minutes. Mélanger le yogourt, le sucre brun et les noix, puis verser ce mélange sur les pommes cuites. Remettre au four 10 minutes de plus. Servir très chaud.

179

Soufflé au citron

INGRÉDIENTS *4-6 portions*
3 œufs séparés
3/4 tasse / 175 g de sucre-semoule
6 c. à table / 40 g de farine
4 c. à table / 75 ml de jus de citron
zeste de citron râpé
1 1/2 tasse / 350 ml de yogourt
sucre à glacer

MÉTHODE
Mélanger les jaunes d'œufs avec tous les autres ingrédients dans un bol résistant à la chaleur. Placer le bol sur une casserole d'eau frémissante et cuire en remuant constamment, jusqu'à l'obtention d'un mélange de la consistance d'une crème épaisse. Retirer le bol du feu.

Battre les blancs d'œufs jusqu'à ce qu'ils soient fermes. Incorporer au mélange refroidi.

Verser le mélange dans un plat à soufflé de 18 x 7,5 cm et cuire à 325 °F / 170 °C pendant 40 minutes. Saupoudrer de sucre à glacer avant de servir.

Soufflé aux poires

INGRÉDIENTS *4-6 portions*
450 g de poires
1-2 c. à table / 15-30 ml de beurre
un peu de miel
1 pincée de cannelle
3 gros œufs séparés

MÉTHODE
Préchauffer le four à 400 °F / 200 °C. Peler les poires, les couper en deux, les évider, puis les trancher.

Faire fondre le beurre dans une casserole et ajouter les poires. Quand les fruits sont ramollis, augmenter un peu le feu, et les écraser à l'aide d'une cuillère de bois; cuire jusqu'à ce que les fruits soient réduits en bouillie.

Mettre le contenu de la casserole dans un mélangeur. Quand le mélange est uniforme, ajouter un peu de miel et de cannelle, au goût. Verser dans un bol et incorporer les jaunes d'œufs.

Beurrer un plat à soufflé de 1,75 l. Battre les blancs d'œufs jusqu'à ce qu'ils forment des pics mous et incorporer au mélange de poires. Verser dans le plat à soufflé et cuire au four pendant 20-25 minutes, jusqu'à ce que le mélange ait une couleur brun doré et soit presque pris.

▶ Soufflé au citron

Coupes aux clémentines

INGRÉDIENTS *4 portions*
4 clémentines
jus de 1 orange
3/4 de sachet d'agar-agar en poudre
1 c. à thé / 5 ml de miel clair
6 c. à table / 120 ml de yogourt
   grec égoutté
1 blanc d'œuf
1 clémentine pelée, épépinée et
   coupée en quartiers
feuilles vertes
tablette de caroube nature râpée

MÉTHODE

Couper en zigzag la partie supérieure des clémentines et la retirer. Enlever délicatement toute la chair et conserver les coquilles.

Presser le fruit dans une passoire pour en extraire le jus. Mélanger avec le jus d'orange.

Saupoudrer la gélatine sur 3 c. à table / 45 ml de jus dans une petite casserole et faire chauffer doucement jusqu'à dissolution. Ajouter le miel, remuer et verser dans un bol.

Ajouter le reste du jus et laisser reposer jusqu'à ce que le mélange soit presque pris. Incorporer le yogourt. Fouetter le blanc d'œuf jusqu'à ce qu'il soit ferme et incorporer.

Réfrigérer jusqu'à ce que le mélange conserve sa forme; remplir les coquilles et réfrigérer jusqu'à ce que l'intérieur soit figé. Saupoudrer de caroube râpé, décorer de morceaux de clémentines et servir sur un lit de feuilles vertes.

Cœur à la crème

INGRÉDIENTS *4 portions*
1 1/3 tasse / 250 g de fromage à la
   crème
1/2 tasse / 100 g de yogourt
1 1/3 tasse / 250 g de fraises
2/3 tasse / 150 ml de crème
1-2 c. à table / 15-30 ml de miel

MÉTHODE

Mélanger le fromage à la crème et le yogourt, puis déposer le mélange dans des petits moules en forme de cœur. Réfrigérer.

Préparer une sauce aux fraises en mélangeant la moitié des fraises avec la crème et le miel. Démouler les fromages et déposer sur des assiettes individuelles; entourer de sauce et décorer avec le reste des fraises.

Ricotta au café

INGRÉDIENTS *4 portions*
1 tasse / 225 g de fromage ricotta
2 c. à table / 30 ml de sucre à fruits
4 c. à table / 60 ml de café frais,
   moulu fin
2 c. à table / 30 ml de brandy

MÉTHODE

Choisir de la ricotta très humide ou encore utiliser du fromage blanc ou du fromage cottage frais à la place. Presser le fromage avec la moitié du sucre dans une passoire pour le rendre léger et mousseux. Disposer en tas dans quatre assiettes à dessert individuelles.

Saupoudrer la moitié du café sur les tas de fromage. Verser le reste du café et du sucre sur les assiettes, en deux cuillerées séparées, à côté du fromage. Verser le brandy sur le fromage sucré. Mettre un peu de fromage dans une cuillère et manger chaque bouchée avec un peu de café et de sucre.

Cassate au yogourt fruitée

INGRÉDIENTS *4 portions*
225 g d'abricots qui ne nécessitent
   pas de trempage
1 1/4 tasse / 300 ml de jus de pamplemousse
2 blancs d'œufs
1 tasse / 225 g de yogourt grec
   égoutté
1/3 tasse / 50 g de raisins de Smyrne
1/4 tasse / 25 g d'amandes en flocons
feuilles de menthe

MÉTHODE

Placer les abricots et le jus de pamplemousse dans une casserole, puis amener à ébullition. Couvrir et laisser mijoter pendant 10 minutes, jusqu'à ce que les abricots soient tendres.

Réduire en purée dans un mélangeur ou un robot; laisser refroidir et épaissir.

Incorporer le yogourt dans la purée d'abricots et placer le mélange dans un contenant à congélation, et congeler pendant 1 1/2-2 heures ou jusqu'à ce que les bords deviennent légèrement gelés.

Battre les blancs d'œufs jusqu'à ce qu'ils deviennent fermes. Mélanger la glace au yogourt, puis incorporer les raisins, les amandes et les blancs d'œufs. Remettre au congélateur pendant 3-4 heures ou jusqu'à ce que le mélange soit gelé. Servir dans des assiettes individuelles et garnir de menthe.

NOTE
Si possible, utiliser des jus de fruits frais plutôt que des jus préparés.

▲▲ Coupes aux clémentines
◄▲ Cassate au yogourt fruitée

Flan renversé à la caroube

INGRÉDIENTS *4 portions*

2 petites poires pelées, évidées et coupées en deux
2 œufs séparés
3 c. à table / 40 g de sucre muscovado brun foncé
1 1/2 c. à table / 23 ml de poudre de caroube
2 c. à table / 25 g de farine de blé entier
2 c. à table / 25 g d'amandes hachées
1 c. à table / 15 ml de miel clair
tranches de kumquats

MÉTHODE

Placer les poires au fond d'un moule à gâteau rond de 18 cm légèrement graissé.

Fouetter les jaunes d'œufs avec le sucre, jusqu'à l'obtention d'un mélange léger et crémeux. Incorporer 1 c. à table / 15 ml d'eau chaude et la poudre de caroube en continuant de fouetter. Incorporer la farine et les amandes.

Fouetter les blancs d'œufs jusqu'à ce qu'ils deviennent fermes, puis les incorporer dans le mélange au caroube. Verser sur les poires et cuire dans un four préchauffé à 375 °F / 190 °C pendant 35 minutes.

Renverser sur une assiette de service chaude. Badigeonner les poires de miel. Décorer le flan de tranches de kumquats et servir.

Halva aux carottes

INGRÉDIENTS *4-6 portions*

4 tasses / 450 g de carottes, pelées et râpées
3 3/4 tasses / 900 ml de lait
2/3 tasse / 150 g de sucre
3 cardamomes
4 c. à table / 690 ml de Ghee (voir page 126)
2 c. à table / 30 ml de raisins
2 c. à table / 30 ml de pistaches, épluchées et hachées

MÉTHODE

Placer les carottes, le lait, le sucre et la cardamome dans une grande casserole, puis amener à ébullition. Baisser le feu à moyen-doux et cuire jusqu'à ce que tout le liquide soit évaporé, en remuant occasionnellement.

Faire chauffer le Ghee dans une grande poêle à frire à feu moyen. Ajouter les carottes cuites, les raisins et les pistaches et faire frire pendant 15-20 minutes, en remuant constamment, jusqu'à ce que le mélange soit sec et d'une couleur rougeâtre. Servir chaud ou froid.

▲ ▲ Halva aux carottes
◀ ▲ Flanc renversé à la caroube
▲ ▶ Délice aux ananas
▶ Yogourt au safran

Délice aux ananas

INGRÉDIENTS *4-6 portions*
2 petits ananas, nettoyés et coupés
  en deux
3 kiwis tranchés
2 pêches pelées et tranchées
50 g de raisins noirs, coupés en
  deux et épépinés
2 c. à table / 30 ml de liqueur à
  l'orange
2 c. à table / 30 ml de jus d'orange
1 c. à table / 15 ml de miel clair

MÉTHODE
  Retirer la chair des ananas et laisser
l'enveloppe intacte.
  Jeter la partie dure et couper la chair
en petits morceaux de la taille de
bouchées.
  Ajouter les kiwis, les pêches et les
raisins. Mélanger ensemble la liqueur, le
jus d'orange et le miel. Réchauffer
doucement dans une casserole pour faire
dissoudre le miel si nécessaire.
  Verser sur les fruits et laisser mariner
jusqu'au moment de servir. Empiler les
fruits dans les coquilles d'ananas, verser
le sirop et servir.

Soufflé à la vanille

INGRÉDIENTS *4-6 portions*
2 1/2 tasses / 600 ml de yogourt
6 c. à table / 65 g de beurre ramolli
3 œufs séparés
2/3 tasse / 150 g de sucre-semoule
1 c. à thé / 5 ml d'essence de
  vanille

MÉTHODE
  Égoutter le yogourt pendant environ 4
heures. Mélanger le yogourt égoutté avec
le beurre, les jaunes d'œufs et l'essence
de vanille. Battre les blancs d'œufs
jusqu'à ce qu'ils soient fermes et ajouter
le sucre. Incorporer graduellement dans
le mélange au yogourt.
  Graisser et enfariner légèrement un
petit moule à soufflé de 13 x 7,5 cm.
Verser le mélange dans le moule et cuire
à 375 °F / 190 °C pendant 30 minutes.

VARIANTE
  Utiliser 1 1/3 tasse / 225 g de quark ou
de fromage blanc à la place du yogourt si
désiré.

Yogourt au safran

INGRÉDIENTS *4 portions*
2 1/2 tasses / 600 ml de yogourt
1/4 c. à thé / 1,5 ml de safran
1 c. à table / 15 ml de lait chaud
1/2 tasse / 100 g de sucre-semoule
2 c. à table / 30 ml de pistaches,
  épluchées et hachées

MÉTHODE
  Mettre le yogourt dans un sac de
mousseline et suspendre celui-ci pendant
4-5 heures pour le débarrasser de l'excès
d'eau.
  Faire tremper le safran dans le lait pendant 30 minutes.
  Fouetter ensemble le yogourt égoutté,
le sucre et le lait au safran, jusqu'à ce que
le mélange soit homogène et crémeux.
  Mettre dans un plat et garnir de noix.
Réfrigérer jusqu'à ce que le mélange soit
pris.

183

Yogourt glacé au chocolat

INGRÉDIENTS *4-6 portions*
4 c. à table / 60 ml de cacao
1/2 tasse / 100 g de sucre
2/3 tasse / 150 ml d'eau bouillante
2 c. à thé / 10 ml d'essence de
   vanille
2 1/2 tasses / 600 ml de yogourt
1/2 tasse / 100 ml de crème fouettée
2 blancs d'œufs

MÉTHODE

Préparer un sirop en combinant le cacao et le sucre avec l'eau bouillante. Mélanger jusqu'à ce que le mélange soit homogène, puis ajouter l'essence de vanille. Laisser refroidir.

Fouetter la crème. Mélanger le sirop au chocolat avec le yogourt et la crème fouettée.

Verser le mélange dans un moule peu profond et placer au congélateur. Remuer de temps en temps, jusqu'à ce que le mélange soit congelé.

Quand le mélange est congelé, soit après environ 6 heures, le retirer du congélateur et le réduire en bouillie dans un mélangeur ou un robot culinaire. Ajouter les blancs d'œufs et mélanger jusqu'à l'obtention d'une consistance légère.

Remettre le mélange au congélateur pendant au moins 12 heures.

Crème glacée riche au miel et aux prunes

INGRÉDIENTS *4 portions*
4-5 prunes
1 c. à table / 15 ml de lait en poudre
6 c. à table / 90 ml de miel
2 c. à table / 30 ml de yogourt
quelques gouttes d'essence de
   vanille
2/3 tasse / 150 ml de crème à
   fouetter

MÉTHODE

Mettre les prunes dans un bol et les ébouillanter. Après 1 minute, les peaux vont fendre. Égoutter et passer les prunes à l'eau froide. Peler les fruits, jeter les noyaux et hacher finement.

Réduire les fruits en purée dans un mélangeur, avec le lait en poudre et le miel. Incorporer le yogourt et l'essence de vanille. Congeler le mélange.

Quand le mélange est presque congelé, le retirer du congélateur et le battre. Fouetter la crème et combiner les deux. Remettre au congélateur.

Glace au babeurre à l'orange

INGRÉDIENTS *4 portions*
2 œufs
1/4 tasse / 50 g de sucre-semoule
3/4 tasse / 175 ml de sirop de table
2 tasses / 450 ml de babeurre
2/3 tasse / 150 ml de jus d'orange
zeste d'orange râpé

▲▲ Glace au babeurre à l'orange
▲ Sorbet au pamplemousse

MÉTHODE

Bien mélanger tous les ingrédients. Congeler pendant au moins 3 heures. Mélanger encore, puis replacer dans le congélateur. Congeler pendant toute une nuit au moins. (La glace demeure remarquablement molle, même congelée pendant plusieurs semaines.)

Sorbet au pamplemousse

INGRÉDIENTS *4 portions*
1 3/4 tasse / 400 ml de jus de pamplemousse
3 c. à table / 40 g de sucre granulé doré
2 blancs d'œufs
1 pamplemousse rose, pelé, épépiné et en quartiers
4 c. à thé / 20 ml de grenadine (facultatif)

MÉTHODE

Mélanger ensemble le jus de pamplemousse et le sucre; congeler dans un contenant à congélation peu profond, jusqu'à ce que le mélange soit détrempé, soit environ 1-1 1/2 heure.

Fouetter les blancs d'œufs jusqu'à ce qu'ils soient fermes. Battre le mélange de pamplemousse pour briser les cristaux de glace et incorporer les blancs d'œufs.

Congeler jusqu'à ce que le mélange soit pris. Placer les quartiers de pamplemousse au fond de verres glacés et les couvrir de sorbet. Si désiré, verser 1 c. à thé / 5 ml de grenadine sur chaque sorbet avant de servir.

Les plats rapides
au micro-ondes

*Le micro-ondes et les légumes représentent un mariage idéal.
La cuisson au micro-ondes ne requiert que peu ou pas
d'eau : elle conserve donc aux aliments leur valeur nutritive,
leur fermeté, leur saveur et leur couleur. Comme l'utilisation
du micro-ondes est devenue courante dans bien des foyers,
la présente section s'avérera fort utile aux cuisiniers
végétariens contemporains.*

Cannelloni

Soupe aux champignons

INGRÉDIENTS *4 portions*
2 c. à table / 25 g de beurre
1 oignon pelé et haché
1 gousse d'ail hachée
6 tasses / 450 g de champignons
  lavés
1/4 tasse / 25 g de farine
2 1/2 tasses / 600 ml de bouillon de
  légumes
1/2 c. à thé / 5 ml de thym
1 feuille de laurier
2 bouquets de persil
1/4 tasse / 60 ml de crème de table

MÉTHODE

Faire fondre le beurre dans une grande casserole ou un grand bol pendant 2 minutes.

Ajouter l'oignon et l'ail. Cuire à la puissance maximale pendant 2 minutes.

Trancher finement les champignons et hacher les tiges séparément. Les ajouter à l'oignon et cuire à la puissance maximale pendant 3 minutes. Remuer et cuire pendant 2 minutes de plus.

Retirer du four à micro-ondes, ajouter la farine et remuer jusqu'à ce qu'elle soit bien mélangée avec le beurre. Ajouter la moitié du bouillon de légumes, remuer et cuire pendant 5 minutes à la puissance maximale.

Mélanger le thym, la feuille de laurier et le persil avec le reste du bouillon et verser le mélange sur les champignons. Bien assaisonner et cuire à la puissance maximale pendant encore 10 minutes. Laisser reposer 5 minutes et retirer les herbes.

Incorporer la crème. La soupe peut être passée au mélangeur si l'on désire obtenir une texture plus onctueuse.

Soupe aux pommes et au panais

INGRÉDIENTS *4 portions*
2 c. à table / 25 g de beurre
1 oignon en dés
4 tasses / 450 g de panais en dés
225 g de pommes à cuire
1 c. à thé / 5 ml d'herbes italiennes
1 l de bouillon de légumes
1 tasse / 250 ml de crème de table
1 c. à table / 15 ml de persil haché

MÉTHODE

Faire fondre le beurre dans un plat à brunir pendant 2 minutes. Ajouter l'oignon au beurre fondu et cuire à la puissance maximale pendant 2 minutes.

Ajouter les panais à l'oignon et cuire à la puissance maximale pendant 3 minutes. Ajouter les pommes tranchées et les herbes, et cuire pendant 2 minutes encore.

Verser le bouillon, couvrir et cuire pendant 10 minutes à la puissance maximale. Laisser reposer quelques minutes.

Mettre la soupe dans un mélangeur, ajouter la crème et réchauffer pendant 5 minutes.

Saupoudrer de persil haché et servir avec du pain de blé entier.

Soupe à l'oignon

INGRÉDIENTS *4 portions*
2 c. à table / 25 g de beurre
8 1/2 tasses / 900 g d'oignons
  tranchés
1/4 tasse / 25 g de farine
1 c. à thé / 5 ml d'herbes mélangées
  hachées, de préférence fraîches
1 l de bouillon de légumes
sel et poivre noir fraîchement moulu
1 petite baguette de pain
100 g de mozzarella en tranches
1 c. à table / 15 ml de persil

MÉTHODE

Faire fondre le beurre dans un plat à brunir, retirer du four et ajouter les oignons. Remettre au micro-ondes et cuire à la puissance maximale pendant 6 minutes; remuer une fois.

Saupoudrer la farine sur les oignons et remettre au micro-ondes à la puissance maximale pendant encore une minute.

Ajouter les herbes, le bouillon de légumes et l'assaisonnement. Bien mélanger, couvrir et cuire pendant 10 minutes à la puissance maximale.

Faire griller la baguette, couvrir de tranches de mozzarella et faire fondre sous le gril ou au micro-ondes pendant quelques secondes.

Disposer le pain et le fromage dans le bol à soupe, y verser la soupe à l'oignon et saupoudrer généreusement de persil haché.

◀▲ Soupe aux pommes et au panais
▶ Soupe aux champignons

186

Soupe aux légumes à la sauce piquante

INGRÉDIENTS *6 portions*
3 1/2 tasses / 350 g de haricots
  ordinaires, trempés toute la nuit
750 g de tomates mûres
1 oignon pelé et coupé en dés
1/4 tasse / 60 ml d'huile végétale
sel et poivre noir fraîchement moulu
un peu de sauce tabasco
1 c. à thé / 5 g d'herbes italiennes
  séchées
1,5 l de bouillon de légumes
2 carottes tranchées
2 1/4 tasses / 350 g de pois
2 pommes de terre, pelées et
  tranchées
1 poireau, épluché et tranché
1/4 tasse / 50 g de beurre
1/2 tasse / 50 g de farine
1 c. à table / 15 g de persil

MÉTHODE

Mettre les haricots dans un bol, les couvrir d'eau et les faire cuire au four à micro-ondes à la puissance maximale pendant 10 minutes. Laisser reposer 2 minutes, puis cuire encore pendant 5 minutes.

Placer les tomates dans un bol avec de l'eau et les ébouillanter pendant 2 minutes à la puissance maximale. Peler et trancher les tomates. Les ajouter à l'oignon dans un plat avec l'huile. Assaisonner de sel et de poivre. Cuire pendant 2 minutes à la puissance maximale.

Ajouter la sauce tabasco, les herbes mélangées et la moitié du bouillon. Cuire à la puissance maximale pendant 5 minutes.

Nettoyer et préparer les autres légumes. Couvrir du reste du bouillon de légumes et cuire avec les haricots à la puissance maximale pendant 15 minutes.

Tamiser le mélange aux tomates et recueillir la purée dans un bol.

Faire fondre le beurre pendant 1 minute à la puissance maximale. Retirer du four, ajouter la farine et mélanger soigneusement. Mélanger avec la purée de tomates jusqu'à ce que le mélange soit homogène, puis cuire pendant 5 minutes à la puissance maximale, en remuant.

Mélanger la purée de tomates avec la soupe aux légumes. Cuire à la puissance maximale pendant 10 minutes.

Saupoudrer de persil haché.

▲▲ Soupe aux légumes à la sauce piquante
▲▶ Soupe aux tomates et aux carottes
▶ Soupe à la laitue

Soupe aux tomates et aux carottes

INGRÉDIENTS *4 portions*

2 tasses / 450 ml de bouillon de légumes

350 g de carottes tranchées finement

1 oignon tranché finement

2 1/2 tasses ou 2 boîtes de conserve de 400 g de tomates italiennes ou 900 g de tomates, peau enlevée

1/4 c. à thé / 1,5 ml de basilic

sel et poivre noir fraîchement moulu

2 gouttes de sauce de soja

2/3 c. à table / 12 ml de crème (facultatif)

MÉTHODE

Couvrir les carottes de bouillon froid et blanchir pendant 5 minutes à la puissance maximale.

Ajouter l'oignon avec les autres ingrédients, sauf la crème. Cuire à la puissance maximale pendant 10 minutes, réduire à la puissance moyenne et cuire encore 20 minutes. Piquer les carottes; si elles ne sont pas assez tendres, cuire encore 5 minutes à la puissance maximale.

Laisser refroidir légèrement, puis passer au mélangeur, tamiser ou réduire en purée dans un robot culinaire. Vérifier l'assaisonnement.

Réchauffer dans des bols individuels ou dans un grand bol, selon les besoins. Arroser chaque portion d'une cuillerée de crème, si désiré, et garnir de quelques morceaux de carottes crues.

Soupe à la laitue

INGRÉDIENTS *4 portions*

2 c. à table / 25 g de beurre

1 oignon pelé

1 pomme de terre pelée

2 1/2 tasses / 600 ml de bouillon de légumes

2 laitues

1 c. à thé / 5 ml de cerfeuil frais ou de ciboulette

sel et poivre noir fraîchement moulu

1/2 tasse / 120 ml de crème de table

1 ciboule (échalote)

MÉTHODE

Faire fondre le beurre dans une grande casserole à la puissance maximale pendant 1 minute. Trancher l'oignon et la pomme de terre finement.

Mélanger l'oignon et la pomme de terre avec le beurre et cuire à la puissance maximale pendant 5 minutes; laisser reposer 2 minutes.

Ajouter le bouillon de légumes et cuire encore 5 minutes. Retirer du four à micro-ondes et incorporer le cerfeuil ou la ciboulette, la laitue et les assaisonnements. Cuire à la puissance maximale pendant 10 minutes. Laisser tiédir.

Verser le mélange dans une passoire, un moulin ou un mélangeur. Réchauffer au besoin.

Ajouter des cuillerées de crème de table avant de servir et garnir de ciboule finement hachée. Servir chaud ou froid.

Soupe aux pommes de terre et aux poireaux

INGRÉDIENTS *4 portions*

2 pommes de terre, pelées et coupées en dés

1 l de bouillon de légumes

2 c. à table / 25 g de beurre

1 oignon pelé et coupé en dés

2 poireaux lavés et tranchés

2 c. à thé / 10 ml de ciboulette hachée

sel et poivre noir fraîchement moulu

1 bouquet garni

1 c. à table / 15 g de persil haché

pain de blé entier

MÉTHODE

Placer les pommes de terre dans un grand plat à micro-ondes et verser le bouillon de légumes sur les pommes de terre. Cuire à la puissance maximale pendant 10 minutes.

Faire fondre le beurre dans un plat à brunir, ajouter l'oignon et les poireaux, et cuire à la puissance maximale pendant 5 minutes.

Ajouter les poireaux et l'oignon au bouillon contenant les pommes de terre, de même que la ciboulette, l'assaisonnement et le bouquet garni. Cuire à la puissance maximale pendant 10 minutes. Vérifier l'assaisonnement. Piquer les pommes de terre et si elles ne sont pas assez tendres, continuer la cuisson pendant 2 minutes de plus à la puissance maximale.

Saupoudrer de persil haché et servir avec des tranches de pain de blé entier.

VARIANTE

Passer la soupe dans un mélangeur, une passoire ou un robot culinaire.

Ajouter 1/4 tasse / 60 ml de crème et servir chaud ou froid.

▲ Soupe aux pommes de terre et aux poireaux

189

Pain aux légumes

INGRÉDIENTS *6 portions*
225 g de tiges de brocoli
2 carottes râpées
3 branches de céleri, sans les
    feuilles
2 c. à table / 25 g de beurre
2 c. à table / 25 g de farine
3 œufs
sel et poivre noir fraîchement moulu
1/4 c. à thé / 1,5 ml de paprika
1/4 c. à thé / 1,5 ml de moutarde en
    poudre
1/2 tasse / 100 g de fromage cottage
1 tasse / 100 g de cheddar râpé
2 tomates pelées
2 ciboules (échalotes) lavées et
    épluchées

MÉTHODE

Disposer les tiges de brocoli en couronne dans un plat peu profond, en plaçant les têtes au centre du plat. Arroser de 2-3 c. à table / 30-45 ml d'eau, couvrir et cuire à la puissance maximale pendant 8 minutes.

Retirer le plat, disposer les carottes râpées en tas et le céleri en morceaux de 2,5 cm entre les tiges. Couvrir et cuire pendant 5 minutes à la puissance maximale. Égoutter.

Faire fondre le beurre dans un bol pendant 1 minute à la puissance maximale, puis ajouter la farine en remuant. Incorporer graduellement les œufs et assaisonner de sel, de poivre, de paprika et de moutarde. Incorporer le fromage cottage et le fromage râpé.

Combiner le mélange au fromage avec le brocoli, le céleri et les carottes. Cuire à la puissance maximale pendant 3 minutes; bien remuer.

Beurrer un moule à pain en verre ou une terrine en porcelaine. Couvrir le fond du moule de tranches de tomates et de ciboules hachées, puis disposer la moitié du mélange dans le moule. Verser le reste du mélange, couvrir et cuire à la puissance maximale pendant 3 minutes. Réduire à la puissance moyenne ou à la puissance de décongélation et cuire pendant encore 6 minutes. Laisser reposer 3 minutes.

Vérifier que le mélange est bien cuit. Démouler sur une assiette chaude et piquer le fond à l'aide d'une fourchette. Couper en tranches et servir avec de la Sauce tomate (voir page 219) et des pommes de terre nouvelles, si désiré.

Artichauts farcis

INGRÉDIENTS *4 portions*
4 artichauts
1 citron, zeste et jus
1/2 tasse / 25 g de chapelure fine
1 tasse / 100 g de champignons
sel et poivre noir fraîchement moulu
1 ciboule (échalote)
1/4 tasse / 70 ml de crème
4 tranches de gruyère
2 c. à table / 25 g de beurre

MÉTHODE

Préparer les artichauts : couper les tiges et enlever les deux rangées de feuilles extérieures avec un couteau bien aiguisé ou des ciseaux. Les artichauts taillés devraient alors tenir droit sur une assiette. Couper la tête de chaque artichaut d'environ 2,5 cm à partir du haut, de sorte que le dessus devienne plat.

Placer les artichauts préparés dans un plat avec de l'eau et la moitié du jus de citron. Couvrir et cuire à la puissance maximale pendant 20 minutes. Retirer et laisser égoutter la tête en bas sur un treillis métallique.

Pousser avec trois doigts dans la partie centrale des feuilles et retirer celles-ci; le foin sera visible. Retirer le foin avec une cuillère en faisant attention de ne pas enlever le cœur.

Dans un bol, mélanger la chapelure avec le zeste de citron finement râpé. Hacher les champignons et les ajouter à la chapelure; bien assaisonner de sel et de poivre. Ajouter la ciboule et incorporer la crème.

Farcir les artichauts avec le mélange et déposer une tranche de fromage sur la farce.

Déposer les artichauts sur une assiette plate, couvrir de pellicule protectrice et cuire à la puissance maximale pendant 5 minutes. Laisser reposer pendant 2 minutes.

Faire fondre le beurre et le mélanger avec le reste du citron. Verser un peu de beurre citronné sur chaque artichaut.

Artichauts à la grecque

INGRÉDIENTS *4 portions*
2 citrons, zeste et jus
1 bouquet garni
1 feuille de laurier
6 grains de poivre légèrement
  écrasés
1 petit oignon émincé
1/4 c. à thé / 1,5 ml de sauce de
  soja
3 boîtes de conserve de 400 g de
  cœurs d'artichauts
1/2 tasse / 125 ml de vin blanc (facultatif)
poivre noir fraîchement moulu
persil haché
1 c. à table / 15 ml d'huile d'olive

MÉTHODE
  Peler très mince l'écorce d'un citron.
L'ajouter à 1 tasse / 225 ml d'eau avec le
bouquet garni, la feuille de laurier, les
grains de poivre, l'oignon et la sauce de
soja. Cuire au four à micro-ondes pendant 10 minutes à la puissance maximale.
Laisser infuser pendant 10 minutes.

  Presser le jus de 1 citron. Peler l'autre
citron et couper la chair en minces
tranches. Disposer les cœurs d'artichauts
dans un plat à micro-ondes. Verser le
bouillon sur les cœurs. Couvrir de jus de
citron, de vin et de minces tranches de
citron, et ajouter un peu de poivre noir.
Cuire au micro-ondes pendant 3 minutes à la puissance maximale, laisser
reposer pendant 3 minutes, puis cuire
encore 3 minutes à la puissance maximale. Laisser refroidir.

  Saupoudrer de persil haché, verser un
peu d'huile d'olive sur les cœurs d'artichauts et réfrigérer.

Pâté aux champignons

INGRÉDIENTS *4 portions*
1/2 tasse / 50 g de beurre
2 gousses d'ail broyées
4 tasses / 225 g de chapeaux de
  champignons tranchés
3 c. à table de persil haché
1/2 tasse / 50 g de chapelure
  fraîche
1/2 tasse / 50 g de fromage râpé
1 pincée de muscade
sel et poivre noir fraîchement moulu
jus de 1 citron
1 c. à table de cognac
2 c. à table de crème à fouetter
  (ou de yogourt)
bouquets de persil pour garnir

MÉTHODE
  Placer le beurre, l'ail et les
champignons dans un bol. Cuire à la
puissance maximale pendant 6 minutes.
Ajouter le persil, la chapelure, le fromage, la muscade, les assaisonnements,
le jus de citron, le cognac et la crème (ou
le yogourt). Bien mélanger et cuire
encore 1 minute à la puissance maximale.

  Mélanger tous les ingrédients dans un
mélangeur ou un robot culinaire et verser dans un bol. Laisser refroidir, puis
réfrigérer pendant 1 heure. Garnir de
persil et servir avec du pain grillé.

◀▲ Pain aux légumes
◀ Artichauts farcis
▼ Artichauts à la grecque

191

Champignons marinés

INGRÉDIENTS *4 portions*
5 tasses / 450 g de jeunes
   champignons de couche, essuyés
4 c. à table / 60 ml d'huile d'olive
4 c. à table / 60 ml de jus de citron
1 c. à table / 15 ml de graines de
   coriandre
sel et poivre noir fraîchement moulu
persil ou feuilles de coriandre
ciboulette hachée
toasts

MÉTHODE

Mettre les champignons dans un plat avec l'huile, le jus de citron et les graines de coriandre. Laisser mariner pendant une heure ou deux, ou dans le réfrigérateur toute la nuit.

Retirer les champignons de la marinade avec une cuillère à rainures et les placer dans un plat peu profond. Badigeonner de marinade et cuire au micro-ondes à la puissance maximale pendant 3 minutes; remuer chaque minute.

Assaisonner au goût, saupoudrer de ciboulette et de persil ou de coriandre, si désiré, et servir avec des triangles de toasts.

Artichauts à la sauce hollandaise

INGRÉDIENTS *2 portions*
2 artichauts
2 c. à table / 30 ml de jus de citron
6 c. à table / 90 ml d'eau

SAUCE HOLLANDAISE
1/4 tasse / 50 g de beurre froid, en
   dés
1 c. à table / 15 ml de jus de citron
2 petits jaunes d'œufs
sel et poivre blanc

MÉTHODE

Faire tremper les artichauts pendant 1 heure dans un bol d'eau acidulée avec le jus de la moitié d'un citron, ceci afin de détacher la terre ou le sable qui aurait pu se loger entre les feuilles. Les rincer à fond dans l'eau claire et les faire égoutter à l'envers. Enlever la tige près de la base pour que l'artichaut puisse tenir droit. Retirer les feuilles extérieures endommagées et frotter les parties coupées de jus de citron. Ne pas se donner la peine de couper les pointes des feuilles; c'est inutile et cela gâte l'aspect du légume.

Mettre les artichauts droits dans un plat, ajouter l'eau et le reste du jus de citron, couvrir et cuire pendant 7-8 minutes à la puissance maximale. Tirer sur l'une des feuilles inférieures pour vérifier la cuisson. Si la feuille cède sous les doigts, les artichauts sont prêts. Les laisser reposer 3 minutes pendant que vous préparez la sauce.

Mettre le beurre dans un bol et faire fondre au micro-ondes à la puissance moyenne ou à la puissance de décongélation pendant 2 minutes. Ajouter le jus de citron et les jaunes d'œufs; fouetter légèrement.

Cuire à la puissance moyenne ou à la puissance de décongélation pendant 1 minute, fouetter à nouveau et assaisonner.

Égoutter les artichauts et servir avec la sauce.

Pour manger les artichauts, tirez sur les feuilles et sucez la partie tendre charnue, trempée dans la sauce. Quand vous arrivez au "foin", coupez-le et jetez-le. Mangez le cœur avec un couteau et une fourchette.

▲ ▶ Hors-d'œuvre aux poivrons
◀ Champignons marinés

Hors-d'œuvre aux poivrons

INGRÉDIENTS *4 portions*
4 poivrons rouges, verts ou jaunes,
  épépinés
1/2 tasse / 120 ml d'huile végétale
1 gousse d'ail pelée
2 citrons
sel et poivre noir fraîchement moulu
1 c. à thé / 5 ml de marjolaine

MÉTHODE
Trancher les poivrons en fines lanières.
Les placer dans une assiette plate. Éviter
d'empiler les lanières les unes sur les
autres. Ajouter 1/4 tasse / 60 ml d'eau,
couvrir et cuire à la puissance maximale
pendant 2 minutes; égoutter.

Mettre l'huile et l'ail broyé dans un
plat de service à micro-ondes. Cuire à la
puissance maximale pendant 2 minutes.
Ajouter les lanières de poivrons, couvrir
et cuire pendant 5 minutes à la puissance
maximale.

Laisser refroidir, arroser de jus de citron et assaisonner.

Réfrigérer et servir en entrée ou avec
une salade.

Salade de haricots à filet

INGRÉDIENTS *4 portions*
environ 4 tasses /450 g de haricots
  à filet, épluchés et entiers
4 c. à table / 60 ml d'eau
3-4 tasses / 450 g de tomates
  pelées, épépinées et coupées en
  lanières
1 1/2 c. à table / 23 ml d'huile
  d'olive
1 1/2 c. à table / 23 ml de jus de
  citron
sel et poivre noir fraîchement moulu
2 œufs durs
ciboulette (facultatif)

MÉTHODE
Mettre les haricots dans un plat,
ajouter l'eau, couvrir avec une pellicule
autocollante perforée et cuire à la puissance maximale pendant 6 minutes;
remuer deux fois. Les haricots doivent
être cuits, mais encore croquants.
Réserver et couvrir pendant la préparation de la vinaigrette.

Mélanger l'huile, le jus de citron et
l'assaisonnement. (Bien brasser dans un
bocal à couvercle métallique et à cercle
vissé, si vous en avez un sous la main.)

Égoutter les haricots, les mélanger avec
les tomates et arroser le tout de vinaigrette.

Séparer les blancs d'œufs des jaunes.
Hacher les uns et les autres et en garnir
la salade.

VARIANTE
Si vous êtes d'humeur artistique,
attachez les haricots en paquets avec la
ciboulette plutôt que de les mélanger
avec les tomates.

Salade de pommes de terre chaudes

INGRÉDIENTS *4 portions*
750 g de pommes de terre nouvelles, lavées mais non pelées
4 c. à table / 60 ml d'eau
2 c. à table / 30 ml d'huile d'olive
  vierge
1 c. à table / 15 ml de jus de citron
  ou de vinaigre de vin blanc
sel et poivre noir fraîchement moulu
1 c. à thé / 5 ml de moutarde sèche
1 botte de ciboules (échalotes)
1 botte de radis
12 olives noires dénoyautées
1 tasse / 200 g de haricots verts en
  conserve ou des haricots frais
  égouttés en saison
ciboulette hachée (facultatif)

MÉTHODE

Mettre les pommes de terre dans un
plat avec l'eau, couvrir et cuire pendant
environ 8 minutes, en remuant deux
fois, jusqu'à ce qu'elles soient cuites. Ne
pas trop faire cuire les pommes de terre,
parce qu'elles deviendraient spongieuses.

Après les avoir égouttées et tranchées,
remettre les pommes de terre dans le
plat.

Préparer une vinaigrette en combinant
l'huile d'olive, le vinaigre (ou le jus de
citron), le sel, le poivre et la moutarde
dans un bocal à couvercle métallique et à
cercle vissé; bien brasser. Verser la vinaigrette sur les pommes de terre chaudes et
couvrir.

Éplucher les ciboules et trancher le
long des tiges, en coupant deux fois à
angle droit. Mettre les ciboules dans
l'eau glacée pendant quelques minutes.
Les tiges vont friser et former des glands.

Éplucher et trancher les radis.

Mélanger les glands de ciboules, les
radis, les olives, les haricots verts et la
ciboulette, si désiré, dans la salade et
servir immédiatement.

Salade provençale

INGRÉDIENTS *4 portions*
4 tasses / 450 g de haricots verts
  entiers
4 ciboules (échalotes)
1 c. à thé / 5 ml de thym
1 poivron vert épépiné
1 poivron rouge épépiné
4 tomates pelées
4 œufs durs
1/2 tasse / 120 ml d'huile d'olive
1 c. à thé / 5 ml de moutarde
  française
3-4 c. à table / 45-60 ml de vinaigre
  de vin
1 gousse d'ail
20 olives noires
1 laitue

MÉTHODE

Hacher finement les ciboules, mais en
garder deux en réserve.

Tailler les haricots, les disposer dans
un plat avec 2 c. à table / 30 ml d'eau,
couvrir et cuire à la puissance maximale
pendant 5 minutes. Ajouter aux haricots
les ciboules hachées et le thym. Bien
mélanger et cuire encore pendant 5 minutes. Égoutter et laisser refroidir.

Couper les poivrons en lanières et les
disposer dans un plat peu profond.
Couvrir de 3 c. à table d'eau et cuire
pendant 5 minutes à la puissance maximale. Égoutter et laisser refroidir.

Couper chaque tomate en huit
quartiers et chaque œuf en six dans le
sens de la longueur.

Pour préparer la vinaigrette, mélanger
l'huile, la moutarde, le vinaigre, le sel et
le poivre dans un bocal à couvercle
métallique et à cercle vissé. Bien brasser.

Prendre un grand bol à salade et en
frotter l'intérieur avec une gousse d'ail
coupée. Tapisser de feuilles de laitue et
mettre les haricots mélangés avec la
moitié de la vinaigrette au fond du bol.
Disposer les poivrons, les tomates et les
œufs sur le dessus avec les olives noires.
Hacher les 2 ciboules qui restent et les
saupoudrer sur la salade. Ajouter le reste
de la vinaigrette juste avant de servir.
Servir avec des tranches de pain de blé
entier ou de baguette.

▲ Salade provençale
◀ Salade aux pommes de terre chaudes

Lasagne à l'aubergine

INGRÉDIENTS *4 portions*
2 aubergines moyennes
2-3 c. à table / 30-45 ml d'eau
6 carrés de lasagne aux épinards
sel
huile
Sauce tomate (voir page 219)

SAUCE AU FROMAGE
3 c. à table / 40 g de beurre ou de margarine
6 c. à table / 40 g de farine ordinaire
1 1/4 tasse / 300 ml de lait
1/2 tasse / 50 g d'Edam râpé
sel et poivre noir fraîchement moulu

MÉTHODE
Trancher les aubergines. Les disposer dans un plat rectangulaire profond qui servira par la suite à faire cuire la lasagne. Ajouter l'eau, couvrir d'une pellicule autocollante perforée et cuire à la puissance maximale pendant 7 minutes, jusqu'à ce que les aubergines soient tendres. Les tourner une fois. Égoutter et réserver.

Mettre la lasagne dans une grande casserole profonde et couvrir d'eau bouillante. Ajouter le sel et quelques gouttes d'huile pour empêcher les pâtes de coller. Couvrir et cuire pendant 12 à 15 minutes à la puissance maximale, jusqu'à ce qu'elles soient cuites.

Verser la lasagne dans une passoire et rincer soigneusement à l'eau froide. Si vous omettez cette étape, vous risquez de vous retrouver avec un amas pâteux impossible à manier. Étendre les carrés de lasagne sur un linge sec pour les faire sécher. (Ne pas utiliser de serviettes de papier; les pâtes s'y colleraient.)

Pour préparer la Sauce au fromage, mettre le beurre ou la margarine dans un bol et le faire fondre à la puissance maximale pendant 1 minute. Ajouter la farine et remuer. Incorporer le lait. Cuire pendant 3 minutes à la puissance maximale, en fouettant après chaque minute. Ajouter le fromage et remuer. Cuire encore une minute et fouetter à nouveau. Assaisonner au goût de sel et de poivre.

Pour assembler le plat, commencer par une couche d'aubergines, puis couvrir de Sauce tomate, d'une couche de pâte et d'une couche de Sauce au fromage. Continuer jusqu'à ce que tous les ingrédients aient été utilisés, en finissant avec une couche de Sauce au fromage.

Réchauffer au micro-ondes, dans un four ordinaire ou sous le gril si vous souhaitez faire brunir le dessus.

Servir très chaud.

VARIANTE
Omettre les pâtes pour obtenir des aubergines gratinées au four.

Pizza

NOTE
C'est encore plus rapide de faire lever la pâte à pizza au micro-ondes que de faire de la pâte à tarte ou un flan. La pizza est cependant meilleure quand elle est cuite dans un four traditionnel, car la pâte est plus croustillante. Il existe un type de plat à brunir spécial en forme de pizza qui permet d'obtenir une base croustillante si le plat est chauffé pendant 5 minutes, puis badigeonné d'huile. Ce plat est également utile pour faire réchauffer les pizzas surgelées. Si vous utilisez de la levure sèche, suivez les instructions du fabricant si elles diffèrent de la méthode décrite ci-dessous.

INGRÉDIENTS 4 portions

4 tasses / 450 g de farine ordinaire forte
1 c. à thé / 5 ml de sel
15 g de levure fraîche ou une enveloppe de levure sèche et 1/2 c. à thé / 2,5 ml de sucre
1 c. à table / 15 ml d'huile
1 1/4 tasse / 300 ml d'eau tiède

MÉTHODE
Tamiser la farine dans un bol avec le sel. Crémer la levure avec un peu d'eau s'il s'agit de levure fraîche. S'il s'agit de levure sèche, la mélanger avec l'eau, fouetter et laisser reposer pendant 10-15 minutes, jusqu'à la formation d'écume.

Ajouter au mélange de farine, la levure, l'huile et l'eau. Mélanger sur une surface enfarinée de manière à former une pâte uniforme et élastique. Pétrir pendant 5 minutes ou jusqu'à ce que la pâte soit souple et élastique. Nettoyer le bol, y remettre la pâte et couvrir d'une pellicule autocollante. Mettre au four à micro-ondes à la puissance maximale pendant 15 secondes, puis laisser reposer pendant 10 minutes.

Remettre la pâte au micro-ondes pendant encore 15 secondes et laisser reposer pendant 10 minutes. Répéter ces deux étapes encore une fois.

La pâte devrait avoir doublé de volume et être prête à utiliser pour les pizzas.

NOTE
La pâte peut également être préparée avec de la farine de blé entier (ou moitié farine blanche et moitié farine de blé entier).

Pizza napolitaine

INGRÉDIENTS *4 portions*
4 ronds de pâte à pain d'environ 20 cm de diamètre
1/4 tasse / 60 ml d'huile d'olive
1 gousse d'ail pelée
2 1/2 tasses / 2 boîtes de conserve de 425 g de tomates
sel et poivre noir fraîchement moulu
2 c. à table / 10 ml de basilic haché
24 olives noires
225 g de mozzarella en tranches

MÉTHODE
Préchauffer un four traditionnel à 450 °F / 220 °C.

Huiler 2 plaques à pâtisserie ou 4 assiettes à hollandais. Si vous utilisez ces assiettes, vous obtiendrez des pizzas à croûte épaisse. Pour avoir des pizzas minces, rouler les pâtes mince et les façonner en rond dans les plaques à pâtisserie. Badigeonner la pâte d'huile d'olive.

Frotter la pâte avec un morceau d'ail coupé. Pour obtenir une saveur plus forte, broyer le reste de l'ail et l'ajouter aux tomates.

Écraser les tomates avec une cuillère de bois; bien les assaisonner de sel et de poivre. Ajouter le basilic haché. Couvrir les ronds de pâtes du mélange de tomates. Disposer les olives noires et les tranches de mozzarella sur le dessus.

Badigeonner les pizzas d'huile. Cuire les pizzas minces pendant 12 minutes; pour les pizzas plus épaisses, réduire la température du four à 350 °F / 180 °C et cuire encore 10 minutes.

NOTE
Il est possible de faire cuire une pizza rapidement dans le four à micro-ondes, mais celle-ci doit être mangée assez vite, parce que la croûte durcit. Prendre un plat à brunir ou une plaque à pizza et réchauffer à la puissance maximale pendant 4-5 minutes. Badigeonner d'huile, étendre la pâte dans le plat, couvrir de la garniture et cuire à la puissance maximale pendant 5 minutes. Laisser reposer pendant 3 minutes. La pizza est savoureuse, mais elle est plutôt pâle.

▶ Pizza napolitaine

196

Lasagne aux légumes mélangés

INGRÉDIENTS *4 portions*
1 aubergine
2 courgettes
sel et poivre
jus de 1 citron
2 c. à table / 25 g de beurre
1 gousse d'ail broyée
2 1/2 tasses / 600 ml de Sauce tomate (voir page 218)
2 1/2 tasses / 600 ml de Sauce béchamel (voir page 219)
2 tasses / 100 g de chapeaux de champignons
3 c. à table / 45 ml d'huile végétale
16 rubans de lasagne précuits
1/4 tasse / 25 g de parmesan râpé
1/2 tasse / 50 g de chapelure fraîche

MÉTHODE
Trancher les aubergines et les courgettes. Les saupoudrer de sel et de jus de citron. Laisser reposer pendant 20 minutes.

Frotter un grand plat carré d'un peu de beurre auquel l'ail a été ajouté.

Préparer la Saute tomate et la Sauce béchamel.

Couper les champignons en tranches, incluant les tiges.

Égoutter les aubergines et les courgettes, puis les éponger avec du papier absorbant. Faire chauffer l'huile dans un moule plat. Cuire les aubergines et les courgettes disposées à plat, par petites quantités, pendant 3 minutes.

Étendre un peu de Sauce tomate et de Sauce béchamel dans le plat à lasagne. Couvrir de rubans de lasagne. Étendre un peu de Sauce tomate et une couche d'aubergines, de courgettes et de champignons. Finir avec la Sauce béchamel.

Bien assaisonner et continuer de disposer les ingrédients en couches. Disposer tous les légumes entre les deux premières couches de pâte.

Couvrir avec le reste de la Sauce tomate et de la Sauce béchamel. Mettre au four à micro-ondes à la puissance maximale pendant 10 minutes. Laisser reposer pendant 5 minutes, puis cuire encore 5 minutes à la puissance maximale.

Saupoudrer d'un mélange de parmesan et de chapelure fraîche. Cuire encore 5 minutes, puis faire brunir sous le gril si nécessaire. Cette lasagne se sert très bien comme plat principal, idéalement avec une salade verte.

Risotto aux artichauts

INGRÉDIENTS *4 portions*
3 c. à table / 40 g de beurre
1 oignon haché
1 1/2 tasse / 350 g de riz italien à grain long
3 tasses / 750 g d'eau bouillante
1 cube de bouillon de légumes
4 très petits artichauts
sel et poivre noir fraîchement moulu
2 c. à table / 30 ml de parmesan

MÉTHODE
Mettre la moitié du beurre dans une casserole profonde et le faire fondre à la puissance maximale pendant 30 secondes. Ajouter l'oignon, couvrir et cuire pendant 1 minute.

Ajouter le riz et remuer. Verser l'eau bouillante et écraser le cube de bouillon. Couvrir et cuire à la puissance maximale pendant 8 minutes.

Entre-temps, préparer les artichauts. Couper les tiges et enlever les feuilles extérieures raides. Trancher les artichauts verticalement. Les incorporer au riz et cuire à la puissance maximale pendant 4 minutes encore. Laisser reposer, couvert, pendant 7 minutes.

Incorporer le reste du beurre, assaisonner de sel et de poivre, ajouter le parmesan et mélanger.

Servir immédiatement.

NOTE
Pour préparer ce risotto, il faut des artichauts très jeunes et très tendres. Si vous n'en trouvez pas, utilisez des cœurs d'artichauts en conserve.

Cannelloni aux épinards et à la ricotta

INGRÉDIENTS *4 portions*
1 1/2 tasse / 350 g d'épinards cuits hachés ou surgelés
1 tasse / 225 g de ricotta
1/4 c. à thé / 1,5 ml de muscade moulue
sel et poivre noir fraîchement moulu
12 tubes de cannelloni précuits
1 3/4 tasse / 425 g de tomates en conserve passées au tamis
1 c. à thé / 5 ml de basilic haché
2 c. à table / 25 g de beurre
1 oignon pelé et coupé en dés
1/4 c. à thé / 1,5 ml d'origan
2 1/2 tasses / 600 ml de Sauce béchamel (page 219)
1/2 tasse / 50 g de fromage râpé
1 c. à table / 15 ml de persil haché

MÉTHODE
Mélanger les épinards cuits ou surgelés avec la ricotta, la muscade et l'assaisonnement.

Farcir de ce mélange les cannelloni à l'aide d'une cuillère ou d'une douille.

Assaisonner les tomates de sel, de poivre et de basilic. En étendre une couche au fond d'un plat en verre ou en porcelaine.

Faire chauffer le beurre dans un autre plat plus petit pendant 1 minute. Ajouter l'oignon et cuire à la puissance maximale pendant 3 minutes. Ajouter l'origan. Verser sur les tomates. Disposer les tubes de cannelloni sur les tomates et l'oignon.

Couvrir de Sauce béchamel et cuire pendant 5 minutes.

Faire brunir rapidement sous le gril.

Mélanger le reste du fromage avec le persil. Saupoudrer sur le plat.

◀ Lasagne aux légumes mélangés

199

Pipérade

INGRÉDIENTS *4 portions*

1/4 tasse / 60 ml d'huile végétale
1 gousse d'ail
1 petit oignon pelé et coupé en dés
2 ciboules (échalotes) tranchées
1 poivron rouge épépiné
1 poivron vert épépiné
1 bouquet garni
1 feuille de laurier
2 grosses tomates pelées
sel et poivre noir fraîchement moulu
8 œufs
2 c. à table / 25 g de beurre, coupé
   en morceaux

MÉTHODE

Faire chauffer l'huile dans un plat à brunir. Écraser légèrement la gousse d'ail, mais la laisser entière et la déposer dans le plat. Cuire dans l'huile pendant 30 secondes à la puissance maximale.

Ajouter l'oignon et les ciboules; cuire à la puissance moyenne pendant 6 minutes.

Préparer les poivrons en les couvrant d'eau bouillante dans un bol et en les laissant reposer pendant 2 minutes. Vous pouvez aussi les préparer de la façon traditionnelle, c'est-à-dire en les faisant carboniser sous le gril, puis en enlevant la peau. Couper les poivrons très finement à la main ou au robot culinaire, en faisant attention de ne pas les réduire complètement en purée. Ajouter à l'oignon et cuire à la puissance maximale pendant 5 minutes avec le bouquet garni et la feuille de laurier.

Retirer les pépins des tomates, les hacher finement et les ajouter au mélange de légumes. Bien assaisonner et cuire à la puissance maximale pendant encore 5 minutes.

Battre les œufs dans un bol avec 1/4 tasse / 60 ml d'eau. Ajouter le beurre.

Retirer le bouquet garni, la feuille de laurier et l'ail du mélange aux tomates, et incorporer les œufs. Cuire à la puissance maximale pendant 4 minutes, retirer et bien mélanger.

Remettre au four à micro-ondes et cuire pendant encore 4 minutes. Retirer et mélanger de nouveau. Si le mélange est trop liquide, cuire encore 2 minutes et vérifier après avoir mélangé.

NOTE

Ne pas oublier que le mélange épaissit très rapidement à ce stade et que les œufs qui sont délicieux crémeux peuvent durcir s'ils demeurent au micro-ondes quelques secondes de trop. Ce plat peut aussi être utilisé pour garnir des fonds de pâtisserie salés.

Omelette aux pommes de terre

INGRÉDIENTS *2 portions*

1 tasse / 100 g de pommes de terre
   cuites, tranchées
un peu de beurre
4 œufs
sel et poivre noir fraîchement moulu
herbes fraîches ou ciboulette
   hachées (facultatif)

MÉTHODE

Mettre une ou deux couches de pommes de terre dans un plat beurré. Utiliser un plat peu profond ou une assiette à tarte. Couvrir et cuire à la puissance maximale pendant 45 secondes.

Battre ensemble les œufs, les assaisonnements et la ciboulette ou les herbes, le cas échéant, et verser sur les légumes. Couvrir et cuire à la puissance minimale pendant 8 minutes ou jusqu'à ce que le mélange soit presque pris.

Laisser reposer pendant 1-2 minutes avant de servir, puis couper en deux.

Ce mets, une fois refroidi et coupé en pointes, est idéal pour un pique-nique, particulièrement s'il est servi avec une salade.

NOTE

Très souvent les quiches et les omelettes ne cuisent pas dans la "partie froide" au centre du micro-ondes. Pour corriger cette lacune, placer le plat sous le gril chaud pendant 2-3 minutes.

▼ Omelette aux pommes de terre

Œufs à la provençale

INGRÉDIENTS *4 portions*
8 tomates, pelées et tranchées
1 c. à table / 15 ml d'huile végétale
1 gousse d'ail écrasée
1 bouquet de persil
1 bouquet de thym
1 feuille de laurier
sel et poivre noir fraîchement moulu
1/4 c. à thé / 1,5 ml de sucre
4 œufs
2 c. à thé / 10 ml de persil haché

MÉTHODE

Placer tous les ingrédients, sauf les œufs et le persil, dans un plat à micro-ondes. Cuire à la puissance maximale pendant 5 minutes, remuer, cuire encore 5 minutes.

Retirer la sauce tomate du four à micro-ondes, enlever les bouquets d'herbes et la feuille de laurier. Tamiser ou réduire la sauce en purée, goûter et rectifier l'assaisonnement.

Beurrer 4 ramequins et y répartir le mélange aux tomates.

Casser les œufs un à un dans une tasse et verser au centre de chaque ramequin. Stériliser une brochette ou une grosse aiguille en la trempant dans l'eau bouillante et piquer les jaunes.

Assaisonner les œufs et placer les ramequins dans le four à micro-ondes. Cuire à la puissance maximale pendant 1 minute, puis réduire à la puissance moyenne et cuire pendant 5 autres minutes. Laisser reposer pendant 1-2 minutes avant de servir.

Saupoudrer de persil haché et servir avec des morceaux de pain grillé.

Toasts au fromage

INGRÉDIENTS *2 portions*
1 tasse de cheddar râpé
50 g de fromage bleu
2 c. à thé / 10 ml de moutarde française
1 pincée de sel
poivre noir fraîchement moulu
2 c. à table / 30 ml de lait ou 2 c. à table / 30 ml de whisky ou de bière
4 tranches de pain grillé

MÉTHODE

Placer tous les ingrédients, sauf le pain grillé, dans un bol profond de grosseur moyenne; bien mélanger.

Cuire pendant 2 minutes à la puissance maximale. Bien mélanger et retirer après 2-3 minutes de plus ou quand le mélange commence à bouillonner. Verser sur les morceaux de pain grillé et faire brunir sous le gril très chaud.

Les toasts au fromage peuvent se manger en collation ou être servis avec des légumes en casserole. Pour les servir avec des légumes, utiliser du lait.

◀▲ Œufs à la provençale
▲▲ Toasts au fromage

Tarte aux œufs, aux pommes de terre et aux champignons

INGRÉDIENTS *4 portions*
450 g de pommes de terre pelées et tranchées
2 1/2 tasses / 225 g de champignons
1 oignon
sel et poivre noir fraîchement moulu
muscade râpée
2/3 tasse / 150 ml de lait
2-3 c. à table / 45-60 ml de crème
4 œufs
1/4 tasse / 25 g de fromage râpé
1 c. à table / 15 ml de persil haché

MÉTHODE
Disposer une couche de pommes de terre dans un plat beurré d'environ 1 l.

Trancher les champignons sans enlever les tiges. Éplucher et trancher l'oignon. Disposer des couches de champignons, d'oignons et de pommes de terre en alternance, et assaisonner entre les couches jusqu'à ce que tous les ingrédients soient utilisés. Creuser quatre cavités pour contenir les œufs. Ajouter le lait et la crème. Cuire à la puissance maximale pendant 10 minutes.

Laisser reposer pendant 6 minutes, puis cuire encore pendant 6 minutes à la puissance maximale. Laisser reposer de nouveau pendant 5 minutes, puis vérifier la cuisson des pommes de terre. Si elles sont trop fermes, cuire encore pendant 4 minutes à la puissance maximale.

Piquer les quatre œufs et les faire pocher dans un peu d'eau au micro-ondes.

À l'aide d'une cuillère à rainures, transporter les œufs délicatement dans le plat de légumes. Remettre au micro-ondes pendant 30 secondes pour réchauffer.

Saupoudrer de fromage râpé si désiré et faire brunir sous un gril très chaud pendant quelques secondes. Saupoudrer de persil haché et servir avec des toasts croustillants en triangles.

Œufs à la florentine

INGRÉDIENTS *4 portions*
la moitié de la quantité de Cœurs d'artichauts aux épinards, sans les piments (page 207)
4 œufs
sel et poivre noir fraîchement moulu
4 c. à table / 60 ml de crème

MÉTHODE
Préparer les épinards en crème. Beurrer quatre ramequins et répartir les épinards entre eux.

Faire un puits au centre de chaque plat avec le dos d'une cuillère. Casser chaque œuf dans une tasse, puis déposer dans chacun des lits d'épinards. Piquer les jaunes avec une aiguille stérilisée. Assaisonner de sel et de poivre. Verser délicatement la crème sur le dessus.

Déposer les ramequins dans un plat de verre profond. Verser un peu d'eau bouillante autour d'eux. Cuire au four à micro-ondes pendant 4 minutes à la puissance maximale. Vérifier si les œufs sont cuits; s'ils ne le sont pas, cuire encore une minute ou au goût. Saupoudrer de persil haché et servir.

NOTE
Si vous faites cuire chaque plat individuellement, vérifier après 1 1/2 minute.

◀▲ Tarte aux œufs, aux pommes de terre et aux champignons
◀ Œufs à la florentine

202

Soufflé au fromage

INGRÉDIENTS *6 portions*
1/4 tasse / 50 g de beurre
1 1/4 tasse / 300 ml de lait
1/4 tasse / 25 g de farine ordinaire
1 c. à thé / 2,5 ml de moutarde
1/4 c. à thé / 1,5 ml de poivre de
  Cayenne
sel et poivre noir fraîchement moulu
1 tasse / 100 g de cheddar râpé
4 œufs
2 c. à thé / 10 ml de parmesan
1 c. à table / 15 ml de persil haché

MÉTHODE

Placer le beurre dans un grand plat à soufflé, le faire fondre à la puissance maximale pendant 1 minute et retirer du four. Mettre le lait dans un pot et chauffer à la puissance maximale pendant 2 minutes. Entre-temps, incorporer la farine dans le beurre fondu pour faire une pâte uniforme.

Ajouter le lait chaud au roux de farine et de beurre, et fouetter de façon à obtenir un mélange homogène. Ajouter la moutarde, le poivre de Cayenne et l'assaisonnement. Cuire à la puissance maximale pendant 2 minutes, fouetter à nouveau et cuire encore 2 minutes, jusqu'à ce que la sauce épaississe.

Ajouter le cheddar râpé et incorporer les jaunes d'œufs en fouettant, jusqu'à ce que le mélange soit homogène.

Fouetter les blancs d'œufs jusqu'à ce qu'ils forment des pics mous. À l'aide d'une spatule en plastique, incorporer les blancs d'œufs au mélange dans le plat à soufflé.

Cuire à la puissance minimale pendant 25 minutes.

Saupoudrer de parmesan et de persil. Servir immédiatement avec une salade ou des légumes verts croquants.

Poivrons et œufs frits

INGRÉDIENTS *4 portions*
1 poivron rouge, coupé en juliennes
1 poivron vert, coupé en juliennes
1 poivron jaune, coupé en juliennes
2 grosses tomates pelées, épépinées
  et coupées en lanières
1 botte de ciboules (échalotes)
  épluchées
45 ml / 3 c. à table d'eau
noix de beurre
4 œufs
sel et poivre noir fraîchement moulu

MÉTHODE

Mettre les légumes dans un plat avec l'eau, couvrir d'une pellicule autocollante perforée et cuire à la puissance maximale pendant 4-5 minutes, jusqu'à ce que les légumes soient tendres, mais pas mous; remuer une fois. Garder au chaud.

Faire chauffer un plat à brunir pendant 3-4 minutes. Ajouter le beurre et, avec des gants, incliner le plat pour bien en graisser le fond. Casser un œuf dans chaque coin du plat et percer les jaunes avec un bâtonnet à cocktail (ou un cure-dent). Cuire jusqu'à ce qu'ils soient presque pris (environ 2 1/2 minutes, selon la grosseur des œufs). Laisser reposer pendant 30 secondes.

Répartir les légumes entre 4 assiettes chaudes et déposer un œuf sur chacune.

Offrir du sel et du poivre à la table.

VARIANTE

Vous pouvez ajouter de l'ail aux ingrédients si désiré. Pour donner une touche d'originalité, pourquoi ne pas former des glands avec les ciboules?

◄ Poivrons et œufs frits

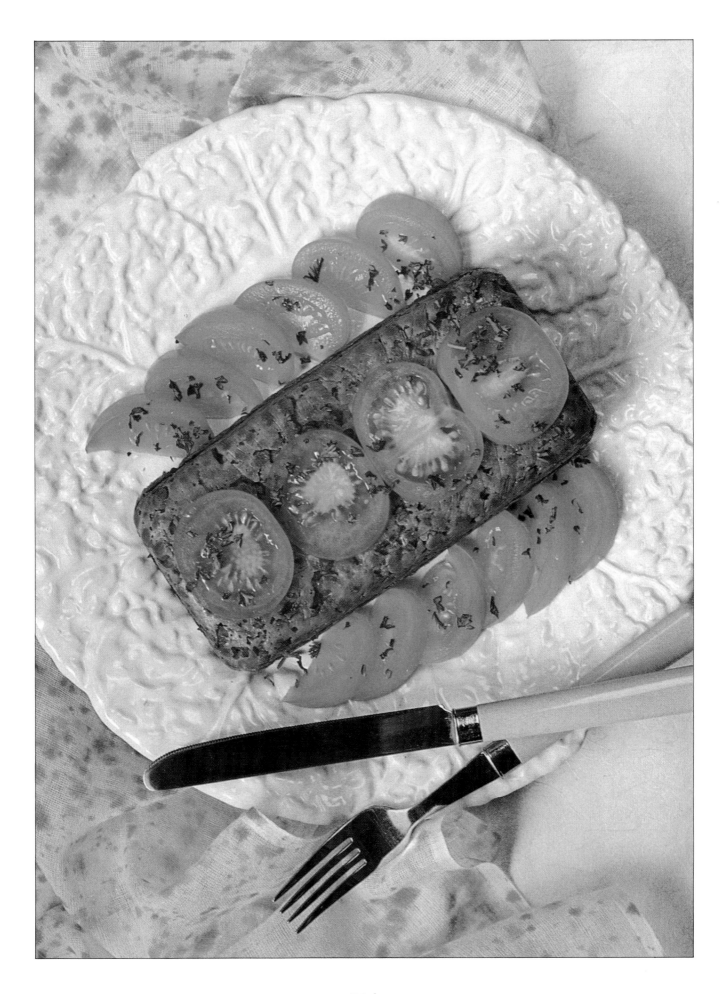

Pain de lentilles

INGRÉDIENTS *4 portions*
1 1/4 tasse / 225 g de lentilles
1/4 tasse / 60 ml d'huile
1 oignon en dés
4 tasses / 225 g de champignons
   tranchés
2 c. à table / 25 g de beurre
1 1/4 tasse / 300 ml de bouillon de
   légumes
1/4 c. à thé / 1,5 ml de paprika
sel et poivre noir fraîchement moulu
1 c. à thé / 5 ml d'herbes fraîches
   hachées
1 œuf battu
1/2 tasse / 60 ml de crème
1 c. à table / 15 ml de persil haché
   ou 2 tomates pelées et tranchées

MÉTHODE

Laver les lentilles à l'eau froide et enlever celles qui sont décolorées. Verser 1 1/4 tasse / 300 ml d'eau bouillante sur les lentilles et laisser reposer pendant 5 minutes avant d'égoutter.

Chauffer l'huile dans une casserole à feu élevé pendant 1 minute, ajouter l'oignon et cuire à la puissance maximale pendant 3 minutes.

Retirer l'oignon à l'aide d'une cuillère à rainures; réserver. Cuire les champignons dans l'huile et le beurre pendant 3 minutes, couverts. Laisser reposer pendant 2 minutes.

Dans un autre bol, faire cuire les lentilles dans le bouillon de légumes pendant 7 minutes à la puissance maximale. Laisser reposer pendant 3 minutes ou jusqu'à ce que presque tout le liquide soit absorbé.

Mélanger les lentilles cuites avec l'oignon, les assaisonnements, les herbes, l'œuf et la crème.

Disposer la moitié du mélange dans un plat à micro-ondes ou un plat en verre de 3 tasses / 700 ml allant au four. Ajouter les champignons et le reste du mélange aux lentilles. Égaliser la surface avec une cuillère, couvrir et cuire pendant 5 minutes à la puissance maximale. Laisser reposer pendant 4 minutes avant de démouler sur un plat de service chaud.

Saupoudrer de persil haché ou couvrir de tranches de tomates. Servir avec de la Sauce tomate (voir page 218) ou 1 1/4 tasse de Sauce béchamel (voir page 219) avec 1 1/2 tasse / 100 g de champignons finement hachés.

VARIANTE

Pain de lentilles au fromage. Ajouter 1/2 tasse / 50 g de fromage râpé au mélange de lentilles avant de le faire cuire.

Chili d'hiver

INGRÉDIENTS *4 portions*
1/4 tasse / 50 g de beurre
2 oignons hachés
1 gousse d'ail pelée et broyée
2 carottes en dés
2 1/2 tasses / 600 ml de bouillon de
   légumes
6 tomates pelées et hachées
2 poivrons rouges, épépinés et
   tranchés
1 piment du Chili, épépiné et
   tranché
1/4-1/2 c. à thé de chili en poudre
1 aubergine tranchée
1 tasse / 100 g de champignons
   tranchés
1 c. à table / 15 ml de fécule de
   maïs
1 1/4 tasse / 400 g de haricots
   rouges en conserve
1 c. à table / 15 ml de purée de
   tomates
2 c. à table / 30 ml de maïs sucré
persil haché

MÉTHODE

Faire fondre le beurre dans un plat à brunir pendant 1 minute à la puissance maximale.

Ajouter l'oignon et l'ail, puis cuire à la puissance maximale pendant 1 minute.

Ajouter les carottes et le bouillon de légumes et cuire à la puissance maximale pendant 5 minutes.

Ajouter les tomates, les poivrons, les champignons, l'aubergine et le piment du Chili au bouillon de légumes. Cuire à la puissance maximale pendant 2 minutes.

Mélanger la fécule de maïs avec un peu d'eau, la purée de tomates et le chili en poudre. Retirer la casserole du four et y incorporer soigneusement ce mélange à la purée de tomates. Remettre au four à micro-ondes et cuire à la puissance maximale pendant 10 minutes. Laisser reposer pendant 5 minutes et saupoudrer de persil avant de servir.

▲ Chili d'hiver
◀ Pain de lentilles

205

Pavé aux noix et aux légumes

INGRÉDIENTS *4 portions*
450 g de haricots de Lima en conserve
1 1/3 tasse / 225 g de pommes de terre pelées et coupées en cubes
1 petit piment vert épépiné et tranché
1 1/3 tasse / 225 g de carottes tranchées
2 branches de céleri tranchées
1 oignon tranché
1 petite boîte de tomates
2 pommes à dessert évidées et hachées
1 cube de bouillon de légumes
sel et poivre noir fraîchement moulu

GARNITURE
1 tasse / 100 g de farine ordinaire
1 c. à thé / 5 ml de poudre à pâte
sel et poivre noir fraîchement moulu
1 c. à thé / 5 ml de moutarde française
1/2 c. à thé / 2,5 ml d'herbes italiennes
1/4 tasse / 25 g de beurre
1/4 tasse / 25 g de fromage râpé
1/2 tasse / 50 g de noisettes finement hachées
1/4 tasse / 75 ml d'eau froide

MÉTHODE
Égoutter les haricots de Lima, réserver le liquide, et combiner avec tous les autres légumes et les pommes dans une grande casserole.

Chauffer le liquide des haricots pendant 2 minutes à la puissance maximale, puis dissoudre le cube de bouillon de légumes dans celui-ci. Verser le bouillon sur les légumes et bien assaisonner. Couvrir avec une pellicule autocollante perforée ou une assiette. Cuire à la puissance maximale pendant 12 minutes; remuer après 4 et 8 minutes.

Tamiser la farine, le sel, le poivre et la moutarde dans un bol. Ajouter les herbes. Incorporer le beurre jusqu'à ce que le mélange ressemble à une chapelure fine. Incorporer ensuite le fromage et les noix. Ajouter l'eau; mélanger jusqu'à l'obtention d'une pâte souple et élastique. Façonner en 8 boules à disposer autour des légumes. Couvrir d'une pellicule autocollante perforée et cuire au micro-ondes à la puissance maximale pendant 7 minutes.

Casserole aux cœurs d'artichauts et aux haricots avec purée de légumes

INGRÉDIENTS *4 portions*
1 oignon tranché
1 gousse d'ail broyée
1 c. à table / 15 ml d'huile de tournesol
4 tasses / 225 g de champignons tranchés
1 3/4 tasse / 400 g de haricots ordinaires en conserve
1 tasse / 200 g de cœurs d'artichauts en conserve
sel et poivre noir fraîchement moulu
feuilles de coriandre ou de persil fraîches
3/4 tasse / 175 g de Purée de légumes-racines (voir page 212)

MÉTHODE

Mettre l'oignon et l'ail dans une casserole avec l'huile, couvrir et cuire à la puissance maximale pendant 3 minutes. Ajouter les champignons, les haricots — avec un peu du liquide de la boîte de conserve — et les cœurs d'artichauts. Couvrir, et cuire à la puissance maximale environ 5 minutes, jusqu'à ce que les champignons soient tendres et les haricots cuits; remuer une fois durant la cuisson.

Assaisonner de sel et de poivre au goût. Saupoudrer de feuilles de coriandre ou de persil.

Servir avec la Purée de légumes.

Cœurs d'artichauts aux épinards

INGRÉDIENTS *4 portions*
4 tasses / 900 ml d'épinards frais
2 c. à table / 25 g de beurre
1 gros oignon haché
8 cœurs d'artichauts frais ou en conserve
1/3 tasse / 75 g de piments en conserve, coupés en lanières

SAUCE
3 c. à table / 40 g de beurre
3 c. à table / 40 g de farine
1 1/4 tasse / 300 ml de lait
1/2 tasse / 50 g de parmesan râpé
muscade
sel et poivre noir fraîchement moulu

MÉTHODE

Jeter les tiges dures et les feuilles décolorées des épinards préalablement lavés. Mettre ces derniers dans un sac à rôtir ou à bouillir. Fermer sans serrer. Cuire à la puissance maximale pendant environ 6 minutes, jusqu'à ce qu'ils s'affaissent; agiter le sac une fois durant la cuisson. Laisser reposer pendant quelque temps, puis hacher les épinards grossièrement.

Mettre le beurre dans un plat et le faire fondre durant 30 secondes à la puissance maximale. Ajouter l'oignon et les cœurs d'artichauts, et cuire pendant 3 minutes. (S'il s'agit d'artichauts en conserve, cependant, faire cuire les oignons et disposer les artichauts sur ceux-ci par la suite.)

Disposer des lanières de piments entre les artichauts et étendre les épinards hachés sur le plat.

Pour faire la sauce, mettre le beurre dans un bol et le faire fondre à la puissance maximale entre 30 secondes et 1 minute. Incorporer la farine. Verser le lait et continuer à cuire pendant 3 minutes; fouetter après chaque minute. Ajouter le fromage. Cuire encore une minute et fouetter à nouveau. Assaisonner au goût avec de la muscade, du sel et du poivre.

Verser la sauce sur les légumes et réchauffer au micro-ondes ou faire brunir dans un four traditionnel (ou sous le gril).

◄◄ Pavé aux noix et aux légumes
◄ Casserole aux cœurs d'artichauts et aux haricots avec purée de légumes

207

Aubergines aux deux sauces

INGRÉDIENTS *4 portions*
2 aubergines moyennes tranchées
4 c. à table / 60 ml d'eau
farine
œuf battu
chapelure
un peu de beurre
Sauce tomate (voir page 218)
Sauce béchamel au fromage (voir
   page 219)

MÉTHODE

Mettre les aubergines dans un plat, ajouter l'eau, couvrir d'une pellicule autocollante perforée et cuire à la puissance maximale pendant 7 minutes, jusqu'à ce qu'elles soient tendres; les tourner une fois durant la cuisson. Égoutter.

Saupoudrer les aubergines de farine, puis les passer dans l'œuf battu et la chapelure. Bien presser la chapelure avec les doigts.

Faire chauffer un plat à brunir au maximum, conformément aux instructions du fabricant. Ajouter un peu de beurre et en manipulant le plat avec des gants, incliner celui-ci pour en graisser le fond.

Faire frire les tranches d'aubergines 30 secondes de chaque côté, jusqu'à ce qu'elles soient dorées. Conserver au chaud.

Servir avec la Sauce tomate et la Sauce au fromage.

VARIANTE

Omettre la Sauce au fromage.

Ratatouille à la mozzarella

INGRÉDIENTS *4 portions*
1 grosse aubergine tranchée
3 courgettes tranchées
sel et poivre noir fraîchement moulu
4 c. à table / 60 ml d'huile d'olive
1 gros oignon tranché
2 gousses d'ail hachées
1 petit poivron rouge épépiné et
   haché
1 petit poivron vert épépiné et
   haché
2 tasses / 100 g de champignons
   tranchés
1 1/4 tasse / 425 g de tomates en
   conserve écrasées
1 c. à table / 15 ml de purée de
   tomates
2 c. à thé / 10 ml d'herbes fraîches
   mélangées, hachées
1 feuille de laurier
1 tasse / 100 g de mozzarella en
   cubes

MÉTHODE

Placer l'aubergine et les courgettes dans une passoire, saupoudrer de sel et laisser reposer pendant 30 minutes. Rincer à l'eau froide et éponger. Couper l'aubergine en bouchées.

Verser l'huile dans une casserole et cuire à la puissance maximale pendant 1 minute. Ajouter l'oignon et l'ail. Cuire à la puissance maximale pendant 1 minute. Ajouter les poivrons, l'aubergine et les courgettes. Cuire à la puissance maximale pendant 5 minutes; remuer une fois durant la cuisson.

Ajouter le reste des ingrédients, mélanger, couvrir et cuire pendant 15 minutes à la puissance maximale; remuer deux fois durant la cuisson. Incorporer la mozzarella. Couvrir et continuer la cuisson pendant 5 minutes, jusqu'à ce que le fromage ait fondu, ou encore faire brunir sous le gril, au choix. Servir avec une baguette croustillante pour éponger le jus.

▶ Ratatouille à la mozzarella
◀ Aubergines aux deux sauces

Riz aux poivrons et au fromage

INGRÉDIENTS *4 portions*
1 1/2 tasse / 350 g de riz
3 tasses / 750 ml d'eau bouillante
1 cube de bouillon de légumes
1 petit poivron rouge épépiné et
    haché
1 petit poivron jaune épépiné et
    haché
1 petit poivron vert épépiné et
    haché
1 tasse / 100 g d'Edam râpé
sel et poivre noir fraîchement moulu
1 bouquet de persil haché

MÉTHODE
   Mettre le riz dans une casserole profonde et couvrir d'eau bouillante. Émietter le cube de bouillon sur le riz. Couvrir
et cuire à la puissance maximale pendant
8 minutes.
   Ajouter les poivrons vert, jaune et
rouge, et mélanger. Couvrir et cuire à la
puissance maximale pendant 4 minutes.
   Incorporer le fromage. Vérifier l'assaisonnement et ajouter du sel et du
poivre si nécessaire (selon la teneur en sel
du cube de bouillon). Couvrir et laisser
reposer pendant 5 minutes.
   Si le fromage n'est pas encore fondu,
réchauffer pendant 2 minutes encore.
   Ajouter le persil et servir.

▲ Riz aux poivrons et au fromage

210

Riz thaï

INGRÉDIENTS *4 portions*
2 1/3 tasses / 450 g de riz à grain
    long
1 c. à thé / 5 ml de sel
1 c. à thé / 5 ml de curcuma
1/4 tasse / 60 ml d'huile végétale
2 gousses d'ail broyées
2 oignons pelés et coupés en dés
1 piment de Chili épépiné
1 poivron rouge épépiné
1 c. à thé / 5 ml de poudre de cari
2 ciboules (échalotes)
2 tasses / 225 g de pois
2 œufs
sel et poivre noir fraîchement moulu
1 c. à thé / 5 ml de sauce de soja
1 c. à table / 15 g de beurre

MÉTHODE

Laver le riz et le mettre dans une grande casserole avec 1 l d'eau bouillante, le sel et le curcuma. Cuire à la puissance maximale pendant 15 minutes et laisser reposer. Le riz devrait être léger et séparé.

Chauffer l'huile dans un plat pendant 1 minute à la puissance maximale, ajouter l'ail et cuire encore 1 minute. Ajouter l'oignon, bien mélanger, et cuire 2 minutes.

Couper le poivron et le piment en dés, les ajouter à l'ail et à l'oignon, et cuire pendant 2 minutes. Ajouter la poudre de cari avec la moitié des ciboules hachées, mélanger avec le riz et incorporer les pois.

Préparer un mélange à omelettes en battant 2 œufs, 2 c. à table d'eau, les assaisonnements et la sauce de soja dans un bol. Mettre le beurre dans un plat à brunir et le faire fondre à la puissance maximale pendant 1 minute. Ajouter les œufs, cuire à la puissance maximale pendant 1 minute, et retirer du four.

Mélanger de manière que le mélange non cuit se retrouve sous les œufs cuits. Cuire à la puissance maximale encore une minute, laisser reposer pendant 30 secondes et placer sur une planche à découper.

Faire réchauffer le riz pendant 4 minutes à la puissance maximale.

Couper l'omelette en lanières et utiliser celles-ci pour décorer le riz. Saupoudrer de ciboules hachées et servir.

▶ Riz thaï

Riz oriental

INGRÉDIENTS *4 portions*
1 tasse / 200 g de riz à grain long
    sel
1 tasse / 50 g de petits
    champignons
2 pommes à dessert
1 c. à table / 15 ml de vinaigre de
    vin
1 gros oignon finement haché
1 c. à table / 15 ml d'huile végétale
1/3 tasse / 50 g de raisins de
    Smyrne
1/2 tasse / 50 g de noix de cajou
1/2 tasse / 50 g d'arachides salées
20 olives noires dénoyautées
1 c. à table / 15 g de poudre de cari

MÉTHODE

Laver le riz jusqu'à ce que l'eau reste claire. Le mettre dans un très grand contenant avec 3 3/4 tasses / 850 ml d'eau et du sel. Faire cuire au four à micro-ondes, découvert, pendant 15 minutes à la puissance maximale. Rincer et égoutter.

Trancher les champignons. Hacher les pommes sans enlever la peau et les mettre dans un bol avec le vinaigre.

Mettre l'huile dans un grand bol et chauffer pendant 2 minutes à la puissance maximale. Ajouter l'oignon, remuer, couvrir et cuire pendant 3 minutes à la puissance maximale.

Combiner tous les ingrédients, assaisonner et cuire à la puissance maximale pendant 4 minutes; remuer après 2 minutes. Servir avec une salade.

211

Brocoli aux amandes et à la sauce au fromage bleu

INGRÉDIENTS *4 portions*
450 g de brocolis
3 c. à table / 45 ml d'eau
2/3 tasse / 150 ml de crème
6 c. à table / 40 g de fromage bleu danois
sel et poivre blanc
1/3 tasse / 40 g d'amandes effilées grillées
poivrons rouges taillés en diamants

MÉTHODE

Laver le brocoli et enlever les feuilles extérieures et les tiges rigides. Faire des entailles dans les tiges pour accélérer la cuisson.

Mettre le brocoli dans un plat avec l'eau. Couvrir d'une pellicule autocollante perforée, et cuire à la puissance maximale pendant 10 minutes, jusqu'à ce que le brocoli soit tendre; tourner le brocoli une fois durant la cuisson.

Égoutter et garder au chaud.

Battre la crème avec le fromage, jusqu'à l'obtention d'un mélange homogène. Cuire pendant 1-2 minutes. Saler et poivrer. Verser sur le brocoli.

Servir garni d'amandes effilées ou disposer les bouquets de brocoli sur un lit de sauce, tel qu'illustré, et décorer de poivrons rouges taillés en diamants.

Purée de légumes-racines

INGRÉDIENTS *4 portions*
3 tasses / 350 g de carottes tranchées
2 1/4 tasses / 350 g de rutabaga
3 c. à table / 45 ml d'eau
beurre au goût
sel et poivre noir fraîchement moulu
2/3 tasse / 150 ml de crème de table
ciboulettes coupées

MÉTHODE

Peler les légumes et couper en tranches minces. Réserver quelques tranches de carottes et les couper en forme d'étoiles pour garnir.

Mettre les légumes dans un plat avec l'eau. Couvrir d'une pellicule autocollante perforée et cuire à la puissance maximale pendant 6-8 minutes, jusqu'à ce que les légumes soient tendres.

Égoutter les légumes et les réduire en purée dans un mélangeur, avec du beurre au goût. Assaisonner la purée et réchauffer à la puissance maximale pendant 1 minute.

Pour servir, étendre une mince couche de crème sur chacune des 4 assiettes chaudes. Déposer un peu de purée dans chaque assiette. Garnir la crème qui l'entoure de carottes en étoiles et de ciboulette coupée.

VARIANTE

Vous pouvez préparer cette purée avec n'importe quel légume-racine, par exemple du panais, du navet ou des patates sucrées.

▶ Couscous aux légumes
▼ Brocoli aux amandes et à la sauce au fromage bleu

Cari aux haricots verts et aux champignons

INGRÉDIENTS *2-4 portions*
4 c. à table / 50 g de beurre ou de ghee
1 gros oignon haché
2 gousses d'ail hachées
1 tasse / 100 g de haricots verts coupés en longueurs de 2 cm
2 tasses / 100 g de champignons tranchés
3 tomates pelées et hachées
1 c. à table / 15 ml de jus de citron
2 tranches de gingembre frais
1/2 c. à thé / 2,5 ml de curcuma
1/2 c. à thé / 2,5 ml de coriandre moulue
1/2 c. à thé / 2,5 ml de Garam Masala
coriandre ou persil frais

MÉTHODE

Mettre le beurre ou le ghee dans un bol; faire fondre à la puissance maximale pendant 3 minutes.

Ajouter le reste des ingrédients, sauf la coriandre ou le persil frais. Couvrir et cuire pendant 8-10 minutes; remuer 2 fois. Garnir de coriandre ou de persil.

Haricots à œil noir à la coriandre

INGRÉDIENTS *4 portions*
2 c. à table / 25 g de beurre
1 gros oignon haché
2 gousses d'ail hachées
2 1/4 tasses / 450 g de haricots à œil noir cuits
1 1/2 tasse / 400 g de tomates en conserve égouttées et écrasées
1 tranche de gingembre frais
sel et poivre noir fraîchement moulu
Garam Masala
coriandre fraîche

MÉTHODE

Mettre le beurre dans un plat et faire fondre à la puissance maximale pendant 45 secondes. Ajouter l'oignon et l'ail; continuer la cuisson, couvert, pendant 3 minutes. Ajouter les haricots à œil noir, les tomates et le gingembre, et cuire à la puissance maximale, couvert, pendant 4-5 minutes, jusqu'à ce que le mélange soit très chaud; remuer une fois durant la cuisson.

Assaisonner de sel, de poivre et de Garam Masala; ajouter beaucoup de feuilles de coriandre hachées. Manger chaud ou froid avec du riz.

Couscous aux légumes

INGRÉDIENTS *4 portions*
1/2 chou-fleur, coupé en petits bouquets
1/3 tasse / 225 g de carottes en dés
1 gros panais en dés
3 c. à table / 45 ml d'eau
2 tasses / 400 g de pois chiches en conserve, égouttés
1 3/4 tasse / 200 g de pois en conserve, égouttés
Sauce tomate (voir page 218) faite avec de la poudre de chili au goût plutôt que du basilic
2 tasses / 350 g de couscous
2 tasses / 450 ml d'eau bouillante
sel
2 c. à table / 25 g de beurre

MÉTHODE

Préparer d'abord la garniture aux légumes. Mettre le chou-fleur, les carottes et le panais dans un plat avec l'eau. Couvrir et cuire à la puissance maximale pendant 5 minutes; remuer une fois durant la cuisson.

Ajouter les pois chiches et les pois; cuire encore 4 minutes en remuant une fois. Égoutter et garder chaud.

Pour préparer le couscous, mettre les grains dans une casserole profonde, couvrir d'eau bouillante et salée. Cuire à la puissance maximale pendant 4 minutes. Ajouter le beurre et remuer. Réchauffer la Sauce tomate pendant 3 minutes dans une saucière.

Servir le couscous couvert du mélange de légumes et laisser les invités se servir eux-mêmes la sauce.

213

Brocoli et chou-fleur au fromage

INGRÉDIENTS *4 portions*
450 g de brocoli frais lavé ou 1
   paquet de 350 g de brocoli
   surgelé
1 chou-fleur lavé
2 pommes de terre pelées
2 1/2 tasses / 600 ml de Sauce
   béchamel (voir page 219)
2 c. à table / 25 g de beurre
sel et poivre noir fraîchement moulu
1/4 tasse / 60 ml de lait
4 tranches de fromage cheddar
1 c. à table / 15 ml de chapelure
   croustillante

MÉTHODE

Disposer le brocoli dans un plat rond, les tiges vers l'intérieur. Ajouter 4 c. à table / 60 ml d'eau salée et cuire à la puissance maximale pendant 5 minutes, couvert.

Si le brocoli est surgelé, le faire décongeler d'abord, et cuire seulement 3 minutes à ce stade.

Quand le brocoli est prêt, le transférer dans une assiette; utiliser le même plat de cuisson pour les bouquets de chou-fleur préalablement disposés en couronne. Cuire à la puissance maximale pendant 5 minutes, puis laisser reposer 3 minutes.

Pendant que les légumes cuisent, trancher les pommes de terre mince à l'aide, si possible, d'un robot culinaire. Préparer la Sauce béchamel.

Disposer les pommes de terre au fond d'un plat profond beurré. Mélanger le sel et le poivre au lait, verser sur les pommes de terre, et couvrir partiellement d'un couvercle ou d'une pellicule autocollante. Cuire au four à micro-ondes à la puissance maximale pendant 5 minutes, plus longtemps si les tranches de pommes de terre sont épaisses. Laisser reposer 3 minutes.

Disposer les tiges de brocoli vers le centre en anneau, en alternant avec le chou-fleur.

Verser la Sauce béchamel bien assaisonnée et cuire au micro-ondes pendant 10 minutes à la puissance maximale. Saupoudrer de poivre fraîchement moulu et couvrir des tranches de fromage. Cuire au micro-ondes pendant 2 minutes à la puissance maximale ou jusqu'à ce que le fromage ait fondu. Saupoudrer de chapelure et faire brunir sous le gril, si désiré. Laisser reposer 2 minutes, puis servir pendant que le fromage est encore mou.

▲▶ Brocoli et chou-fleur au fromage
▶ Haricots verts et poivrons rouges

Oignons miniatures Escoffier

INGRÉDIENTS *4 portions*
4 tasses / 450 g d'oignons miniatures
1 c. à table / 15 ml d'huile
1 feuille de laurier
1 brin de thym
1 c. à thé / 5 ml de graines de fenouil
1/2 tasse / 50 g de raisins de Smyrne
3 c. à table / 45 ml de vin blanc sec
1 c. à table / 15 ml de brandy

MÉTHODE

Peler les oignons, mais les laisser entiers. Les mettre dans un plat avec le reste des ingrédients, couvrir d'une pellicule autocollante perforée et cuire à la puissance maximale environ 10 minutes; remuer deux fois durant la cuisson.

Haricots verts et poivrons rouges

INGRÉDIENTS *4 portions*
4 tasses / 450 g de haricots verts, pédoncules coupés, tranchés
2 c. à table / 30 ml d'huile végétale
1 oignon pelé et finement haché
1 poivron rouge, épépiné et coupé en dés
1 gousse d'ail broyée
4 tomates pelées et hachées
2 c. à thé / 10 ml de sauge ou de basilic haché

MÉTHODE

Placer les haricots dans un plat profond avec 1/4 tasse / 50 ml d'eau, couvrir et cuire pendant 4 minutes. Laisser reposer 2 minutes.

Mettre l'huile végétale dans un plat à brunir, et chauffer à la puissance maximale pendant 2 minutes. Ajouter l'oignon, le poivron rouge, l'ail et les tomates. Tourner dans l'huile chaude et cuire à la puissance maximale pendant 5 minutes.

Égoutter l'eau des haricots, saler et poivrer. Ajouter le mélange de poivrons et bien mélanger. Saupoudrer de sauge ou de basilic haché, couvrir et cuire encore 5 minutes. Laisser reposer 2-3 minutes.

Oignons glacés

INGRÉDIENTS *4 portions*
8 petits oignons, pelés mais entiers
2 c. à table / 30 ml de miel
2 c. à table / 25 g de beurre
2 c. à table / 30 ml d'eau chaude

MÉTHODE

Mettre les oignons dans un plat.

Travailler le beurre en crème avec le miel et l'eau; verser sur les oignons. Couvrir d'une pellicule autocollante perforée et cuire à la puissance maximale pendant 8-10 minutes, jusqu'à ce que les oignons soient tendres; brasser ou remuer une fois durant la cuisson.

Servir très chaud. Les oignons glacés sont particulièrement bons avec le Pain de lentilles (page 205) et des pommes de terre en purée.

Betteraves à la russe

INGRÉDIENTS *4 portions*
6 c. à table / 75 g de beurre
5 betteraves moyennes non cuites, coupées en dés
2 c. à table / 30 ml de vinaigre de vin rouge
1/2 c. à thé / 2,5 ml d'aneth séché
1/2 c. à thé / 2,5 ml de fenouil séché
sel et poivre noir fraîchement moulu
3 c. à table / 25 g de fécule de maïs
2 c. à table / 30 ml de lait
aneth ou fenouil frais
crème sure

MÉTHODE

Placer le beurre dans un bol et le faire fondre pendant 1 minute. Ajouter les betteraves, le vinaigre, les herbes et l'assaisonnement. Couvrir et cuire à la puissance maximale pendant 8 minutes ou jusqu'à ce que les betteraves soient tendres.

Mettre la fécule de maïs et le lait dans un petit bol; battre jusqu'à l'obtention d'un mélange homogène. Mélanger avec les betteraves et cuire, couvert, pendant environ 4 minutes, jusqu'à épaississement.

Laisser reposer, couvert, pendant 2 minutes. Garnir d'aneth ou de fenouil frais, et servir chaud ou froid avec de la crème sure.

Épinards à la romaine

INGRÉDIENTS *4 portions*
4 tasses / 450 g d'épinards frais
1/2 c. à table / 7,5 ml d'huile
1/2 c. à table / 7,5 ml de beurre
1/3 tasse / 50 g de pignons
1/3 tasse / 50 g de raisins de Smyrne
2/3 tasse / 100 g de tofu fumé, coupé en dés
1 gousse d'ail broyée
sel et poivre noir fraîchement moulu

MÉTHODE

Laver les épinards et jeter les tiges rigides et les feuilles décolorées. Les mettre dans un sac à rôtir ou à bouillir, et fermer sans serrer. Cuire à la puissance maximale pendant environ 6 minutes, jusqu'à ce que les épinards s'affaissent; agiter le sac une fois durant la cuisson.

Mettre l'huile et le beurre dans un plat (augmenter la quantité de beurre pour obtenir un goût plus riche); ajouter les pignons, les raisins de Smyrne, le tofu en dés et l'ail. Cuire pendant 1 minute.

Entre-temps, déchiqueter les épinards. Les ajouter dans le plat et bien mélanger. Assaisonner de sel et de poivre au goût.

Réchauffer une minute, couvert d'une pellicule autocollante perforée.

Asperges parfaites

INGRÉDIENTS *4 portions*
3 tasses / 350 g de pointes d'asperges
3 c. à table / 45 ml d'eau
3 c. à table / 40 g de beurre
2 c. à table / 30 ml de parmesan

MÉTHODE

Enlever la partie ligneuse des pointes d'asperge de manière qu'elles aient toutes la même longueur. Les étendre dans un plat en les disposant tête à queue et verser l'eau. Couvrir de pellicule autocollante et cuire à la puissance maximale pendant 5-7 minutes, selon la taille des asperges.

Égoutter les asperges et les garder chaudes.

Mettre le beurre et le parmesan dans un pot et faire fondre pendant 1 minute.

Servir la sauce séparément.

Choux de Bruxelles avec châtaignes d'eau, ail et champignons

INGRÉDIENTS *4 portions*
1 c. à table / 15 g de beurre ou de margarine
1 gousse d'ail broyée
5-6 tasses / 400 g de choux de Bruxelles miniatures épluchés
2 tasses / 100 g de champignons tranchés
1 tasse / 200 g de châtaignes d'eau en conserve, égouttées
sauce de soja

MÉTHODE
Mettre le beurre dans un plat et le faire fondre à la puissance maximale pendant 30 secondes. Ajouter l'ail et cuire pendant 1 minute.

Ajouter les choux de Bruxelles, les champignons et les châtaignes d'eau, avec 15 ml du liquide des châtaignes. Couvrir et cuire pendant 3-4 minutes, jusqu'à ce que tous les légumes soient très chauds.

Assaisonner de sauce de soja et servir.

Courgettes à l'italienne

INGRÉDIENTS *4 portions*
3 1/2 tasses / 400 g de courgettes tranchées
1 petit oignon haché
1 gousse d'ail hachée
3 c. à table / 45 ml d'eau
1 3/4 tasse / 425 g de tomates en conserve, égouttées et tamisées ou passées au mélangeur
sel et poivre noir fraîchement moulu
3 c. à table / 45 ml de parmesan râpé

MÉTHODE
Mettre les courgettes dans un plat avec l'oignon et l'ail. Ajouter l'eau et couvrir d'une pellicule autocollante. Cuire à la température maximale pendant environ 7 minutes, jusqu'à ce que les légumes soient presque cuits.

Ajouter les tomates en purée et assaisonner de sel et de poivre. Couvrir et cuire pendant 2-3 minutes, jusqu'à ce que le mélange soit très chaud.

Saupoudrer de parmesan râpé et servir.

VARIANTE
Vous pouvez étager les courgettes avec des tranches de mozzarella et de la sauce tomate plutôt que de les servir avec du parmesan.

▼ Choux de Bruxelles avec châtaignes d'eau, ail et champignons

Panais et champignons dans une sauce au fromage

INGRÉDIENTS *4 portions*
450 g de panais
3 c. à table / 45 ml d'eau
1 c. à table / 15 ml de jus de citron
4 tasses / 250 g de champignons
  essuyés et tranchés

SAUCE
3 c. à table / 40 g de beurre
6 c. à table / 40 g de farine
1 1/4 tasse / 300 ml de lait
1/2 tasse / 50 g de fromage râpé
sel et poivre noir fraîchement moulu
muscade

MÉTHODE
Peler les panais et les couper en huit. Enlever les cœurs très ligneux. Mettre les panais dans un plat avec l'eau et le jus de citron. Couvrir d'une pellicule auto-collante perforée et cuire à la puissance maximale pendant 7 minutes; remuer deux fois durant la cuisson.

Ajouter les champignons. Couvrir de nouveau et cuire encore 3-4 minutes, jusqu'à ce que les légumes soient cuits. Garder chaud.

Préparer la sauce. Mettre le beurre dans un plat et le faire fondre pendant 30 secondes. Mélanger le beurre avec la farine. Ajouter le lait et cuire pendant 3 minutes; fouetter à chaque minute. Incorporer le fromage. Cuire pendant une minute, puis fouetter à nouveau. Assaisonner au goût de sel, de poivre et de muscade.

Égoutter les légumes et verser la sauce sur ceux-ci. Réchauffer une minute si nécessaire.

Fenouil au parmesan

INGRÉDIENTS *4 portions*
2 bulbes de fenouil
1/4 tasse / 50 g de beurre
1 c. à table / 15 ml de jus de citron
sel et poivre noir fraîchement moulu
2 c. à table / 30 ml de parmesan
2 c. à table / 30 ml d'herbes fraîches hachées (facultatif)

MÉTHODE
Enlever les feuilles extérieures dures du fenouil. Éplucher les bulbes, mais réser-ver les frondes duveteuses. Trancher les bulbes.

▲ Fenouil au parmesan

Mettre le beurre dans un plat et cuire pendant 1 minute à la puissance maxi-male. Ajouter le fenouil et le tourner pour bien l'enrober de beurre. Couvrir d'une pellicule autocollante et cuire pen-dant environ 10 minutes, jusqu'à ce que le fenouil soit tendre; remuer une ou deux fois durant la cuisson.

Arroser d'un peu de jus de citron, assaisonner de sel et de poivre, et saupoudrer de parmesan.

Garnir de frondes de fenouil hachées ou d'herbes fraîches.

Pommes de terre chaudes à l'avoine

INGRÉDIENTS *4 portions*
450 g de pommes de terre nouvelles, brossées
1/4 tasse / 50 g de beurre
6 ciboules (échalotes)
1/2 tasse / 75 g de gruau (flocons d'avoine à cuisson rapide)
1/4 tasse / 60 ml de crème (facultatif)
1 c. à table / 15 ml de persil haché

MÉTHODE
Piquer les pommes de terre plusieurs fois. Les placer dans un plat profond avec 1 tasse / 250 ml d'eau salée. Couvrir d'un couvercle ou d'une pellicule autocollante, et cuire au micro-ondes à la puissance maximale pendant 10 minutes. Laisser reposer pendant 3 minutes.

Vérifier les pommes de terre; si elles ne sont pas assez cuites, tourner le plat d'un quart de tour, et cuire encore 3 minutes. Égoutter, puis couper les pommes de terre en tranches égales.

Fondre le beurre dans un plat. Ajouter 4 ciboules hachées, bien mélanger, puis enrober les pommes de terre de gruau. Cuire à la puissance maximale pendant 5 minutes. Ajouter 1/4 tasse / 60 ml de crème aux pommes de terre, si désiré.

Saupoudrer les deux autres ciboules hachées et le persil.

Maïs en épis

INGRÉDIENTS *4 portions*
4 maïs en épis, avec leurs enveloppes
4 c. à table / 50 g de beurre
1 c. à table / 15 ml de morceaux d'olives vertes ou noires
1 c. à thé / 15 ml de câpres hachées
2 ciboules (échalotes) hachées
1/2 poivron rouge épépiné et haché
1 tasse / 50 g de champignons lavés et tranchés
sel et poivre noir fraîchement moulu

MÉTHODE
Cuire les épis de maïs au micro-ondes avec leurs enveloppes et 1/2 tasse / 120 ml d'eau, couverts, 5 minutes. Laisser reposer 2 minutes.

Fondre le beurre dans un bol à la puissance maximale 1 minute. Ajouter tous les autres ingrédients, et cuire pendant 3 minutes.

Enlever les enveloppes des épis de maïs. Verser le mélange de beurre sur le maïs. Bien assaisonner.

◀▲ Pommes de terre chaudes à l'avoine
◀ Maïs en épis

Navet et pommes de terre au four

INGRÉDIENTS *4 portions*
2 1/2 tasses / 450 g de navets pelés et tranchés mince
3 tasses / 450 g de pommes de terre pelées et tranchées mince
beurre
sel et poivre noir fraîchement moulu
4 c. à table / 60 ml de crème de table
ciboulette hachée

MÉTHODE
Disposer les navets et les pommes de terre en étages dans un plat rond; mettre des noix de beurre entre chaque étage; assaisonner de sel et de poivre. Couvrir de papier ciré et presser fermement vers le bas.

Placer le plat sur une assiette inversée, couvrir et cuire à la puissance maximale pendant 9 minutes; tourner une fois.

Verser doucement la crème pour qu'elle s'infiltre entre les couches. Faire brunir légèrement sous le gril, garnir de ciboulette et servir.

Sauce tomate

INGRÉDIENTS *2 1/2 tasses / 600 ml*
2 c. à table / 30 ml d'huile
2 oignons pelés et coupés en dés
1 gousse d'ail
1 carotte, pelée et râpée
5 1/3 tasses / 900 g de tomates
  mûres hachées
1 c. à thé / 5 ml de sucre
1 c. à table / 15 ml de basilic haché
1 feuille de laurier
1 bouquet garni
sel et poivre noir fraîchement moulu
1/2 tasse / 120 ml de vin blanc

MÉTHODE

Chauffer l'huile pendant 1 minute dans une casserole ou un bol. Ajouter l'oignon et l'ail, et cuire pendant 2 minutes. Ajouter la carotte, et cuire à la puissance maximale pendant 2 autres minutes.

Incorporer tous les autres ingrédients, bien mélanger et cuire, couvert, pendant 10 minutes. Laisser reposer 5 minutes. Retirer la feuille de laurier et le bouquet garni. Tamiser la sauce et enlever les peaux de tomates. Utiliser selon les besoins.

VARIANTE

Pour une sauce de texture différente, peler les tomates avant de les faire cuire. La sauce peut alors être passée au mélangeur ou au robot culinaire. Les tomates fraîches peuvent être remplacées par des tomates italiennes en conserve. Dans ce cas, utiliser 2 1/2 tasses / 2 boîtes de 400 g de tomates.

Sauce béchamel

INGRÉDIENTS *4 portions*
2 1/2 tasses / 600 ml de lait
1/4 oignon pelé
1 feuille de laurier
1 bouquet garni
1 carotte tranchée
3 c. à table / 40 g de beurre
1/2 tasse / 50 g de farine ordinaire
sel et poivre noir fraîchement moulu

MÉTHODE

Dans une tasse à mesurer allant au four, mettre le lait, l'oignon, la feuille de laurier, le bouquet garni et la carotte. Cuire à la puissance maximale pendant 3 minutes, et laisser reposer, couvert, pendant 10 minutes.

Faire fondre le beurre dans un bol pendant 2 minutes, retirer du four et le mélanger avec la farine. Ajouter graduellement le lait passé, et fouetter jusqu'à ce que le mélange soit homogène. Bien

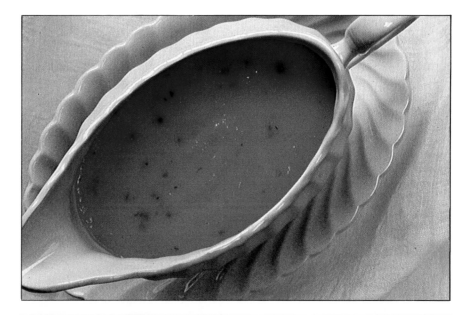

assaisonner.

Réchauffer dans le micro-ondes à la puissance maximale pendant 2 minutes, puis retirer et fouetter. Remettre au four à la puissance maximale 2 minutes de plus, puis fouetter à nouveau. Cuire encore 1 minute, laisser reposer 2 minutes, fouetter et laisser reposer.

Utiliser la sauce avec des plats de légumes, en y ajoutant ou non des herbes et du fromage.

VARIANTE

Ajouter 1/2 tasse / 50 g de fromage râpé avant les 2 dernières minutes de cuisson, puis fouetter et laisser reposer.

Sauce hollandaise

INGRÉDIENTS *4 portions*
3/4 tasse / 175 g de beurre
2 c. à table / 30 ml de vinaigre de
  vin ou 2 c. à table / 30 ml de jus
  de citron
2 jaunes d'œufs
sel et poivre noir fraîchement moulu

MÉTHODE

Faire fondre le beurre à la puissance maximale pendant 2 minutes.

Fouetter le vinaigre ou le jus de citron dans un petit bol avec les jaunes d'œufs et l'assaisonnement.

Verser peu à peu le beurre fondu dans le bol en fouettant continuellement. Quand la moitié du beurre a été incorporée, cuire au four à micro-ondes pendant 30 secondes; retirer et continuer de fouetter.

Ajouter le beurre qui reste, et cuire pendant 30 secondes. Fouetter et, si nécessaire, cuire encore pendant 30 secondes. Servir immédiatement.

VARIANTE

Laisser refroidir légèrement la Sauce hollandaise, et incorporer 1 tasse / 250 ml de crème à fouetter. Servir avec n'importe quel légume croquant lors d'une occasion spéciale. Pour varier encore la saveur, ajouter 1 c. à table / 15 ml de cornichons ou de câpres.

▲▲ Sauce tomate
▲ Sauce hollandaise

Chutney à la mangue

INGRÉDIENTS *3 1/4 tasses / 900 ml*
2 mangues (environ 750 g) pelées et
 coupées en dés
1 gros oignon haché
1/3 tasse / 50 g de raisins secs
1/3 tasse / 50 g d'abricots séchés
 hachés
1 c. à table / 15 ml de rhum
1 1/4 tasse / 300 ml de vinaigre de
 vin ou de cidre
sucre
1/2 c. à thé / 2,5 ml de piment de la
 Jamaïque
1/2 bâton de cannelle
1 morceau de gingembre
1 petit piment du Chili épépiné

MÉTHODE
 Dans un grand bol, mélanger l'oignon
avec les mangues et couvrir de 1 1/4
tasse / 300 ml d'eau. Cuire à la puissance
maximale pendant 5 minutes.
 Faire tremper les raisins et les abricots
dans le rhum.
 Égoutter les mangues et peser les
fruits. Utiliser le même poids de fruits
que de sucre pour le chutney.
 Verser le vinaigre dans un pot, et
ajouter le sucre et les épices. Mettre au
micro-ondes à la puissance maximale
pendant 4 minutes pour faire fondre le
sucre. Vérifier si le sucre est complètement dissous; s'il ne l'est pas, cuire
encore 2 minutes.
 Remettre les mangues dans le bol avec
le vinaigre et le mélange de sucre, et
incorporer les raisins, les abricots et le
piment haché. Cuire à la puissance maximale pendant 10 minutes, puis laisser
reposer 5 minutes. Cuire encore 10 minutes à la puissance maximale, ou
jusqu'à ce que le mélange devienne épais.
 Pour vérifier, mettre une cuillerée de
mélange sur une assiette froide, laisser
refroidir, et vérifier si le mélange se
déforme à la pression. Si le mélange est
encore trop clair, cuire encore pendant
2-3 minutes.
 Verser dans des contenants stérilisés.
Fermer hermétiquement, et étiqueter.
 Ce chutney accompagne délicieusement les plats épicés et les caris. Il peut
également être servi avec des croquettes
de légumes et des noix grillées.

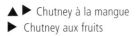 Chutney à la mangue
▶ Chutney aux fruits

Chutney aux fruits

INGRÉDIENTS *6 pots de 450 g*
1 kg de pommes pelées, évidées et
 tranchées
1 kg d'oignons pelés et tranchés
zeste et jus de 2 citrons
1/2 tasse / 100 g d'abricots séchés
 hachés
6 tasses / 700 g de sucre brun
2 1/2 tasses / 600 ml de vinaigre de
 malt
1 petit piment vert épépiné
1 1/3 tasse / 225 g de raisins de
 Smyrne
1 1/3 tasse / 225 g de raisins secs

MÉTHODE
 Mettre dans un grand bol les tranches
de pommes et les rondelles d'oignons;
couvrir et cuire à la puissance maximale
pendant 5 minutes.
 Ajouter le zeste et le jus de citron, bien
mélanger, puis ajouter les abricots et le
sucre. Bien mélanger.
 Cuire pendant 10 minutes à la puissance maximale, et remuer pour dissoudre le sucre. Quand le sucre est
dissous, ajouter le vinaigre, le piment
haché, les raisins de Smyrne et les raisins
secs.
 Cuire, sans couvrir, pendant 1-1 1/2
heure, jusqu'à ce que le mélange soit
épais. Verser dans des pots stérilisés, fermer hermétiquement et étiqueter.

Marmelade aux trois fruits

INGRÉDIENTS *6 pots de 450 g*
450 g d'oranges
1 pamplemousse
2 citrons
7 1/2 tasses / 1,7 l d'eau
1,4 kg de sucre

NOTE

Voici une façon facile et propre de préparer une marmelade délicieuse. Il suffit de remuer occasionnellement. Cependant, il est essentiel que le sucre soit dissous avant de faire bouillir une deuxième fois.

MÉTHODE

Faire cuire les fruits en deux temps dans le micro-ondes à la puissance maximale pendant 3 minutes chaque fois.

Couper les fruits en deux, et en exprimer le jus. Trancher les écorces avec un couteau bien aiguisé ou avec la petite lame pour émincer du robot culinaire. Mettre les pépins dans un bout de mousseline ou un linge bien rincé, et attacher la partie supérieure fermement.

Placer les noyaux, les écorces tranchées et l'eau dans un grand bol ou une casserole de 4 litres. Faire chauffer l'eau à la puissance maximale pendant 45 minutes.

Incorporer le sucre, et mélanger jusqu'à ce qu'il soit dissous. Si nécessaire, mettre au four à la puissance maximale pendant 3 minutes, retirer et remuer pour dissoudre le sucre. Utiliser des gants de cuisine, car le bol sera très chaud et devra être manipulé avec soin.

Quand le sucre est dissous, replacer le bol dans le four à micro-ondes et cuire à la puissance maximale pendant 1 heure. Remuer après 10 minutes, enlever l'écume de la surface et continuer la cuisson.

Test à l'assiette froide : si une cuillerée de marmelade se ratatine après 1 minute, elle a atteint le stade où elle fige, et elle est prête.

Verser dans des contenants stérilisés, fermer hermétiquement et étiqueter.

VARIANTE

Pour préparer la marmelade à l'orange, utiliser 900 g d'oranges de Séville (amères) et 1 citron. Suivre la recette ci-dessus.

▲▶ Marmelade aux trois fruits
▶ Confiture de fraises
▶▶ Crème au citron

Confiture de fraises

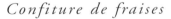

INGRÉDIENTS *4 pots de 450 g*
5 1/2 tasses / 1 kg de fraises, équeutées
jus de 1 citron
4 tasses / 1 kg de sucre

MÉTHODE

Mettre les fruits dans un grand bol ou une grande casserole avec le jus de citron, et cuire pendant 5 minutes à la puissance maximale. Écraser légèrement les fraises avec une cuillère de bois.

Ajouter le sucre, et bien mélanger. Cuire pendant 3 minutes à la puissance maximale, et mélanger encore. Cuire à la puissance maximale 3 minutes de plus, et remuer pour vérifier si le sucre est dissous. Si nécessaire, continuer la cuisson 2 minutes.

Cuire encore 6 minutes à la puissance maximale, tourner les fruits, et cuire encore 6 minutes à la même puissance.

Effectuer le test de l'assiette froide; la confiture devrait se ratatiner après 1 minute. Sinon, cuire encore 2 minutes à la puissance maximale.

Verser la confiture dans des contenants stérilisés, fermer hermétiquement et étiqueter.

Crème au citron

INGRÉDIENTS *750 g*
2 1/4 tasses / 450 g de sucre
zeste râpé et jus de 4 citrons
3/4 tasse / 175 g de beurre
6 œufs battus

MÉTHODE

Mettre le sucre dans un bol de verre.

Mélanger le beurre et le sucre, et cuire à la puissance maximale pendant 1 minute.

Ajouter le zeste et le jus des citrons au beurre et au sucre, et bien mélanger. Incorporer les œufs battus; bien fouetter le mélange.

Cuire à la puissance maximale pendant 2 minutes, retirer et bien mélanger. Remettre au four et cuire encore 6 minutes; remuer toutes les 2 minutes.

Vérifier la consistance du mélange; celui-ci doit être épais et crémeux. Verser dans des pots stérilisés et ranger dans un endroit frais.

La crème au citron a une durée de conservation assez courte; elle devrait être mangée dans les deux semaines, à moins d'être conservée au réfrigérateur.

INDEX